C000204031

LA FEMME DE TRENTE ANS

HONORÉ DE BALZAC

LA FEMME DE TRENTE ANS

Édition établie
par
Gérard GENGEMBRE

Bibliographie mise à jour (2010)
par
Hella STRAUBEL

GF Flammarion

© Flammarion, Paris, 1996
Édition mise à jour en 2010
ISBN : 978-2-0812-4475-7

« **Mona Ozouf,**

pourquoi aimez-vous *La Femme de trente ans* ? »

Parce que la littérature d'aujourd'hui se nourrit de celle d'hier, la GF a interrogé des écrivains contemporains sur leur « classique » préféré. À travers l'évocation intime de leurs souvenirs et de leur expérience de lecture, ils nous font partager leur amour des lettres, et nous laissent entrevoir ce que la littérature leur a apporté. Ce qu'elle peut apporter à chacun de nous, au quotidien.

Née en 1931, Mona Ozouf, historienne, a notamment publié, chez Calmann-Lévy, La Muse démocratique. Henry James ou les pouvoirs du roman *(prix de l'essai de l'Académie française 1998), et, chez Gallimard,* Varennes. La mort de la royauté *(prix des Ambassadeurs 2006) et* Composition française *(prix de l'essai de la* Revue des Deux Mondes, *2009). Elle a accepté de nous parler de* La Femme de trente ans *de Balzac, et nous l'en remercions.*

**Quand avez-vous lu ce livre pour la première fois ?
Racontez-nous les circonstances de cette lecture.**

Notre professeur de lettres, en khâgne, avait attiré
l'attention de la classe sur ce roman de Balzac, dont je
n'avais jamais entendu parler. La dame avait un grand
sens théâtral. Elle se drapait volontiers de noir pour
expliquer les *Oraisons funèbres* de Bossuet, arborait,
quand nous passions à Marivaux, un pull-over rose
poudré, absurdement serré dans une de ces ceintures
élastiques à la mode des années cinquante, et faites
exclusivement pour des tailles de sablier. Elle adorait
nous déconcerter, ne dédaignait pas la provocation, et
nous avait présenté les trente ans – ceux de l'héroïne,
mais les nôtres aussi bien – comme l'antichambre de la
décrépitude, avec les accents sarcastiques de Queneau :
« si tu t'imagines, fillette, fillette, xa va xa va xa va
durer toujours ». Plus tard, devenue moi-même professeur de khâgne, il m'est arrivé de donner à mes élèves,
au début de l'année et pour mieux faire connaissance,
ce sujet laconique : « Vous à quarante ans. » D'avoir
substitué quarante à trente me paraît aujourd'hui
significatif : trente ans, quand notre professeur nous
entretenait de « cette rapide saison où la femme reste
en fleur », comme le dit Balzac, c'était certes encore
lointain, mais tout de même assez proche pour que la
suggestion du déclin nous semble insupportable. Par
ailleurs, nous étions à l'âge où l'on croit pouvoir tout
inventer de sa vie, et les romans de Balzac nous paraissaient plombés par une implacable nécessité. Nous
n'avions d'yeux à l'époque – en tout cas c'était vrai
pour moi – que pour les héroïnes stendhaliennes,
toutes de mouvement et d'insolente liberté : Lamiel
était la référence absolue. N'empêche. Elle était intri-
gante, cette femme de trente ans, présentée par notre
professeur comme déjà prise au lacet de l'âge, et
condamnée. Je m'y précipitai donc.

Votre coup de foudre a-t-il eu lieu dès le début du livre ou après ?

Ni tout de suite, malgré le charme des premières pages et le soin mis par Balzac, gourmand de toilettes féminines, à décrire la guimpe, la collerette brodée et les brodequins de prunelle puce de son héroïne. Ni après, et bien que le livre contienne un des plus étonnants coups de foudre de la littérature. Ma première lecture n'avait fait qu'aviver le sentiment d'inconfort que notre professeur s'entendait à nous communiquer. Pour commencer, j'avais eu du mal à retrouver l'emblématique femme de trente ans dans cette succession de tableaux où Julie a tantôt quinze ans, tantôt seize (et déjà des cernes violets sous des yeux battus), tantôt vingt-six, puis trente en effet, et bientôt cinquante ; une vieillarde celle-ci, mais en confrontant les dates, je m'étais aperçue, avec quelque étonnement, que cette cinquantenaire épuisée avait tout juste quarante-six ans. Je crois me souvenir aussi que je m'étais perdue dans le compte des enfants de Julie, légitimes et adultérins, ne sachant trop à quel père les attribuer. Bref, je n'y avais rien compris. Plus profondément, le roman était mal fait pour déloger Stendhal de son empire sur les cœurs adolescents (le match Stendhal-Balzac, en ces temps-là, se jouait et se rejouait inlassablement dans les classes). Nulle liberté ici, nul élan, l'affreux destin de la malheureuse Julie de Châtillon, bientôt d'Aiglemont, paraît écrit dès les premières pages du livre, en châtiment de ce qui n'est après tout à quinze ans qu'une étourderie prévisible : s'éprendre de l'uniforme bleu et du shako d'un avantageux cavalier moustachu.

Restait pourtant une étrange attirance pour ce roman mystérieux et noir. Mystérieux, car il est tissé de ces choses que la société impose de cacher et que le lecteur lui aussi doit découvrir dans la trame de l'ouvrage. Et d'un noir d'encre, car les catastrophes s'y succèdent sans ménager de répit aux personnages comme au lecteur : une nuit de noces comme un assassinat ; la mort d'un

soupirant exemplaire qui se laisse geler sur un appui de
fenêtre en sacrifice à l'honneur d'une femme ; le meurtre
d'un petit garçon par sa sœur ; l'irruption d'un assassin
dans une famille paisible et le rapt de la fille aînée ;
l'inceste commis par la fille cadette, dont la révélation
assassine à son tour l'héroïne. Balzac a déployé dans
cette histoire son génie baroque, mais j'avais du mal à
accorder à ce roman de la démesure la croyance élémen-
taire que réclame toute lecture.

Relisez-vous ce livre parfois ? À quelle occasion ?

Je l'ai relu plusieurs fois. La première, je m'en sou-
viens, après avoir découvert, sous la plume d'un spécia-
liste de Balzac, que la Révolution française tenait fort
peu de place dans les romans balzaciens, affirmation si
stupéfiante qu'elle avait rappelé à ma mémoire cette
Femme de trente ans si précisément datée, puisqu'elle
ouvre sur la dernière parade de Napoléon aux Tuileries
en avril 1813 et contient un impressionnant portrait de
l'Empereur. Les allusions historiques ne manquent pas
tout au long du roman puisqu'on voit le moustachu de
la parade, devenu l'époux calamiteux de Julie, se recon-
vertir au service des Bourbons, suivre Louis XVIII à
Gand, ambitionner la pairie, qu'il devra en fin de
compte à Charles X. On y voit encore l'amoureux idéal,
Lord Grenville, assigné à résidence par Napoléon en
Touraine en mars 1814, et la vieille comtesse de Listomère mourir de joie en revoyant le duc d'Angoulême.

Mais l'Histoire majuscule ne sert pas seulement de
fond à l'intrigue. Ce qui intéresse Balzac, c'est la
manière dont l'entrée dans le monde nouveau de la
Révolution modifie les sentiments humains. Pour commencer, les guerres révolutionnaires et impériales ont
contribué à l'ensauvagement des mœurs et des
manières, et la brutalité du colonel d'Aiglemont, si
déterminante pour la suite du récit, n'est pas étrangère
au contexte napoléonien : l'habitude de côtoyer la mort
dispense les hommes des égards dus aux femmes, dit

profondément la marquise de Listomère. D'autre part, et surtout, l'aspiration au bonheur a gagné toutes les âmes, les femmes elles-mêmes veulent désormais être pour quelque chose dans leurs destinées. Cela ne rend que plus déchirante leur infortune et singulièrement celle des mal mariées, comme Julie, hantées par l'idée qu'elles auraient pu choisir plus intelligemment les hommes auxquels elles donnaient leur cœur, leur corps, leur foi. Julie en est tristement consciente : « moi seule suis l'auteur du mal, moi seule ai voulu mon mariage ». Ajoutons que la religion ne donne plus à ces malheureuses les secours d'autrefois, puisque la Révolution a « dénoué les liens religieux en France ». Les prêtres, payés par l'État depuis le Concordat, sont désormais des fonctionnaires, dénués de toute aura sacrée. Et Julie nourrit un mépris tout aristocratique à l'endroit du fruste curé de village qui souhaiterait l'aider.

Ma dernière lecture de *La Femme de trente ans* est récente. Elle a suivi celle de la correspondance de Balzac dans la « Bibliothèque de la Pléiade ». Or, parmi toutes les épistolières du romancier, je me suis éprise, non des marquises et des duchesses, mais de l'obscure et touchante Zulma Carraud, que Balzac nomme sa « sœur d'âme », et dont on peut voir les beaux yeux noirs et l'air grave dans le portrait du musée Balzac. Zulma est une commentatrice lucide, à la fois tendre et sans complaisance, des écrits du grand homme, où elle débusque souvent l'enflure. Or, elle tient *La Femme de trente ans* pour un chef-d'œuvre. Jamais, écrit-elle à Balzac, homme n'a si bien compris le cœur des femmes. Le capitaine d'artillerie Carraud s'était-il lui aussi comporté en soudard avec sa jeune épouse ? On le soupçonne, quand on voit Zulma menacer gentiment Honoré : « Si jamais vous vous mariez et que vous soyez un mari comme ils le sont tous, vous serez bien coupable ! » Mon coup de cœur pour Zulma m'a alors ramenée à *La Femme de trente ans*.

**Est-ce que cette œuvre a marqué vos livres
ou votre vie ?**

Ma vie, je ne crois pas. Mais deux de mes livres se sont
souvenus de *La Femme de trente ans*. Dans *Les Mots des
femmes*, j'aborde à maintes reprises le sujet capital du
mariage tel que la Révolution l'a transformé : un contrat
entre des volontés libres, où l'on attend désormais que
l'amour aille de pair avec l'institution ; mais un contrat
irréversible, après l'abolition de l'éphémère divorce
révolutionnaire : d'où il s'ensuit que le mariage sans
amour est une catastrophe. Un dialogue entre Julie et la
vieille marquise de Listomère, une Provençale qui avait
eu des passions vives et conservé l'entente du mariage
aristocratique, éclaire le changement radical qui a eu
lieu. L'affaire, explique la marquise à Julie, se réglait tout
autrement « sous le règne de notre bien-aimé
Louis XV ». À cette époque, un mari se comportait-il
« en vrai lansquenet », et il devait en toute justice subir
« les inconvénients du mariage ». L'adultère, que la
vieille dame envisage avec une désinvolture sereine
comme adoucissement nécessaire au mariage, est devenu
un crime dans le monde bourgeois, y compris chez les
aristocrates. C'est désormais dans le mariage, et lui seul,
que tient la promesse acceptable de bonheur pour les
femmes. De là, tous les malheurs de Julie.

Un autre de mes livres, *Les Aveux du roman*, est lui
aussi redevable à *La Femme de trente ans*. Il traite en
effet des conditions difficiles que la démocratie réserve
à l'entreprise romanesque. Ce qu'il y a de frappant, au
XIXe siècle, est de voir surgir chez les romanciers
comme chez les philosophes la peur de l'indifférencia-
tion, de la grise platitude que les mœurs démocratiques
répandent sur les lieux comme sur les êtres. Or Balzac
a évoqué maintes fois le thème de l'ingrédient romanesque indispensable que sont à ses yeux « les mœurs
tranchées » et déploré de ne pouvoir plus les trouver
que dans les marges de la société, chez les forçats, les
prostituées, les voleurs, les comédiens. Et c'est dans *La*

Femme de trente ans, précisément, qu'il traite le sujet de la façon la plus explicite, en regrettant – on croirait lire Stendhal – une Italie où les femmes sont encore des sirènes dangereuses : « Où trouver de l'énergie à Paris ? Un poignard est une curiosité qu'on suspend à un clou doré, que l'on pare d'une jolie gaine. Femmes, idées, sentiments, tout se ressemble. Il n'y existe plus de passions, parce que les individualités ont disparu. Les rangs, les esprits, les fortunes ont été nivelés et nous avons tous pris l'habit noir pour nous mettre en deuil de la France morte. » Balzac ne se contente pas du diagnostic, il se donne la satisfaction d'inventer son antonyme dans le personnage du criminel au grand cœur, du pirate assassin et pourtant gentilhomme.

Quelles sont vos scènes préférées ?

Trois scènes, le livre refermé, restent longtemps dans la mémoire. La première est celle du meurtre d'un petit garçon, observé de loin par un piéton de Paris, un narrateur surgi dans l'histoire. Ce voyeur contemple un tableau exquis, la promenade printanière de deux amants au bord de la Bièvre, avec autour d'eux les ébats de deux enfants. Tout à coup il est témoin d'une étrange scène, le geste rageur par lequel l'aînée précipite son frère dans la Bièvre. Geste prémédité ? Sans doute, puisque la fillette s'inquiète de la présence de l'homme, qui s'est caché derrière un orme. Mais sans doute pas tout à fait, puisque la noyade lui arrache des cris éperdus. On dirait un mauvais rêve, assez lourd de secrets pour que le narrateur décide de n'en parler à âme qui vive.

La seconde, plus étrange encore, est une scène de fascination. C'est la nuit de Noël, une paisible famille veille au coin du feu quand des coups violents ébranlent la porte. Entre alors un homme inquiétant, chapeau rabattu sur les yeux, qui demande l'hospitalité pour deux heures, et l'obtient inexplicablement, on sent qu'il y a là quelque magie. On le cache, on apprend

presque aussitôt qu'il s'agit d'un assassin, et la fille
aînée, qui s'est trouvée un moment seule avec
l'inconnu, subit elle aussi son pouvoir magnétique.
Quand, les deux heures écoulées, l'homme surgit à
nouveau dans le salon, la jeune fille pousse un cri,
parle à l'oreille de sa mère, qui traduit ainsi la confidence : « Hélène veut le suivre. » Qu'a dit au juste la
jeune fille, on ne le saura jamais, mais elle capte immédiatement le désir inconscient de sa mère, dit calme-
ment qu'elle réalisera ses vœux, puis reste sourde aux
objurgations de son père, du reste timides – on dirait
que tout le monde est paralysé, c'est une fois encore
un mauvais rêve –, et disparaît enfin avec le meurtrier.

La troisième scène pousse plus loin encore les limites
de la vraisemblance. Le bateau qui ramène en France le
général d'Aiglemont est attaqué par des pirates dont le
capitaine n'est autre que le ravisseur d'Hélène. Celui-ci
reconnaît le général, l'épargne, et le conduit près de sa
fille. À l'intérieur de ce navire pirate, sur le pont duquel
on assassine à tour de bras, s'ouvre une grotte merveilleuse : ordre et beauté, luxe, calme et volupté. On y
retrouve Hélène, souveraine de cet équipage de bandits,
au milieu des laques de Chine, des fleurs rares, des perles
et des pierreries avec lesquelles, à ses pieds, jouent ses
quatre beaux enfants. Image de félicité à deux pas de
l'horreur, rêve éveillé pour le général qui repart sur sa
chaloupe, en contemplant à la proue du bateau sa fille
dont il s'éloigne pour toujours, « une ligne déliée, gracieuse, un ange dans le ciel, un souvenir ».

Y a-t-il, selon vous, des passages « ratés » ?

Oui, et il y a d'abord les longs prêches de Balzac,
qui alourdissent le côté démonstratif du roman. Tout
le livre part du mauvais mariage, dû à l'obstination
d'une enfant gâtée, sourde aux conseils de son vieux
père. À ce « cogito » initial tient la chaîne implacable
des conséquences : l'adultère, qui engendre la préférence de la mère pour l'enfant bâtard, qui nourrit la

jalousie de l'aînée, qui entraîne le meurtre du cadet, qui détermine à son tour la fuite de la jeune criminelle avec un assassin et, de proche en proche, la ruine de la famille tout entière. Non seulement le lecteur a tout de suite compris que Julie, la mal mariée, n'a pas l'ombre d'une chance, mais Balzac ne le lui laisse jamais oublier, dans les commentaires sentencieux dont il sème le récit. Ces longueurs sont pourtant rachetées par les brusques raccourcis qui trouent le roman à des moments décisifs, plus éloquents à mes yeux que toutes les tirades : ainsi de la catastrophe de la nuit de noces, seulement suggérée par l'entrée du mari qui demande son dû, le rire étouffé de la jeune fille sous ses mousselines, le dernier de son enfance, confie-t-elle, et rien de plus n'a besoin d'être dit ; ainsi, encore, de la « chute » de la jeune femme dans l'adultère, sobrement signalée par le cri que lui arrache la balourdise du mari, et qui décide de tout.

Cette œuvre reste-t-elle pour vous, par certains aspects, obscure ou mystérieuse ?

Oui, elle est pleine de bizarreries et d'énigmes. Il s'agit moins, du reste, des scènes fantastiques que j'ai évoquées, où l'extraordinaire règne en maître et où il faut l'admettre d'entrée de jeu, que de l'incohérence des caractères. Un des éléments constitutifs du roman est la médiocrité du colonel d'Aiglemont, un soudard sans ménagement pour la vierge qu'il épouse, responsable de la frigidité, voire de la maladie de sa femme. Un peu plus tard pourtant, cette brute indifférente s'est muée en père de famille attentif et aimant. Le métier militaire, jadis tenu pour cause des rudesses de l'époux, a engendré aussi un esprit d'enfance, qui permet au vieux soldat de redevenir « petit » au spectacle attendrissant de ses enfants. *Ses* enfants ? Le lecteur sursaute ; il se souvient tout à coup qu'à l'exception de l'aînée, les trois autres ne sont pas de lui. Il se persuade alors que le colonel, devenu général, l'ignore et qu'il

jouit donc en toute innocence de cette vie conjugale
sacrée, « dont le charme indéfinissable est dû à quelque
souvenance d'un monde meilleur ». Mais voilà que
cette certitude est mise à mal, quelques pages plus loin,
par le baiser d'adieu que donne le général à Hélène,
« sa seule fille », dit-il. Donc il connaissait son infortune et l'imposture cachée dans le touchant tableau de
famille ? On se perd en supputations. Balzac aurait dû
se relire, se dit-on.

Quelle est pour vous la phrase ou la formule « culte » de cette œuvre ?

Il y en a plusieurs, toutes proférées par Julie, personne apparemment plaintive et délicate, en réalité une
rebelle, une révoltée, incarnation d'une sorte d'anar-
chisme féminin :

« Nous sommes, nous femmes, plus maltraitées par
la civilisation que nous le serions par la nature. »

« Telle est notre destinée, vue sous ses deux faces :
une prostitution publique et la honte, une prostitution
secrète et le malheur. »

« Ah, je voudrais faire la guerre à ce monde pour en
renouveler les lois et les usages, pour les briser. »

Si vous deviez présenter ce livre à un adolescent d'aujourd'hui, que lui diriez-vous ?

Je pense à mes petites-filles, hélas peu enclines à la
lecture et que j'ai déjà vues enlisées dans les descrip-
tions balzaciennes, l'ameublement du salon du père
Grandet, ou les dispositions du majorat au début des
Mémoires de deux jeunes mariées. Cette fois, la leçon
morale délivrée par le livre rendrait l'affaire plus compliquée encore. Autant le plaidoyer de Balzac pour
l'amour dans le mariage leur paraîtrait aller de soi,
autant la condamnation de l'adultère leur semblerait
incongrue. Leur serait tout à fait inintelligible, surtout,
l'idée qu'une erreur de jeunesse puisse précipiter toute

une famille dans le déshonneur et le désespoir, par une sorte de réversibilité des fautes et de généralisation du châtiment.

Si malgré tout je parvenais à vaincre chez elles les préventions que je prévois, je tâcherais de leur dire qu'un tel livre peut les préserver du féminisme pleureur, celui qui affirme imperturbablement que nous ne sommes pas sorties d'un Ancien Régime des femmes, que la domination masculine est sans espoir ni remède, que les femmes sont d'éternelles victimes. Le destin de Julie, qui verse à chaque page des torrents de larmes, devrait leur faire mesurer le chemin parcouru et bénir la liberté des filles d'aujourd'hui. Et j'attirerais aussi leur attention sur le personnage du livre qui plaide pour cette liberté : l'audacieuse Hélène qui, contre toute prudence, choisit de prendre le large au bras d'un assassin.

*
* *

Avez-vous un personnage fétiche dans cette œuvre ? Qu'est-ce qui vous frappe, séduit (ou déplaît) chez lui ?

Bien entendu, c'est Hélène. Dans le roman, elle vole la vedette à sa mère. Tout oppose les deux femmes. Le physique d'abord : Julie est une beauté mignonne, une délicate, une fleur dont la tige semble « rongée par un insecte noir ». Hélène n'a rien de frêle, une beauté toute de force et d'élégance. Le caractère plus encore : Julie est une plaintive, une maladive, Hélène une vaillante dont la bravoure doit quelque chose, dit-elle, au métier paternel. Entre les deux femmes enfin, il y a un long, un tenace désamour.

Sans doute Hélène est-elle une meurtrière. Mais pousser un petit frère qu'on déteste, avec pour cela d'excellentes raisons, et qui dégringole dans la Bièvre, est-ce

véritablement un crime ? Il ne l'est pas forcément pour le
lecteur, mais il l'est à l'évidence pour la conscience exi-
geante d'Hélène puisque par deux fois dans le roman, on
la découvre bouleversée : par la lecture de *Guillaume
Tell*, dont le héros se montre fraternel à l'égard d'un parricide, puis par une pièce de théâtre où l'on voit un
enfant précipité dans un torrent. C'est la certitude
d'avoir commis un crime qui la jette dans les bras de
l'assassin, où elle reconnaît aussitôt un frère. Et d'autant
que le mystérieux inconnu a suggéré que son geste meurtrier était un acte de justice. Parole décisive, qui
conquiert Hélène à jamais : le meurtre du petit garçon,
lui aussi, était une réponse à l'injustice de s'être vue privée de la tendresse maternelle.

Et c'est pourquoi Hélène, au milieu de tant de com-
parses comme paralysés par le pouvoir magnétique de
l'inconnu, et quoique sensible elle aussi au « charme »,
au sens fort du terme, qu'il exerce, est la seule à choisir
son destin. L'inconnu lui-même tente de la dissuader de
le suivre, elle ne faiblit pas. « Ma fille, conclut le général,
vous êtes libre. » C'est cette liberté qui fait d'Hélène une
sœur des héroïnes stendhaliennes. Le côté absolu
d'Hélène, écrit Balzac dans une note manuscrite, est dû
à la jeunesse, « âge où la conscience a je ne sais quoi
d'acide » ; et, fidèle à son projet d'écrire avec *La Femme
de trente ans* un roman des âges féminins, il ajoute : « si
elle avait eu six ans de plus, elle aurait épousé un agent
de change et serait devenue le plus bel ornement de la
société ». C'est à mes yeux affaiblir le personnage
d'Hélène qui tient, dans la scène dramatique où elle
quitte sa famille, des propos d'une étrange, et parfaite,
maturité. Elle ne veut rien d'autre, dit-elle paisiblement,
que « mener une vie de femme ». Par ailleurs, l'audace et
la liberté d'Hélène sont récompensées par la perfection
du bonheur. Sur le bateau pirate où son père la retrouve,
entourée de beaux enfants, enfants de l'amour ceux-ci,
Hélène affiche « l'orgueil particulier aux bien aimées ».
Et le général lui-même, si obtus pourtant, doit se rendre
au sublime de cette vie claustrale transcendée par un

amour dont sa fille sait si bien rendre la plénitude :
« Notre existence est une et ne se scinde pas. »

Comme le Balzac moraliste veille au grain, il se garde
de donner le dernier mot à ce triomphant amour marginal. Retrouvée par sa mère dans une auberge des Pyrénées, après un naufrage où tous les siens ont péri, à
l'exception d'un enfant qui agonise dans ses bras, Hélène
laisse échapper dans un dernier soupir que « le bonheur
ne se trouve jamais au-dessus des lois ». Mais rien ne
peut empêcher le lecteur d'entendre dans cette sentence
si convenue, non la voix de la rayonnante Hélène, mais
celle d'un Balzac épouvanté par sa propre audace.

Ce personnage commet-il, selon vous, des erreurs au cours de sa vie de personnage ?

Des « erreurs », le mot est mal choisi pour une fille
qui, un quart d'heure après avoir rencontré un assassin,
plante là sa famille et suit l'inconnu dans une nuit de
Noël. « Fautes » ne conviendrait pas davantage. C'est
Julie qui commet des erreurs – celle de se marier étourdiment – et des fautes – celle de tromper son mari.
Hélène, elle, est par-delà le bien et le mal.

Quels conseils lui donneriez-vous si vous la rencontriez ?

La détermination d'Hélène est entière dès le début.
Elle n'aurait que faire de conseils. C'est à Julie qu'il
aurait fallu conseiller de mettre un peu plus d'égalité
entre son enfant légitime et ses enfants adultérins.

Si vous deviez réécrire l'histoire de ce personnage aujourd'hui, que lui arriverait-il ?

Hélène, ombre et lumière, crime et vertu, force et
tendresse, est une fille du romantisme, une de ces créatures d'exception qui, selon Balzac lui-même, s'étiolent

et disparaissent dans la platitude du monde démocratique ; impossible donc à transplanter dans un univers prosaïque. Si l'on admet pourtant que Balzac voit en elle une de ces femmes qui, comme la Véronique du *Curé de village*, aiment l'extraordinaire, on pourrait, pour trouver des sœurs à Hélène, chercher du côté des belles révolutionnaires russes ou des Brigades internationales.

*
* *

Le mot de la fin ?

J'ai déjà suggéré qu'il y en avait deux. Balzac réserve le mot de la fin du roman à l'ordre, aux lois sociales, au devoir conjugal. Mais est-ce vraiment le mot de la fin du romancier ? Lui pousse l'extrémisme jusqu'à soutenir qu'on ne peut aimer l'enfant du mariage légitime – en l'absence d'amour, c'est l'enfant du viol –, suggère qu'on ne peut rien contre le sentiment, plaide magnifiquement pour la passion. Dans ce livre ambigu la leçon exaltée du romancier fait pâlir la leçon chagrine du roman. C'était elle, pourtant, qu'en nous recommandant la lecture de *La Femme de trente ans* souhaitait nous délivrer notre professeur de khâgne.

INTRODUCTION

Il faut d'entrée de jeu aborder une difficulté pour la relativiser. *La Femme de trente ans*, texte à la genèse complexe, se donne, ou est en tout cas présenté comme un roman à la composition circonstancielle et en définitive mal maîtrisée. En fait, il dispose de toute évidence bien des lignes de force très cohérentes et fortement idéologisées, que son organisation de récit fragmenté n'occulte en aucune façon. Trois constats peuvent être établis : l'histoire de la composition de *La Femme de trente ans* traduit la progression d'un projet — créer un type individualisé — destiné à devenir un véritable mythe ; elle reflète l'évolution même de la production balzacienne (diversité des genres et des tons, passage d'une nostalgie de l'Histoire héroïque et énergique au délitement de l'Histoire...) ; en dépit de ses aléas, elle conserve une combinatoire dynamique : dramatisation, exemplarité, didactisme... On se référera ici à Gabrielle Chamarat : « Le roman qui suit l'ordre des âges est [...] réitération sans fin, suite d'histoires qui sont la "même" parce que chaque "scène" répète l'impossible conciliation du bonheur individuel et de l'ordre social » ; « La fragmentation [...] s'adaptait exactement à l'idée qu'à l'intérieur de cette société [...] l'individu social [...] n'a plus d'identité que successive et aléatoire [1] ».

1. Colloque de *Romantisme*, SEDES, p. 23 et p. 24 — voir la bibliographie.

Tableaux de la vie d'une femme

Le mot clé nous est fourni par Balzac lui-même :
« [...] les six tableaux dont se compose *Même histoire* ». On comprend dès lors que la disconti-
nuité — pour liée qu'elle soit aux circonstances de
l'écriture — est inhérente au projet même : présenter
une vie de femme en épisodes centrés chacun autour
de l'âge et de la situation de l'héroïne. Le roman
retrace les étapes d'une vie, il met en scène l'histoire
d'un destin. C'est bien l'âge qui conditionne d'abord
le personnage — nous nous trouvons au cœur de la
conception balzacienne, où la femme se voit déter-
minée par cette contrainte naturelle : « Chaque âge
crée une nouvelle femme », affirmera Balzac dans
Une fille d'Eve. On ne saurait donc attribuer aux
seules tribulations de l'écriture le prétendu « éclate-
ment » de Julie en autant de figures mal liées entre
elles. Cette dispersion de l'identité procède chez
Balzac de la nature féminine. De l'adolescente à la
mère vieillie, les portraits successifs présentent une
femme toujours différente et toujours la même, et la
cohérence de ces portraits se rapporte à l'âge, premier axe organisateur, ou à la situation sentimentale,
deuxième axe déterminant. La jeunesse de Julie
explique tout au début de « Premières fautes ». Un
an passe : la Julie mariée « ne ressembl[e] déjà plus
à la jeune fille ». Sept ans après, la Julie heureuse
« sembl[e] être une nouvelle femme ». Dans « Souffrances inconnues », l'héroïne, malheureuse, a
vingt-six ans. C'est à trente ans qu'elle atteint au
sommet de sa beauté, liée à son bonheur amoureux.
Dans « Le Doigt de Dieu », sa « physionomie douce
sembl[e] refléter le gai bonheur du paysage ». Agée
de trente-six ans dans « les deux Rencontres », « elle
conserve encore une beauté due à la rare perfection
des lignes de son visage », éclairé par un bonheur
conjugal retrouvé. Dans « La Vieillesse d'une mère
coupable » en revanche, elle a cinquante ans, mais
« paraî[t] encore plus vieille ». Si l'extérieur du per-

sonnage varie de telle façon, pourquoi n'en serait-il
pas de même pour le caractère et la psychologie ?

Succession de tableaux donc, mais succession
orientée. En effet, ces épisodes constituent autant
d'étapes sur la voie d'un destin en construction. La
femme balzacienne obéit à plusieurs fatalités. Les illusions de l'amour conduisent à un mariage décevant,
celui-ci entraîne l'adultère, lequel procure un bonheur
passager et menacé, et provoque le remords, avant de
trouver son juste châtiment, d'ailleurs redoublé
puisqu'il affecte Julie comme femme et comme mère.
De là l'importance des titres : « Premières fautes », « Le
doigt de Dieu », « Vieillesse d'une mère coupable », qui
installent le thème de la culpabilité et de la chute inéluctable. La disposition en tableaux permet de présenter à chaque fois un nouveau personnage pris dans
une nouvelle histoire dont le narrateur pose les prélimi-
naires, et située dans un cadre chaque fois différent. Ce
renouvellement, érigé en principe de composition,
permet un double bénéfice. D'une part, l'héroïne se
démultiplie en se trouvant prise dans un environnement
différent, dont les déterminismes jouent à plein leur rôle
(lieu, milieu, atmosphère, situation relationnelle...).
D'autre part, il définit une progression vers le type de la
femme de trente ans — et « A trente ans » apparaît bien
comme le pivot de l'ensemble —, type relayé ensuite par
les filles. Les trois derniers chapitres sont le roman
d'Hélène, puis le roman de Moïna. Continuation qui
accentue la culpabilité reversée sur les enfants (*La
Femme de trente ans*, c'est aussi la progressive disparition
d'une famille).

Tableau implique ellipse. Les entractes ne font
cependant pas du roman un récit lacunaire. Le lecteur
reconstitue sans difficulté l'histoire non racontée. Cet
effet de lecture prouve la cohérence de l'ensemble. Le
recours au tableau résulte aussi du choix opéré par
Balzac concernant la dynamique du texte. La ligne
idéologique oblige à ériger le roman en récit édifiant. Il
faut donc privilégier la crise. Chaque chapitre ou
presque met en scène une nouvelle crise dans la vie

d'une femme. Il faudrait étudier ici le principe de variation mis en place par Balzac. Dans « Premières fautes »,
la crise intervient en milieu de chapitre avec les désillu-
sions conjugales de Julie dont l'aveu est facilité par
l'éloignement de Victor et la présence d'une mère de
substitution, qui porte d'ailleurs cette fonction dans son
nom : Mme de Listomère. Dans « Souffrances inconnues », c'est tout le chapitre qui se trouve placé sous
l'éclairage de la douleur de Julie (on remarquera la
fréquence du lexique de la souffrance). « A trente ans »
baigne dans la douceur de l'harmonie. Il faut souligner
cette exception : la coïncidence de l'âge mûr et du
bonheur, ces deux états éphémères. « Le Doigt de
Dieu », tout en élargissant la tragédie aux dimensions de
la famille, présente une crise dramatique redoublée : le
meurtre « réel », le mélodrame sur la scène. « Les deux
Rencontres » déplace aussi la crise du plan conjugal sur
le plan familial, mais fait passer Hélène du bonheur
utopique au châtiment exemplaire. « La Vieillesse d'une
mère coupable » enfin oppose la mère à la seconde fille,
évoque la transgression absolue de l'inceste et laisse
Julie désespérément seule.

Chaque chapitre constitue un texte autonome, et
plusieurs de ces « sous-ensembles » se terminent par
un drame ou mettent en scène un crime. Pour
mesurer l'importance de cette tendance lourde du
roman, il suffit de compter les morts : lord Grenville,
le petit Charles, Hélène, et d'y ajouter l'inceste. On
appréciera derechef l'art de la variation chez Balzac
dans ce processus répétitif, tant par le moment du
paroxysme dans chaque chapitre, que par les changements de point de vue (ainsi l'observateur « anonyme »
au début du « Doigt de Dieu », le narrateur omniscient
au début de « La Vieillesse d'une mère coupable »).

Une progression didactique

L'unité profonde de *La Femme de trente ans* est
assurée par cette dramatisation aux effets suffisam-

ment appuyés pour n'être pas seulement un code esthétique. Balzac entend démontrer, et il n'hésite donc pas à organiser le roman selon une série de lois chargées d'assurer son efficacité didactique. Tout le roman procède de l'analyse du mariage, longuement exposée, en particulier dans « Premières fautes » et « Souffrances inconnues ». Nous y reviendrons, mais, à cet égard, on ne saurait minimiser l'influence de *La Nouvelle Héloïse* parmi les grands textes fondateurs dont se nourrit *La Femme de trente ans*. Le roman se fonde aussi sur la contradiction entre la volonté de vivre et d'être heureuse de l'héroïne et les exigences, elles-mêmes contradictoires, de la société. *La Femme de trente ans* met en scène le drame d'une femme qui ne peut pas concilier ses rôles d'épouse, de mère, de femme du monde avec les aspirations de son cœur. Victime d'une vie sans but, elle ne sait comment la construire harmonieusement. A cette aporie du personnage, les lois didactiques du texte suppléent en soumettant Julie à leur implacable déroulement. Ainsi de la répétition qui donne au temps sa configuration circulaire. Il suffit de relier ce constat à l'intention démonstrative, dont procèdent également d'autres lois.

Et d'abord la loi de la tentation. C'est Mme de Listomère qui l'énonce la première, en se référant à la tradition libertine : « Mon neveu subira bientôt les inconvénients du mariage » ; « Sous le règne de notre bien-aimé Louis XV, une jeune femme qui se serait trouvée dans la situation où vous êtes aurait bientôt puni son mari de se conduire en vrai lansquenet ». Arthur Grenville, puis Charles de Vandenesse apparaissent comme les compensations d'une vie conjugale malheureuse. Adultère inaccompli d'un côté, accompli de l'autre : le mariage conduit nécessairement à l'amant, comme par application des thèses exposées dans la *Physiologie du mariage* de 1829. Il faut souligner que Julie ne songe à tromper Victor qu'à la suite de l'épisode chez Mme de Sérizy. Tentation de l'adultère, mais aussi résistance de Julie (« Je suis une femme très vertueuse selon les lois »). La logique démonstrative du roman a besoin de cette vertu de l'héroïne : « La perfection même de son caractère s'opposait à ce qu'elle osât se soustraire à ses devoirs ». Elle résiste deux ans à lord Grenville, elle résiste à Charles, et, dans « Les Deux Rencontres », elle donne l'image d'un bonheur conjugal retrouvé. Ajoutons que Julie ne se donne à Charles (il n'y a eu jusqu'ici qu'un baiser, « première caresse ») qu'après avoir dû se rendre à l'évidence à propos de son mari : « Il est aussi par trop bête ! » Si Julie cède, c'est donc à la suite d'une série de déterminismes, d'une fatalité explicable. Hélène, quant à elle, subit la loi du magnétisme du Capitaine parisien, phénomène qui avait été préparé en mineur par la fascination qu'exerçait Victor sur la jeune Julie et par cette affirmation auctoriale : « Une des plus fortes armes de l'homme est ce pouvoir terrible d'occuper de lui-même une femme dont l'imagination naturellement mobile s'effraie ou s'offense d'une poursuite. » En somme, les femmes ne peuvent échapper à leur nature ni aux hommes.

Après la loi de la tentation, relevons celle du châtiment. Elle est annoncée par M. de Chatillonest, le père de Julie (mais mise en doute par la jalousie paternelle, le duc annonçant le père Goriot), puis relayée par le curé de Saint-Lange dans « Souffrances inconnues ». Analogue à celle qui fonctionne dans les *Scènes de la vie privée*, elle organise la vie fictionnelle de Julie en destin. Plus profondément, elle entre dans la perspective édifiante du roman, qui n'est nulle part mieux exprimée que par Hélène à la fin des « Deux Rencontres » : « Le bonheur ne se trouve jamais en dehors des lois. » Cette loi est à ce point importante qu'elle atteint Julie dans sa personne et dans celle de ses filles, de même qu'elle fait mourir le petit Charles. Le titre « Le doigt de Dieu » est suffisamment explicite. La malédiction est familiale (le prénom Hélène n'est-il pas motivé par une référence antique, mythique au mécanisme tragique ?). De là l'importance du meurtre de l'enfant dans ce quatrième chapitre. En un contraste saisissant avec le début (la promenade idyllique), annoncé par un signe en apparence anodin (les broderies sur la collerette du garçon), le drame est le produit de la haine enfantine, que la mère coupable a laissé s'installer entre le fils adoré et la fille. C'est le résultat de la dénaturation.

Enfin, *La Femme de trente ans* ne serait pas un roman sur la femme s'il ne mettait en scène la loi de la condition. En effet, réduit à sa simple portée morale, il perdrait beaucoup de son intérêt. On peut se demander si la complaisance balzacienne pour la leçon à la fois exemplaire et « rassurante » n'est pas un leurre, car les leçons morales demeurent en fin de compte assez ambiguës. La vengeance divine compte moins que la contradiction entre les aspirations au bonheur d'une femme sensible, disponible pour l'amour et les lois sociales, dominées par l'hypocrisie. Julie d'Aiglemont n'a pas le recours et le secours de la religion. Contrairement à Mme de Mortsauf dans *Le Lys dans la vallée*, elle ne sacralise pas le mariage et le devoir. Elle se trouve donc réduite à sa seule condition féminine, sans autre possibilité de sublimation que la souffrance. En cela, Julie est une femme exemplaire. Tout le roman trouve donc son unité et sa loi de composition dans cette perspective : plus qu'une condamnation de l'adultère, il s'agit d'une tentative de figuration du féminin. Sans doute est-il plus intéressant de se demander si les contradictions si souvent relevées dans le portrait de Julie, et accessoirement l'énigme représentée par Hélène, ne procèdent pas de cette entreprise littéraire.

Comment parler de la femme ?

On relèverait ici quelques développements clés qui constituent un véritable discours sur la femme, lequel doit être distingué de celui sur le mariage. Ainsi, dans les trois premiers chapitres, de « la pudeur n'est-elle

pas toute la femme ? » à « Emanciper les femmes, c'est
les corrompre », en passant par « N'était-elle pas
femme ? », « Les femmes ont un inimitable talent... »,
« la logique que les femmes savent étudier aux clartés
de l'amour », etc., toute une *doxa*, faite d'idées reçues,
de discours social, de propos généralisants à vocation
« scientifique » tisse dans le roman une « sagesse »
prenant comme objet cette « vivante énigme ». C'est
d'ailleurs là que la structure du roman produit les
effets les plus ambigus. La logique démonstrative,
celle du « savoir » sur les femmes (né, bien entendu, de
l'observation) et celle du pathétique ou de la pitié sus-
citée par le destin de Julie entrent en conflit. Balzac ne
conclut pas, ce qui fait que l'on peut dresser une liste
d'opinions misogynes en face d'une autre, où se
donne à lire la sympathie auctoriale pour les femmes.
On sera d'accord avec de nombreux commentateurs,
dont Martine Léonard [1] : le commentaire du narrateur
joue un rôle capital. Le discours balzacien nous propose une mise en rapport de type causal entre un
savoir antérieur (sur les femmes) et une histoire fic-
tive, un déroulement particulier qui en est l'explicita-
tion. Le personnage Julie entre donc dans un processus complexe de subordination de la fiction à un
savoir : par juxtaposition ; par une structure du type
« elle était une des femmes qui... » ; par mise entre
parenthèses de la fiction, dans un mouvement
d'absorption de la fiction par le savoir.

On voit donc bien qu'il importe de bien mettre ce
personnage en situation, en fonction de ce discours
auctorial autant que selon trois axes : l'aliénation
créée par le mariage, la libération du cœur et des sens
par l'adultère, le drame de la maternité (une fille
ennemie, des enfants de l'amour condamnés, une fille
née de l'adultère exacerbant celui-ci). L'ensemble
compose une véritable totalisation de la féminité
socialisée. Julie est d'abord une mal mariée. Les illusions de la jeune fille font vite place à la déception

1. Voir la bibliographie.

conjugale : la sexualité malheureuse, où joue à plein la responsabilité du « lansquenet » en est la manifestation la plus éloquente. Il faut se reporter ici à la *Physiologie du mariage*, matrice, si l'on ose dire, de cet élément capital : « La femme est un délicieux instrument de plaisir, mais il faut en connaître les frémissantes cordes, et étudier la pose, le clavier timide, le doigté changeant et capricieux. Combien d'orangs... d'hommes, veux-je dire, se marient sans savoir ce qu'est une femme ! [...] Aussi le monde est-il plein de jeunes femmes qui se traînent pâles et débiles, malades et souffrantes. Les unes sont la proie d'inflammations plus ou moins graves, les autres restent sous la cruelle domination d'attaques plus ou moins violentes. Tous les maris de ces femmes-là sont des ignares et des prédestinés [NB : au cocuage]. »

On ne saurait négliger l'importance de la maladie de Julie, mentionnée dans le texte. Cette métrite a été provoquée et se trouve entretenue par le manque d'harmonie physique entre les époux. Tous les symptômes en découlent : pâleur, langueur, fièvre lente. Comme nous le verrons, il n'est donc pas indifférent qu'Arthur soit médecin. Femme malheureuse, Julie est également une femme trompée (voir l'épisode de Mme de Sérizy) soumise à l'amertume du mari, au poids du devoir conjugal et aux sacrifices du mariage. Il ne manquera pas à ce tableau complet le retour temporaire à l'harmonie conjugale (début du chapitre 5), ni le faux mariage, c'est-à-dire les amours adultères avec Charles. L'amour maternel, quant à lui, prend le relais d'une résistance impossible : lui seul redonne sens à la vie de Julie. Nous avons là une constante très fréquente dans *La Comédie humaine* : le mariage est pour les femmes une source de souffrances uniquement compensées par le pouvoir d'être mères. Mais ce répit lui-même ne peut rien contre les lois du cœur et de la condition féminine.

Chapitre caractérisé par l'absence de récit au bénéfice du discours, « Souffrances inconnues » vise plus encore que les autres à la démonstration. Le lecteur

est convié à compatir, à sonder le fond d'une âme
malheureuse et à comprendre la chute d'un ange, et
doit bien apprécier l'importance de la méditation sur
la douleur. La maladie de Julie est paradoxale : elle lui
vient d'un sentiment de culpabilité, mais non d'une
culpabilité réelle. Elle a voulu l'adultère, elle a conçu
l'amour absolu et y a résisté. Inquiète, tourmentée, la
marquise s'enferme dans ce qui est pour Balzac le plus
grand mal qui puisse ravager une âme féminine :
l'égoïsme. En effet, le ressassement de son infortune
mine son énergie spirituelle. Comme le dit Arlette
Michel, on assiste à l'agonie d'une âme, qui se
condamne à rester ici-bas en une révolte inutile. Il faut
bien comprendre cependant que le refus des consolations de la religion ne fait qu'exacerber celui d'un
monde implacable. C'est l'horreur du lien social qui
prime tout. Or, il faut se souvenir que pour Balzac le
prêtre est un agent social (voir tout ce qu'il dit du
catholicisme comme religion sociale — c'est un thème
éminent du XIXe siècle, et particulièrement dans la
pensée contre-révolutionnaire). Ce rejet explique la
vitupération du mariage, qui atteint à une grande violence, en raison même de l'inscription sociale, institu-
tionnelle du lien conjugal. De là aussi le discours sur
la condition féminine, le plus explicite de tout le
roman, où le personnage prend en quelque sorte le
relais de l'auteur, qui reprend les conclusions de la
première partie de la *Physiologie* : les lois créent des
devoirs, et rien que des devoirs aux femmes, tandis
que les mœurs développent en elles des sentiments qui
leur rendent ces devoirs insupportables. Voilà pourquoi Julie parle de « prostitution légale » — une des
toutes premières apparitions littéraires de cette for-
mule qui aura tant de succès au XIXe siècle.

Femme du Faubourg Saint-Germain — où les fon-
dements de la société bien ordonnée devraient être
particulièrement protégés et exaltés —, la marquise
récuse le mariage et nie la valeur du pacte social. Mais
sa diatribe ne la conduit pas au féminisme romantique, car son discours révèle une intime contradic-

tion. A la révolte contre le monde s'ajoute la révolte
contre soi. Julie a voulu mourir, car elle se sait privée
de la vie d'épouse et de celle de mère. Cette incapacité à la maternité accomplie, cet inachèvement tragique est aux yeux de l'auteur l'aporie du personnage.
Conforme à la représentation balzacienne de la
femme, Mme d'Aiglemont voit dans la maternité
l'aboutissement, le couronnement de l'amour. Elle
éprouve une déchirure irrémédiable : le corps est
maternel, mais pas le cœur. Socialement irréprochable, Julie a sacrifié son aspiration à l'idéal et a
réduit la maternité à la part congrue. Après ce chapitre fortement marqué par les considérations idéologiques, comme le sera « A trente ans », la suite du
roman ne fait au fond qu'exploiter le potentiel de la
condamnation et suit une ligne conforme à la loi du
châtiment. Femme emblématique, Julie accomplit le
parcours que le roman et ses déterminismes lui assi-
gnent. Trois chapitres pour montrer comment naît
l'adultère. Trois chapitres pour montrer qu'il pèse sur
toute la vie féminine. Explicable et anti-social, naturel
et anti-naturel : tel apparaît l'adultère, cette malédiction de la femme.

Le mélange des tons ou le rôle du mélodrame

Les premières pages sont placées sous les auspices
du roman historique. La figure de Victor est héroïsée
par le contexte napoléonien. Son devenir sous la Restauration le déshéroïse, mouvement qui ne fait que
s'accentuer à mesure que le roman progresse dans le
temps, pour se constituer de plus en plus comme
drame privé. Avec l'épisode de Capitaine parisien,
l'introduction de la figure romantique du pirate,
l'enlèvement, la vie utopique d'Hélène apparaissent
comme autant de compensations pour une Histoire
devenue plate. Exacerbation, prestiges sulfureux du
bandit, luxe et volupté : le roman glorifie alors l'aventure du bonheur. En outre, le chapitre « Les deux

Rencontres » présente un caractère byronien, avec la figure du corsaire, et surtout les obsessions d'Hélène, qui lient le crime et la pureté. Elle est convaincue qu'une tare cachée la condamne à une destinée maudite, alors qu'elle est possédée d'un désir de pureté absolue. Hélène est déchirée entre sa nature angélique et sa vocation luciférienne, ce qui en fait un personnage éminemment romantique. Il faut insister ici sur le portrait de ce « spectacle » : énergie (« force », chevelure « abondante » et « rebelle »), pureté (front « pur », « nez grec », « sainteté de son regard de vierge »), tout compose un « ange de paix et d'amour ». En revanche, les « fatales méditations de jeune fille », les « ombres capricieuses » inquiètent et annoncent sa résolution fatale.

Orgueil, exigences, influence des lectures romantiques, froideur pour sa mère : une dégradation que l'on pourrait qualifier de « romanesque » menace le personnage. De là son « sinistre mystère ». Elle saura reconnaître la dimension luciférienne du Capitaine. L'ange est attiré par le démon, car il y a du démon en ce fascinant meurtrier : Hélène est déjà un ange déchu, et cette déchéance lui vient de ce qu'elle est mal aimée. Sa frustration la rend agressive vis-à-vis de sa mère et méfiante à l'égard d'elle-même. D'où l'intérêt du lapsus commis par Julie : « Hélène veut le suivre ! [...] Puisque ma mère traduit si mal une exclamation presque involontaire, dit Hélène à voix basse, je réaliserai ses vœux. » C'est la mère qui détermine la conduite d'Hélène, comme par une fatalité de l'adultère, un rappel obsédant du passé. A cela s'ajoute la preuve que Julie déteste sa fille : « Si vous n'avez été que mensonge jusqu'à cette heure fatale, alors vous n'êtes point regrettable. »

Figure de la révolte, Hélène vit un bonheur utopique, et réalise dans l'union avec le corsaire les vertus du mariage, soit la constance et la confiance réciproque. Elle est comblée, matériellement, sexuellement, maternellement. Elle élève ses enfants dans la liberté de la nature. On mesure l'opposition avec l'hypocrisie sociale. On ne fera évidemment pas de cet épisode une apologie de la marginalité : cette contre-société porte en elle le malheur. Le rêve « asiatique », le paradis artificiel est menacé par l'insécurité dès lors qu'il se construit en dehors des lois. De plus, Hélène se refuse à expier, elle rejette sur la société tous les torts. Ici encore la mère est coupable. En effet, elle avait demandé à sa fille d'espionner l'inconnu réfugié, et donc de manquer à la parole donnée. Telle est bien l'expérience sociale d'Hélène, qu'elle fuit sur les océans. Avec le Capitaine, elle respecte ce serment, cette foi jurée, et, pour tout dire, l'honneur. La société se définit donc comme lieu des accommodements qui ne sont que des trahisons. La fille et son ravisseur sont des insurgés contre la société : leur mort est programmée, mais leur contestation demeure comme le seul acte noble. On dépasse bien les simples conventions du mélodrame pour en retrouver l'esprit profond, du moins pour ce qui est du mélodrame d'après 1823, après le tournant de l'*Auberge des Adrets* et la figure de Robert Macaire.

Il convient de faire référence à l'ajout manuscrit fait par Balzac à la préface de 1834 (voir p. 265). Comme le montre Pierre Barbéris, Hélène est ici une « figure de l'absolu », exclue de la mouvance régie par la mère meurtrière. Dès lors, le vaisseau corsaire sur lequel son père la retrouve, joue, dans la fantasmatique balzacienne, un rôle analogue à celui de l'île. De son côté, Pierre Laforgue voit en Hélène une véritable « anti-Julie », alors qu'il s'agit en fait de la même famille. Celle de Julie est composée de cinq enfants : un enfant du devoir (Hélène) et quatre enfants de l'amour (Charles, Gustave, Abel et Moïna) ; celle d'Hélène comporte quatre enfants du devoir et de l'amour. On ne connaît pas leur nom, sauf celui de l'aîné : Abel. Ainsi, « autour d'Hélène se recompose dans l'ordre du fantasme la famille qu'elle a quittée et dont elle avait compromis autrefois [...] l'intégrité. [...] Hélène a pris la place de sa mère [...] Comment autrement comprendre que le nom porté par son mari soit le même que celui de son père [1] ? ».

Dans « L'expiation », qui deviendra « La Vieillesse d'une mère coupable », Balzac revient sur le thème de l'adultère coupable aux conséquences dramatiques. Le cycle de l'âge s'achève presque, et aux jeunes enfants du « Doigt de Dieu », à la jeune fille des « Deux Rencontres », succède la fille illégitime, Moïna. Née d'un adultère, celle-ci commence sa vie sociale par l'adultère. En choisissant Alfred, le fils de Charles, elle boucle la boucle. En fait, on retrouve le mécanisme du « Doigt de Dieu » : seule la mère peut mesurer l'horreur de la situation. Se trouve mise en place l'idée d'une hérédité du crime. Ainsi se continue la logique mélodramatique, avec une variation intéressante. Julie n'aimait pas assez ses enfants légitimes ; elle en a été punie. Elle aimait trop ses enfants illégitimes ; elle en est aussi punie. Moïna fut une enfant gâtée, sa vengeance est cruelle. Ainsi Julie doit-elle mourir de cette accumulation de malheurs issus de l'adultère.

« A trente ans » cumule les privilèges du chapitre central, du chapitre fondateur du type, du chapitre où Julie est au sommet de sa beauté. Il occupe également une place intéressante du point de vue de l'Histoire. N'est-il pas en effet le plus socialisé, celui où convergent les déterminismes qui ont construit cette femme de trente ans ? Il s'impose comme moment du texte le plus ancré dans l'Histoire des mœurs sans qu'il soit besoin d'expliciter le contexte autrement que par les réflexions de Charles au bal de Mme Firmiani : « Où trouver de l'énergie à Paris ? [...] Il n'y existe plus de passions, parce que les individualités ont disparu [...] Notre ennui, nos mœurs fades sont le résultat du système politique ». Ironie du texte, remarquons que cette apogée prend d'autant plus de valeur que la chronologie interne du roman rassemble environ trente ans de la vie d'une femme...

1. Colloque de *Romantisme, op. cit.*, p. 61.

On insistera enfin sur la dominante mélancolique dans « Premières fautes » et « Souffrances inconnues », qui ancrent ces chapitres dans le romantisme (référence ambivalente : d'une part, il y a condamnation des illusions romantiques, de l'autre, exploitation élégiaque du paysage — la vallée de la Loire, Moncontour — et de la confession), et sur la reprise de la dimension élégiaque dans « A trente ans », en particulier avec la description du paysage ligérien, ainsi que dans « Les deux Rencontres » (Paris), et, plus modestement au début de « La Vieillesse d'une mère coupable ».

L'unité paradoxale et les jeux du narrateur

Comment apprécier en dernier ressort l'unité de ce roman ? On trouve dans les articles de Michel van Schendel et Paul Pelckmans de précieuses remarques sur le mélange des tons et des modèles littéraires et sur le programme narratif du roman [1]. Après avoir insisté sur la « surdétermination de l'édition » (urgence des échéances, exigences des éditeurs, nécessité d'intégrer le texte sous le titre générique d'une collection...), Paul Pelckmans souligne que dans le roman « la diégèse fait défaut à l'histoire ». Le temps fictif s'étend sur trente et un ans, ou plutôt trente-trois si l'on suit le détail des indications temporelles, en fait comprimés entre 1813 et 1832, le dernier chapitre se situant en 1844, mais c'est le roman lui-même qui ordonne l'événement.

Il faut notamment souligner le rôle joué par l'énoncé des jugements d'opinion rapportés et intemporels et par celui du discours sanctionné par l'auteur. Ils relient les événements particuliers et les place dans une même perspective. Ces énoncés constituent le véritable tissu du roman. Les aphorismes développés, de nature moralisante, sont romancés, et deviennent des « cellules romanesques de base ».

Ensuite, la technique du collage des textes permet

1. Voir la bibliographie.

l'amalgame entre les différentes figures, et définit un même personnage. Autrement dit, le personnage serait le fondement de l'histoire elle-même. Mais en même temps, tout en assurant l'identité de l'héroïne, le roman la place, comme nous l'avons déjà dit, dans des situations répétitives, et la menace de dissolution en tant que sujet.

De la même façon, les indications de temps et de lieu, véritables points de suture, établissent une continuité dans un texte constitué d'éléments hétérogènes — nouvelles dispersées, emprunts à d'autres formes et genres (légendes, contes, apologues, comme celui du père et de ses trois enfants dans « Souffrances inconnues », portraits, lettres, procédures de mise en scène théâtrale et au texte des livrets d'opéra, roman historique et roman d'aventures, roman noir, maximes et sentences, prônes, voire esquisse en un endroit d'une reprise du conte libertin, les conseils de Mme de Listomère à Julie). Remarquons que cela n'est pas propre à *La Femme de trente ans*, et relève d'une pratique fréquente de l'écriture balzacienne, conforme d'ailleurs à la liberté du roman, liberté dont Balzac est un des praticiens les plus novateurs à l'époque. On repère quantité de marques et d'indices qui situent et relient les différents ordres temporels et spatiaux. Il peut s'agir de mots, de propositions, voire de paragraphes entiers (par exemple la description au début de « Souffrances inconnues »). Le plus souvent, ils installent le mouvement du texte (par exemple, au début de « Premières fautes », le parallélisme entre la progression de la revue et les mouvements de Julie).

Il importe de revenir ici sur le didactisme du roman, qui, au-delà de la disparate des tons, se manifeste de trois façons : les symétries dans le récit ; les prophéties ; le discours idéologique. Relevons à titre d'exemple la symétrie narrative qui gouverne l'apparition et la fonction des amants. Comme Arthur, Charles exprime le mieux son amour dans un cadre bucolique. Les séduisantes rives de la Loire constituent un cadre enchanteur pour la première apparition

de l'Anglais ; les yeux se rencontrent au clair de lune ;
à Moncontour, l'élévation permet l'épuration des sentiments. Les tendres harmonies du paysage favorisent
l'entente de deux belles âmes, celles de Charles et de
« Juliette », et la poésie de Paris, toute d'harmonie,
inaugure « Les deux Rencontres ». Ce parallélisme est
évidemment rendu plus efficace par la différence :
Arthur est resté un amant platonique, Charles est le
père d'un enfant de l'amour. D'autres symétries méri-
teraient d'être analysées : les chutes des deux filles ;
l'adultère aggravé de l'inceste, etc.

Passons aux prophéties. Le père de Julie lui prédit
ses malheurs conjugaux. Mme de Listomère annonce
l'adultère inéluctable. Le curé de Saint-Lange prophétise le destin de l'héroïne : « Vous êtes perdue,
madame [...] Vous rentrerez dans le monde et vous
tromperez le monde ; vous y chercherez, vous y trouverez ce que vous regardez comme une compensation
à vos maux ; puis vous porterez un jour la peine de vos
plaisirs. » Julie elle-même, dans sa terrible lucidité,
annonce ses malheurs dans « Souffrances inconnues » :
« Mon avenir est horrible. » Tel événement, telle circonstance porte toute la suite. Par exemple : « Aussi la
violence du choc que reçut la marquise lui révéla-t-elle
tous les dangers de l'avenir. »

Tout cela n'est rien encore au regard du discours
idéologique. Particulièrement abondant, il est l'occasion donnée au narrateur de se situer comme observateur, comme historien des mœurs, et, ce faisant,
d'imposer sa présence dans le texte, dont il explicite la
teneur et la portée. *La Femme de trente ans* est, si l'on
ose dire, un roman lardé de développements aucto-
riaux, voire de « tartines ». Prenons à titre d'exemple
ce qui se passe dans un seul chapitre, « A trente ans » :
tout le passage de « En effet, une jeune fille » à
« comme l'était Mme d'Aiglemont », et, après une
phrase où l'on revient à la narration, de « cet air affectueux » à « par votre force » ; de même celui qui va de
« L'amour a son instinct » à « Les nations devront
choisir ». Outre ces « morceaux », il faut ajouter les

nombreux inserts au sein même du récit ou de la description. Soit, toujours à titre d'exemple, la page 166.
Récit de « Ces paroles » à « assiduités passées ». Commentaire auctorial de « ce qui touche » à « vrai ».
Retour à la diégèse de « Le geste de Charles » à « se
trouva des torts ». Commentaire généralisant de « La
passion » à « prédicateur ». Puis retour à la narration.
La démonstration peut se faire pratiquement à chaque
page de « Premières fautes », de « Souffrances inconnues » et de « A trente ans ». Les interventions sont
moins nombreuses dans les trois autres chapitres : la
construction mélodramatique explique un tel fait.

En définitive, toutes ces considérations doivent le
céder à l'assomption du romanesque. Le mode de présentation de l'héroïne privilégie le regard. Description
de la jeune fille au début de « Premières fautes », portrait de la jeune mariée (« elle avait, comme on le voit,
pour son malheur, triomphé de son père »), regard du
jeune Anglais sur cette apparition, échanges des
regards entre les jeunes gens, voyage de la marquise
au début de « Souffrances inconnues » (« toute espèce
de mouvement était visiblement antipathique à cette
femme endolorie »), etc. La démonstration est aisée.
C'est dire que l'écriture romanesque vise à nous faire
comprendre cette énigme de la féminité par l'extérieur
d'abord, puis à mettre en œuvre des procédures de
lisibilité pour définir la complexité des pensées, des
rêves, des douleurs, des alternances de bonheur et
d'abattement, etc. Le roman se donne comme processus d'intériorisation d'une figure féminine, redoublée par celles des filles. « Ne faut-il pas un intérêt
bien vif pour aller au-delà de ces apparences dont se
contente la société ? » : voilà en définitive la loi romanesque par excellence, c'est-à-dire le dévoilement, la
recherche du drame caché, l'exploitation des trésors
offerts par la vie privée. Ce roman ressemble à un
roman expérimental. Julie est bien une pensée, c'est-
à-dire l'idée mise en fiction, en situation, d'une
femme prise en étau entre les exigences du cœur et de
la chair et les contraintes morales et idéologiques.

« Les femmes achèveront sans doute les transitions imparfaites » : Balzac désigne lui-même la place et le rôle du lecteur. *La Femme de trente ans* est moins un roman lacunaire qu'un texte dont la cohérence naît aussi explicitement du travail de lecture. C'est une des marques de sa modernité.

L'héroïne et son nom

« Malade », « égoïste », « compliquée » : Félicien Marceau n'est pas tendre pour Julie d'Aiglemont dans son *Balzac et son monde*. Pourtant, cette héroïne est l'une des plus représentatives de toute *La Comédie humaine* et le titre si fameux, fameux au point de s'être pratiquement lexicalisé, semble la transfigurer d'emblée en type, devenu célèbre et même poncif. A vrai dire, elle s'est à ce point imposée comme type que l'on peut poser cette question : est-elle vraiment un personnage ?

Au départ, la jeune inconnue de « premières fautes » n'est qu'un prénom. Son nom ne figure qu'une seule fois, pour disparaître ensuite du roman (au contraire de nombreuses héroïnes de *La Comédie humaine*, elle ne sera jamais « Mme d'Aiglemont, née de Chatillonest »). « Julie » évoque *La Nouvelle Héloïse*, et détermine le couple Julie/Arthur sur le modèle de Julie/Saint-Preux. Ce prénom va lui-même changer : ce sera « Juliette », qui fonctionne comme un nom d'amour, un nom de l'intimité, une convention (comparable à « Henriette » dans *Le Lys dans la vallée*). En effet, « elle se laissait appeler ainsi familièrement par celui qu'elle se plaisait à nommer Charles ». Ajoutons que Julie/Juliette peut renvoyer à Sade, et que « Juliette » évoque Shakespeare.

Dans l'économie du roman cependant, c'est le nom marital et social qui domine. On n'épouse pas innocemment un monsieur d'Aiglemont. Ce nom, chargé de connotations impériales et de résonances familiales pour Balzac (sa sœur Laurence, malheureuse en

ménage, a épousé un M. de Montzaigle), renforce
chez l'héroïne son héroïsme, qu'elle manifeste en se
rendant chez Mme de Sérizy (où, par le chant, elle
s'identifie à Desdémone — une victime — et à Sémi-
ramis, une reine guerrière), en résistant à la tentation
d'un amour autre que platonique avec Arthur (ces
« héroïques amants »). Nous pouvons nous appuyer ici
sur les remarques de Martine Léonard. Au début du
roman, le discours du narrateur mime l'attente du lecteur, en semblant partager son savoir nul ; le public
des Parisiens qui assiste à la scène mime l'attitude de
spectateur qui devrait être celle du lecteur en ce lever
de rideau. Les différentes appellations de la jeune fille
sont une variation autour du thème « jolie
inconnue » — nulle originalité en cela : Balzac affec-
tionne les débuts de ce type, où il présente un personnage anonyme au comportement ou à l'aspect intri-
gant ou séduisant : *Ferragus, Le Cousin Pons, La Peau
de chagrin*, etc. Le narrateur joue le jeu de celui qui ne
connaît pas le personnage, c'est donc le père qui la
nommera. D'où une distorsion entre le narrateur
omniscient qui sait ce que pense le père et le narrateur
fictif qui feint l'ignorance. Le nom est la première
étape de la constitution du personnage, qui permet au
récit de se mettre en route comme histoire, avec un
narrateur absent et/ou omniscient. Le texte recom-
mençant à chaque chapitre, et même à l'intérieur du
premier chapitre, il faut à chaque fois remettre dans le
circuit le nom de l'héroïne. Cette tâche est prise en
charge par le narrateur ou par un personnage.

   L'héroïne n'acquiert de nom que par le mariage,
et dès lors ce nom de Mme d'Aiglemont sera souvent
remplacé par toute une série de substituts (la marquise par exemple). Le prénom disparaît assez vite.
On compte 157 occurrences de « Julie » dans le premier chapitre, 1 dans le deuxième, 1 dans le troisième, aucune dans les trois derniers chapitres.
« Juliette » apparaît 4 fois (chapitres 3 et 5). Le trans-
fert sur « Juliette » est éphémère. Les deux derniers
chapitres ne comportent plus de prénom. L'héroïne

sera appelée a) Julie d'Aiglemont (1 seule occur-
rence) ; b) Madame d'Aiglemont (2 occurrences dans
« Premières fautes », et il s'agit d'interpellations de
Victor) — la forme « Mme d'Aiglemont » est présente
plus de 70 fois dans tout le texte ; c) la marquise
d'Aiglemont (5 occurrences, « Premières fautes » et « la
Vieillesse d'une mère coupable ») ; d) et surtout la
marquise : près de 130 occurrences, auxquelles il faut
ajouter « la comtesse » dans « Premières fautes » quand
Balzac confond les titres de Julie et de Mme de Listomère. Au total, on conclura donc à une forte substitution du nom social au nom personnel.

A ce relais du nom par le titre ou l'institution conjugale s'ajoute celui opéré par le système
femme/mère/fille. « Ces trois termes montrent que le
personnage féminin n'existe que par rapport à un
autre (père/époux/enfant) » (M. Léonard). Dans le cas
de « femme » il faut distinguer les emplois au sens
d'épouse, les emplois absolus, les emplois généralisants, où le personnage se fond dans un paradigme. Il
faut faire un sort particulier à « cette femme », où le
démonstratif est souvent renforcé par un adjectif com-
portant un jugement de valeur : pauvre, malheureuse,
adorable, etc. « Cette femme » est en quelque sorte le
versant subjectif, l'inverse de « la marquise ». Ainsi le
personnage est souvent vu « de biais », d'une manière
relative et toujours fragmentaire. A cette menace
s'ajoute la perte dans la singularité pure (substitution
de la parole du personnage à celle du narrateur, émer-
gence du je) et la relation à un hors-texte, le paradigme féminin pluriel.

Julie prend la parole longuement dans « Souffrances
inconnues », pour parler d'elle, et uniquement d'elle.
Son discours tente, d'une part, d'affirmer une identité
du type « je suis épouse », « je suis mère », et, d'autre
part, de se présenter comme le double du discours du
narrateur, par le détour de la troisième personne :
« Peut-être comprendrez-vous les cris d'une pauvre
femme » ou de l'identification au sexe tout entier :
« Nous sommes, nous femmes ». Le « je » tend donc à

s'abolir dans la troisième personne, en une sorte de fuite du discours direct (phénomène qui se retrouve ailleurs dans le texte). Julie est très rarement appelée autrement que par le terme neutre « madame », sauf dans la séquence avec Mme de Listomère, qui multiplie les termes affectueux, ou au début, avec son père. La mort de Julie semble rétablir un lien de parenté affectif : « J'ai perdu ma mère », mais cette exclamation de Moïna peut aussi vouloir dire : « j'ai causé la mort de ma mère », ce qui ouvre sur une suite. Le destin de Moïna se trouve déterminé par sa faute, elle-même cause de mort.

Trente ans ou la vie d'une femme

Examinons la succession des portraits de Julie. A quinze ans : « beauté mignonne » ; « petits pieds », « taille délicieuse », « cou frais », « jambe finement moulée », « cheveux bruns », « beaux yeux noirs », etc. : au total une « jolie personne », dont toute la démarche indique la vivacité, l'enfantine impulsivité, l'impétuosité. Une tête un peu folle, une fraîcheur séduisante. Au moral, l'égoïsme de l'amour ou en tout cas de la fascination pour Victor. Un an plus tard : le teint a perdu son incarnat, les cheveux noirs font ressortir la blancheur mate du visage, seuls les yeux brillent d'un feu surnaturel, avec des teintes violettes sur les joues : tout désigne la langueur, la mélancolie. Les causes précises de cette exténuation des forces vitales sont données : l'insatisfaction sexuelle et amoureuse, qui entraîne l'engourdissement des sens et la torpeur. Au retour de Touraine, elle s'étiole. En 1820 (donc sept ans plus tard), elle séduit dans le salon de Mme de Sérizy, en cachant sa pâleur sous du rouge. En 1821, elle a retrouvé de la vitalité, et exhibe les « franches couleurs de la santé ». Cette renaissance est due à l'amour. Le portrait à vingt-six ans dans « Souffrances inconnues » est entièrement moral, à la seule exception de ces brèves notations : « Une jeune femme,

célèbre à Paris par sa grâce, par sa figure » ; « sa physionomie abattue ».

Enfin voilà l'âge capital, trente ans. C'est, avant
celui de « La Vieillesse d'une mère coupable », le portrait le plus développé, fondé sur deux principes :
l'harmonie du maintien, de la figure, de la pensée et
de la mise, le charme né de la transparence d'un physique qui laisse deviner une âme intéressante par son
mystère. Fragilité, délicatesse, blancheur, finesse de la
peau, ligne du cou, élégance de la taille, souplesse du
corps, mais aussi sa fatigue : l'ensemble des traits physiques exalte la féminité dans ce qu'elle a chez Balzac
de plus séduisant et émouvant. L'œil est triste. La
toilette affecte la simplicité, mais l'absence de coquetterie est un art suprême. Les soins de la main et du
pied sont le summum de cet art. Douceur et noblesse,
attrait du mystère, suggestion de grandes douleurs,
d'un feu contenu, tout renvoie à l'âme, ce « lien de
tous les détails ». La nonchalance, le délicat abandon
du corps sont le trait physiognomonique le plus
important : « tout révélait une femme sans intérêt dans
la vie ». Tout cela compose la « sommité poétique ».
Notons que le portrait de la femme à trente ans fait
l'objet d'une digression dans « La Vieillesse d'une
mère coupable ».

« A trente ans » va mettre en scène l'adultère
accepté. Quelle est la fatalité ici à l'œuvre, fatalité qui
apparaît en dernière analyse comme l'une des lois du
texte dont nous avons déjà parlé ? La femme de trente
ans attire le jeune homme ; la femme ne peut se préserver de l'amour d'un jeune homme. La vie mondaine oblige les femmes à voir des jeunes gens et ses
lois les empêchent de vivre libres. Donc l'âge de trente
ans détermine irrésistiblement la femme : elle inspire
la plus grande passion. La démonstration est d'autant
plus probante que Charles de Vandenesse travaille à
se faire froid et calculateur. Au contraire de son frère
Félix (voir *Le Lys dans la vallée*), il n'est en rien pré-
disposé à tomber dans les pièges de l'amour. On en
arrive donc à ce schéma : à quinze ans, Julie était

fascinée par l'héroïsme. A vingt-six ans, elle choisit elle-même la voie de l'héroïsme au nom de la maternité. A trente ans, elle ne peut plus rien contre la tentation. Elle est alors à son apogée sociale, prestige qui, comme nous l'avons vu plus haut, transparaît dans sa beauté.

A cette séduction sociale, s'ajoute celle née du mystère : son âme transparaît dans toute sa personne, mais Charles ne peut s'expliquer cette âme, qu'il devine blessée et jeune, désespérée et pleine d'attente. La marquise est « une vivante énigme ». Comparons cela au portrait de Claire de Beauséant à qui ne peut résister Gaston de Nueil dans *La Femme abandonnée*. A trente ans, une femme balzacienne n'aime plus que par choix. Elle flatte donc l'amour-propre d'un jeune homme en le choisissant. Son amour l'engage totalement, d'autant qu'elle risque de tout perdre, à commencer par sa famille et sa respectabilité sociale. De plus, elle a l'expérience de l'amour : « La femme de trente ans satisfait tout », et l'amour qu'elle inspire « réunit les sentiments factices créés par les mœurs, aux sentiments réels de la nature ».

Age poétique, âge pathétique, comme le dit Arlette Michel, dont nous suivons ici la démonstration : en effet « [son] âme est encore belle de la jeunesse qui [l']abandonne, et [sa] passion va se renforçant toujours d'un avenir qui [l']effraie ». Experte en coquetterie, la femme de trente ans sait maintenir une « position équivoque ». La marquise fait alors penser à cette autre femme, plus jeune : la duchesse de Langeais, à cette différence que Julie, dès lors qu'elle reconnaît une passion sincère, s'abandonne. Trente ans, c'est alors l'âge de la vérité, l'âge où se concentrent toutes les forces vitales avant le déclin, où le besoin de vivre, le vouloir-vivre devient impérieux, âge où la femme ne trouve ni dans la nature, ni dans la loi, ni dans sa conscience de quoi résister à l'appel du bonheur, où la résistance même accroît le désir. Alors le bonheur, fût-il fugitif, devient-il possible. Ainsi se résout l'apparente contradiction entre les positions idéologiques d'un Balzac physiologiste et sociologue qui condamne l'adultère, et d'un Balzac romancier qui célèbre la beauté de la femme de trente ans et son droit à l'amour. Mais il faut s'empresser d'ajouter que ce bonheur s'accompagne nécessairement de la douleur et des souffrances inconnues, avant et après.

A cinquante ans, le visage de Julie est « une de ces terribles poésies » du Dante. Comme à trente ans, l'âme se laisse deviner. Il faut donc voir dans ce portrait à cinquante ans l'autre tableau d'un diptyque : la sommité poétique et son avenir. Le portrait moral parachève celui de « Souffrances inconnues » et de « A trente ans ». A noter que dans ces deux cas, le narrateur omniscient feint l'impuissance à restituer le secret d'une âme aperçue dans un visage ou l'incapacité à traduire fidèlement toutes les nuances : « Les peintres ont des couleurs pour ces portraits, mais les idées et les paroles sont impuissantes pour les traduire fidèlement ». Julie appartient donc au Panthéon des belles héroïnes balzaciennes, étant bien entendu que, dans *La Comédie humaine*, les belles femmes tirent leur beauté de leur physique, mais aussi, le plus souvent, de leur intériorité.

Pour bien mesurer le délicat équilibre de ces portraits, comparons-le à quelques autres tirés des *Scènes de la vie privée*. Emilie de Fontaine a aussi un col un peu long, de beaux cheveux noirs, des sourcils très fournis et fortement arqués, mais elle est avant tout coquette (elle est qualifiée de Célimène). En revanche, Mme Willemsens, cette autre malheureuse, a des rides précoces, une coiffure de vierge qui sied à sa physionomie mélancolique, des yeux noirs fortement cernés, creusés, pleins d'une ardeur fiévreuse, un faux sourire, empreint d'une tristesse douce, une démarche lente et noble. Son sourire s'anime avec le sentiment maternel. Dans *Gobseck*, Mme de Restaud exhale le bonheur de la jouissance sexuelle, avec des cercles bruns sous les yeux, des grosses boucles noires dénouées par l'amour. Mme de Beauséant séduit d'abord par la grâce de ses mouvements, la négligence

des effets cherchés. Mme Firmiani est naturelle par la
perfection de son harmonie. Augustine Guillaume est
un modèle de grâce raphaélienne, etc. Julie représente
donc une forme de l'idéal balzacien, dont les éléments
ne se retrouvent que chez peu de personnages féminins de ces années 1830-1834.

La place des hommes : le pouvoir

   Grande dame, Julie connaît le monde et ses codes,
ce qui lui permet de porter sur lui un jugement lucide.
Il faut reconnaître toute la force dramatique de la
scène chez Mme de Sérizy, comparable en intensité au
dernier bal de Mme de Beauséant dans *Le Père Goriot*.
Julie pourrait être qualifiée de femme supérieure, dont
la supériorité sur son médiocre mari illustre un des
paradoxes de la condition féminine au XIXe siècle : la
femme ne peut dominer intellectuellement que clan-
destinement, sauf dans certains cas délimités et dans
des lieux légitimés (le salon, gouverné par les conventions mondaines, l'esprit, etc.). Nous voilà bien dans
une analyse des rapports sociaux entre les sexes.
Malgré le titre, malgré le contenu, malgré la part du
discours auctorial sur la condition féminine et sur le
mariage, on ne saurait réduire *La Femme de trente ans*
à un roman sur la femme. Il nous faut parler des
hommes. Un constat s'impose, bien énoncé par Ruth
Amossy, selon qui les protagonistes mâles se répartissent de manière stéréotypée en fonction des classes,
états et professions [1].
   On aimerait pouvoir sous-titrer *La Femme de trente
ans* « Julie aux pays des hommes », car l'héroïne voit sa
vie scandée par la succession des mâles, et surtout,
orientée en grande partie par leurs lois. Figure cen-
trale, Julie se trouve environnée d'hommes, qui se dis-
tribuent en fonction d'elle, qui prennent l'essentiel de

_____

1. Colloque de *Romantisme, op. cit.*, p. 46.

leurs caractéristiques stéréotypées de leur position par rapport à Julie et définissent ainsi la femme dans le réseau de relations qui l'attachent au sexe dominant. Ici encore, nous serons d'accord avec Ruth Amossy : les personnages masculins se répartissent en fonction de l'héroïne et « la logique narrative du récit balzacien est pleinement tributaire d'une réflexion sur la condition féminine : la fonction essentielle des protagonistes-hommes consiste à définir la femme dans le réseau de relations qui l'attache au sexe opposé [1] ». Ainsi s'agit-il pour Balzac de positionner ses personnages sur l'éventail des rapports possibles, tant dans la perspective amoureuse (le mari indélicat, bête et dominateur ; l'amant platonique, l'amant de l'adultère), que dans l'optique familiale (le père, le mari, l'amant comme père, les enfants), ou que sur le plan symbolique, où Julie se trouve confrontée aux deux dimensions de la masculinité, le savoir (le prêtre, le médecin, le notaire, le narrateur) et le pouvoir (le militaire, le diplomate), ces deux catégories n'étant évidemment pas exclusives l'une de l'autre.

On relève d'abord une série de types. Par ordre d'apparition, commençons par l'homme d'armes et les aléas de l'Histoire. A tout seigneur, tout honneur : Victor, — le vainqueur — d'Aiglemont, au nom emblématique et au portrait si éloquent. On montrerait en outre un autre stéréotypage, celui de l'officier d'Empire qui sait prendre le vent de l'Histoire et se rallie à la Restauration, pour l'opposer à cet autre stéréotype du demi-solde resté fidèle, le Philippe Bridau de *La Rabouilleuse* (qui lui aussi assiste à la dernière revue de Napoléon). On rappellerait bien entendu que le prestige du beau cavalier est pour beaucoup dans l'amour de la jeune Julie. Plus importante est la faillite de l'Histoire, qui est en même temps celle de Victor, ce qui fait naître, par contraste, la figure de l'amant, le héros de la vie privée, puisque le centaure glorieux est incapable de convertir sa fougue militaire dans le

1. *Ibid.*, p. 47.

mariage autrement que par la brutalité, et qu'il ne se
plie pas aux obligations sentimentales de son rôle de
mari.

Apparaît alors la figure de l'amour : le jeune
homme, ce nouveau type. Il se présente sous deux
formes, Arthur et Charles. Il faudrait étudier leurs
portraits et opposer leurs trajets individuels, ainsi que
le romantisme platonique de lord Grenville, qui
n'épuise pas le personnage dont nous retrouverons
une autre fonction plus avant, et le romantisme de
l'adultère incarné par Charles. N'oublions pas
l'importance du discours du narrateur et du discours
auctorial dans la définition de ces deux jeunes gens.
Ajoutons pour être complet cet autre jeune homme,
Alfred de Vandenesse, l'amant de Moïna. Avec ces
amants fait contraste une figure parée de tous les prestiges sulfureux du mal, figure du héros sauvage et de
la liberté, le Capitaine parisien. Or, nous le savons,
« Le héros sauvage, c'est le hors-la-loi, l'exclu, l'inexplicable, le plus souvent un homme du peuple, une
force irréductible ou brute. Surtout celui dont la littérature, pas plus que la société, ne sait que faire. [...]
La possibilité du rapprochement femme-héros sauvage est toujours signe de ce qu'une chance reste au
monde et de ce qu'on lui pense sinon un avenir du
moins un sens possible [1]. » Meurtrier, hors-la-loi,
pirate, il continue la gloire impériale sur le mode sauvage. Il est, comme nous l'avons vu, le représentant
d'une contre-Histoire. Comparé aux géants de
l'épopée, il est lui aussi prénommé Victor, mais
demeure une figure archaïque, qui eût pris toute sa
mesure en d'autres temps, sous l'Autre... S'il vaut
d'abord pour Hélène comme possibilité de quitter une
famille d'où elle se sent exclue, le Capitaine parisien
exerce une réelle fascination sur Julie, née de la curiosité, qui procède de la séduction satanique (par une
nuit de Noël, faut-il le rappeler ! il convient de souli-

1. Pierre Barbéris, *Balzac, une mythologie réaliste*, p. 111-112.
Voir la bibliographie.

gner ce détail : un contre-Messie, une contre-rédemption, le contre-salut d'une criminelle assuré par un criminel, etc.).

Cette série « littéraire » n'épuise pas le stéréotypage. On se gardera d'oublier l'enfant maudit. Ce type ne procède pas des mêmes catégories que les précédentes. Il est un produit de la faute de Julie, mais il vaut comme masculinité avortée ou condamnée à périr. Les enfants sont des doubles de leurs pères, atténués, dévirilisés ou dévalués. Ainsi, Julie a provoqué la stérilisation du principe mâle dans le roman. Citons le petit Charles, la victime innocente, et le petit enfant d'Hélène qui se meurt à la fin des « Deux Rencontres » (est-ce Abel, dont le prénom possède tant de résonances bibliques ?). On y ajoutera les trois autres enfants d'Hélène, disparus, ainsi que Gustave et Abel (les fils d'Aiglemont).

On voit donc que les types masculins représentent des pôles entre lesquels la figure féminine circule, comme épouse, comme amante, comme mère. Ils exercent un pouvoir sur elle (séduction, amour), mais, en revanche, tantôt elle demeure impuissante (l'épouse humiliée que sa grande scène chez Mme de Sérizy ne revalorise pas aux yeux de son mari, voir le discours de Victor à Ronquerolles), tantôt elle se trouve réduite au pouvoir stéréotypé de la Dame des romans courtois ou des romans sentimentaux (Arthur mourant pour l'honneur d'une femme), tantôt elle ne dispose que d'un pouvoir dévoyé et mortel (celui de la mère). Mais l'on n'en a pas fini avec le pouvoir exercé par les hommes. Le roman multiplie en effet les figures masculines du pouvoir. Ici encore à tout seigneur tout honneur, commençons par l'Empereur, qui est, comme le dit Pierre Danger, le « médiateur essentiel de tout le XIXe siècle, sur lequel il projette sa lumière fascinante. C'est lui qui confère son pouvoir de séduction au colonel d'Aiglemont [...] Julie y reconnaît ce dont elle est privée : la figure sublimée d'un père viril, d'une puissance absolue [...] Napoléon

est à l'horizon de tous les désirs [1] ». Napoléon est ici
une figure de légende, un mythe vivant. La jeune Julie
est prise dans ce tourbillon enthousiaste en identifiant
Victor à la grandeur héroïque. Comme l'Empereur,
elle est déjà condamnée. Napoléon anime le monde,
lui insuffle vie, langage et énergie, en une nouvelle
genèse. Il apparaît bien comme un héros quasi surnaturel aux dimensions fantastiques, un mythe vivant.
Une notation mérite qu'on s'y attarde : « une fugitive
image de ce règne si fugitif ». Elle transforme ce spectacle en quelque chose qui tient du rêve historique.
Elle inscrit la mort de l'Histoire positive. Pause et
pose, moment d'éternité et mise en scène fugitive, ces
pages inaugurales sont donc le dernier triomphe de
Napoléon, la dernière démonstration de sa puissance.
Apothéose de tout ce début baignant dans la gloire
impériale, dans l'exaltation nationale, ce passage est
destiné comme son contexte à progressivement disparaître dans le roman au bénéfice d'une histoire de la
sphère privée. L'Histoire pour un temps encore mobi-
lisatrice et épique jette ses derniers feux. Or, l'amour
de Julie n'est tel que par cet environnement prestigieux, par les séductions militaires. Hors de ce milieu
valorisant, il ne pourra que se dégrader avec son objet,
réduit à sa médiocrité.

Cette médiocrité affecte aussi le père. Figure déva-
luée, à la fois par sa jalousie et par son impuissance
à convaincre sa fille du bien-fondé de ses craintes. Il
ne garde de son pouvoir paternel que la force prophétique de ses mises en garde. Il ne peut rien contre
la figure du père de la Nation, auréolé de sa légende,
et donc contre son ombre projetée, le colonel. Apparaît ici une dimension idéologique : le duc est déva-
lorisé historiquement, et marqué par l'archaïsme.
Victor d'Aiglemont ne peut prendre le relais. Même
si dans « Les deux Rencontres » Victor se révèle bon
père, c'est le seul moment où nous le voyons comme
pater familias valorisé. Dans « Le Doigt de Dieu », il

1. *L'Eros balzacien*, p. 80-81. Voir la bibliographie.

se contente de ramener ses enfants du théâtre, avant de se réfugier dans la lecture des journaux. Inconscient du drame qui se joue, indifférent, il joue les utilités.

Mais le mari pouvait-il être un bon père ? Il exerce son pouvoir conjugal sur le mode du conquérant et inflige à son épouse une plaie physique autant que morale. En retour, Julie exerce sur lui le pouvoir de sa supériorité intellectuelle, au prix d'un effacement complet de sa propre personne. Mieux, elle menace sa propre identité sexuelle : « Une jeune épouse, obligée de penser et d'agir en homme, n'est ni femme ni homme, abdique toutes les grâces de son sexe en en perdant les malheurs, et n'obtient aucun des privilèges que nos lois ont remis aux plus forts. » Un tel mari ne peut qu'être « minotaurisé ». Significativement, il n'occupe qu'une place très subalterne dans les chapitres 2 et 3, où il est simplement mentionné. Et, ayant épuisé son potentiel romanesque et marital, il meurt opportunément pour laisser à la mère coupable le devant de la scène.

On doit donc conclure avec Ruth Amossy, dont nous avons suivi la démonstration, à la fausse puissance de l'homme, investi de la suprême autorité, et à l'impuissance de la femme, invalidée par la société. Les amants n'offrent qu'une solution temporaire et leur pouvoir, qui serait accepté — voir Hélène, qui est librement esclave parce qu'elle pourrait être reine si elle le désirait, modèle que Julie ne peut adopter dans les conditions où elle est placée — ne peut s'exercer que dans la clandestinité. Julie est donc confrontée à un pouvoir tyrannique mal compensé par un pouvoir limité.

L'autre place des hommes : le savoir

Les figures du savoir compenseront-elles ce sombre bilan ? C'est là sans doute que le roman est le plus original. D'abord par les situations où se trouvent placées ces figures. Le médecin apparaît sur fond d'un

récit sentimental de type romantique, le prêtre dans le
cadre d'une confession peu orthodoxe.

Arthur est aussi médecin. Peu importe la vraisemblance de l'acquisition du savoir médical par le jeune
Anglais. Plus important est le fait qu'il va mettre ce
savoir au service de la femme aimée, « proposition
bizarre », mais qui subvertit le rapport dominant entre
le médecin et la femme, tel que le XIXᵉ siècle va l'établir. Au lieu d'une subordination du sexe faible, il
s'agit ici de s'inscrire dans la grande préoccupation du
corps médical vis-à-vis de la femme, autrement dit
assurer le bon fonctionnement du corps féminin pour
la reproduction, la mettre à sa bonne place dans une
société que la médecine peut rendre plus efficacement
harmonieuse. Il s'agit d'une régulation et d'une
volonté scientifique d'intégration, qui s'avère une véritable soumission à l'homme et à la société. Or, c'est
précisément de cela dont souffre Julie. Dès lors,
l'action d'Arthur médecin sera de soustraire Julie à la
loi du mari (il interdit à ce dernier les rapports
sexuels, bien douce prescription pour un amant, fût-il
platonique !), et de prendre soin de Julie à la campagne, en se mettant à l'écoute des besoins les plus
intimes de l'être féminin, en prenant à cœur son bien-
être. Ils marchent du même pas, le médecin guide sa
malade, devenue une nouvelle femme. Il se révèle
médecin « écologiste », au sens où il rétablit l'harmonie entre Julie et son environnement. On pourrait
presque parler de médecine « holiste ». On peut se
demander si le meilleur amant n'est pas celui qui est
médecin, celui qui connaît le corps de la femme, les
rapports du physique et du moral, aurait dit Cabanis,
pour pouvoir s'y accorder. Et voilà comment l'amour
est médecin...

Et le prêtre ? Après le médecin du corps, mais aussi
du psychisme, voici le médecin de l'âme. Là encore,
nous assistons à une subversion du rapport habituel
femme/prêtre, où ce dernier contribue pour une large
part à garder la femme dans le droit chemin. Ici, la
confession est altérée dans son principe. Elle a lieu au

château et non à l'église, Julie n'a pas de religion, et elle fait entendre un cri de révolte. Ce dialogue se fait subversif, car au lieu d'un aveu contrit, Julie expose une condition, en dénonçant ses causes. Enfin, la pécheresse ne se repent pas. De plus, le curé est moins un représentant de la religion qu'un homme, qui fait confidence de ses malheurs. L'échange a lieu entre humains égaux dans la souffrance, et se fait rapport empathique. Si le prêtre condamne la position de Julie, il condamne surtout l'égoïsme du siècle à travers celui de sa fausse pénitente. Il ne lui offre en fait que la résignation, leçon qu'il a faite sienne. Prônant le renoncement, la soumission aux impératifs de la seule maternité, il annonce du même coup l'impossibilité où la femme sera de s'en tenir à cette mutilation. N'est pas Mme de Mortsauf qui veut ! Comme nous l'avons déjà vu, le curé de Saint-Lange énonce alors une loi du texte.

Face à ces figures, Crottat ne pèse pas le même poids. Alors que le notaire balzacien, honnête ou non, est le dépositaire des secrets, au point d'être parfois un véritable double du romancier (pensons à Derville dans *Le Colonel Chabert* ou dans *Gobseck*), nous avons ici un personnage ridicule, qui ne dit la vérité du roman que par inadvertance, en parlant de « tragédies bourgeoises ». Bavard impénitent, imbécile (le mot figure dans le texte), infatué de lui-même, ce ridicule installe dans le drame une dimension farcesque, qui redouble la référence au mélodrame. Son savoir purement technique est exclusif d'un savoir psychologique, et lui confère une expérience des drames privés qu'il expose sans tact. La notaresse ne le lui envoie pas dire, reprenant les durs mais justes propos de Charles de Vandenesse. Il est peut-être une représentation grotesque du mauvais lecteur, qui ne comprend rien à rien, et qui, vexé, s'écrie : « Qu'est-ce que cela me fait ? »

Enfin, le savoir est aussi détenu par le narrateur. Nous nous contenterons d'un seul exemple, la description de Paris au début du chapitre 4. On peut suivre Jeanine Guichardet : « L'imaginaire d'un paysage serait-il un récit ? On le croirait, à voir un narrateur et

quelques personnages balzaciens s'y engager dans une
attention rêveuse qui débouche sur la découverte d'un
secret violent. Fond du paysage et fond de la rêverie : si
c'était la même chose ? A ce scénario répétitif, il suffit
d'un décor, d'un crime caché et d'un regard qui les lie.
Il peut constituer à lui seul une nouvelle, ainsi *Le Doigt
de Dieu*, où la description du site des Gobelins introduit
à une scène de voyeurisme [1]. » Cette description pano-
ramique de Paris réintroduit la capitale dans le roman.
Elle fonctionne comme ouverture, analogue en cela à
l'incipit de bien des romans balzaciens : *La Maison du
Chat-qui-pelote*, *Une double famille*, *La Grenadière*, *Béatrix*, *Ferragus*, etc. Après cette description, apparaîtra un
« je », celui du narrateur-observateur (phénomène assez
rare dans *La Comédie humaine*, à comparer avec *Facino
Cane*). Ce panorama parisien, organisé en tableau, où
semble dominer l'impression esthétique d'une harmonie, est sourdement menacé par des notations dis-
cordantes, manifestant la présence du doigt de Dieu,
qui préparent la suite dramatique du chapitre. Dans ce
morceau de bravoure, si le point de vue est attribuable à
un observateur anonyme qui peut se confondre avec
chacun des lecteurs, la présence discrète d'un narrateur
se fait sentir, tant par l'insistance sur la beauté dont il/on
est idolâtre que par la virtuosité affichée. Et le fantasme
enfantin lui-même se trouve discrètement évoqué. Ce
narrateur va devenir par la suite un voyeur, ainsi qu'un
personnage passif du drame, complice objectif du châtiment. Son rôle est celui d'un artiste qui se met en
scène, mais aussi celui d'un garant de la fiction. La
véracité du roman est donc fondée : en révélant les
drames cachés, le narrateur fait entrer le roman dans la
modernité. A cet égard, on pourrait évoquer aussi la
valeur de quasi-manifeste de cette page. Ne vise-t-elle
pas en effet à légitimer et à magnifier Paris comme lieu
esthétique autant que romanesque ? Paris, comme
Yvetot, vaut bien Constantinople. Le véritable exotisme
s'y déploie, paré de tous les prestiges. Paris, la ville aux

1. *Balzac, « archéologue » de Paris*, p. 85. Voir la bibliographie.

cent mille romans, comme dit Balzac dans *Ferragus*...
Ici, l'horrible drame va contraster d'autant plus fortement avec un cadre esthétisé et poétisé.

Dédié à Louis Boulanger, peintre, deuxième figure
masculine du roman après l'auteur, dans l'ordre
d'apparition, *La Femme de trente ans* est par certains
côtés une galerie de portraits. Les hommes gravitent
autour de l'héroïne, en un ballet qui décline l'essentiel
des rapports qu'entretiennent les deux sexes dans la
société. Leur quasi-disparition dans le dernier chapitre
(il reste un parasite et un fat, simplement mentionnés
par leur propos, autrement dit des figures anonymes
de salon, réduites à une essence mondaine péjorée, et
surtout l'observateur/historien des mœurs, la figure
tutélaire, informatrice et dirigeante) s'explique à la
fois par leur inutilité (d'une part, vieillie, Julie est
sortie du cercle des relations amoureuses ; d'autre
part, tout le mal qu'ils pouvaient lui faire a été
accompli) et par la nécessité d'une refocalisation sur
l'héroïne, qui se monnaie en portrait, en récapitulatif
d'une existence, en bilan, en achèvement d'un destin
tragique. Le dernier mot du texte sera celui de
« mère », signe du bouclage du texte sur la condition
féminine, définie par les hommes, dirigée par eux, cir-
conscrite par eux. « Tragédie de la féminité » selon
Brigitte Diaz [1], *La Femme de trente ans* crée bien un
« nouveau mythe des temps modernes » (Gabrielle
Chamarat [2]), dont la portée révolutionnaire — car le
changement de point de vue sur la femme opéré dans
le roman possède sans contredit une telle
force — acquiert une valeur à tout point de vue critique.

Gérard GENGEMBRE.

1. Colloque de *Romantisme*, *op. cit.*, p. 72.
2. *Ibid.*, p. 24.

LA GENÈSE DE *LA FEMME DE TRENTE ANS*

Les Deux Rencontres

Publié dans la *Revue de Paris*, 23 et 30 janvier 1831.

« Ce mélodrame est construit en diptyque, comme bien des nouvelles de Balzac. Sur l'un des volets, on voit M. de Verdun [1], ancien militaire et homme d'honneur, envoûté par le regard fascinateur d'un aventurier et obligé, sous cette force maléfique, de laisser sa fille s'enfuir avec l'inconnu. Sur le deuxième volet, père et fille se retrouvent par le plus grand des hasards dans le navire de l'aventurier, lors d'une attaque de corsaires : c'est autour du « Capitaine parisien » de se montrer généreux, en faisant grâce au gentilhomme qui lui a autrefois sauvé la vie » (B. Gagnebin et R. Guise, dont nous suivons en les schématisant les conclusions).

Le Doigt de Dieu

Publié dans la *Revue de Paris*, mars 1831.

Cette très courte nouvelle est très différente de la précédente. Elle ne comporte pas d'effet mélodramatique. Rien n'est nettement dit, tout est suggéré, et nul

---

1. Il deviendra le général d'Aiglemont dans les versions remaniées et « unifiées ».

personnage n'est nommé, sinon les deux garçons, Francisque et Georges [1]. Cependant le narrateur et le lecteur comprennent le drame.

Ce texte procède d'une réalité autobiographique, que nous trouvons complètement exposée par P. Citron (*Dans Balzac*, 1986) dont on résume ici les points essentiels :

— Dans *Le Doigt de Dieu*, Francisque (que Balzac transformera en Hélène) a 7 ou 8 ans : « jamais Balzac n'était remonté si loin dans son enfance pour se mettre en scène ». Cheveux bruns, yeux noirs et vifs, teint avec une nuance mate et olivâtre. Doué d'une puissance précoce, il semble maladif... : son drame est d'avoir (comme Etienne d'Hérouville dans *L'Enfant maudit*, 1833-1836) un frère qui lui est préféré. « Francisque a plusieurs traits de Balzac, et n'en a aucun qui ne soit pas de Balzac. »
— Le frère adultérin se prénomme Georges, comme le fils adultérin de Mme de Restaud dans *Gobseck*. Il deviendra Charles, prenant ainsi le prénom de son père.
— On reconnaît donc Honoré de Balzac, l'aîné, le fils légitime, et Henry, le cadet, le fils adultérin.
— Le changement du garçon en fille (cas unique dans *La Comédie humaine*) est révélateur : Balzac masque le réel en changeant le sexe de l'enfant meurtrier, mais il laisse à Hélène quelque chose de mâle (sa force, son courage...)
— Dans *Les Deux Rencontres*, 1re version, on a une famille de quatre enfants. Dans *Les Deux Rencontres* juxtaposé en 1832 avec les autres nouvelles, Balzac anéantit cette famille, et seule la fille coupable restera vivante à la fin (massacre comparable à celui d'*El Verdugo*).
— Dans *Expiation* (qui deviendra *La Vieillesse d'une mère coupable*), on trouve le fantasme de l'amour pour la sœur. Ce texte met en scène le seul inceste véritable de *La Comédie humaine* (il s'agit en fait d'un demi-inceste). Dans les *Contes drolatiques* (*Le Jeusne de François premier*, second dizain, juillet 1833), Balzac présente aussi un inceste frère/sœur.

---

1. En effet, Balzac substituera une fille à l'un des garçons, toujours pour unifier.

Le Rendez-vous

Publié dans la *Revue des Deux Mondes*, septembre-octobre 1831.

Ecrite de 1829 à 1831, la nouvelle prend comme point de départ le souvenir d'une anecdote très connue, celle de M. de Jaucourt, qui supporta une douleur physique violente pour ne pas révéler au mari l'infidélité de sa femme. En 1830, Balzac en est arrivé à la lettre de Julie à son amie Louisa, qu'il étoffera en puisant dans la *Physiologie du mariage*. Après la signature du contrat Mame, il complète la nouvelle.

La Femme de trente ans (deviendra *A Trente ans*)

Publié dans la *Revue de Paris*, 29 avril 1832.

Sans doute vers la fin de 1831, Balzac a pensé à insérer *Le Doigt de Dieu* entre *Le Rendez-vous* et *Les Deux Rencontres* afin de se rapprocher de la tonalité des *Scènes de la vie privée*. Hélène se voit ainsi conférer une grande importance et l'unité du recueil se forme autour d'elle. Dans *A trente ans*, l'héroïne, Juliette de Vieumesnil, se laisse séduire.

Les nouvelles sont republiées en 1832 dans la nouvelle édition des *Scènes de la vie privée*. Elles constituent alors un épisode fortement structuré, en dépit de l'état civil différent des héroïnes. Par ailleurs, en 1832, Balzac adhère aux thèses légitimistes. Il ajoute donc une fin morale, et ajoute quelques pages intitulées *Enseignement* qui viennent se greffer sur *Les Deux Rencontres*.

Expiation (deviendra *La Vieillesse d'une mère coupable*)

Publié dans les *Scènes de la vie privée*, 1832.

Pour étoffer le volume, Balzac ajoute une nouvelle, *Expiation*, qui nous montrera Julie punie, cette fois, dans sa fille Moïna. La nouvelle incarnation de Julie s'appelle Mme de Ballan.

La Vallée du torrent

Ecrit en mai 1834 pour les *Scènes de la vie privée* à paraître en juin dans les *Etudes de mœurs* (et retardées à la demande de Balzac).

Cette nouvelle fait suite à l'ancien *Doigt de Dieu*, devenu *La Bièvre*. Aucun des trois personnages adultes mis en scène n'est désigné, mais le lecteur peut reconnaître Juliette de Vieumesnil, son mari et son amant Charles de Vandenesse.

Souffrances inconnues

Ecrit durant l'été 1834 pour les *Scènes de la vie privée* dans *Etudes de mœurs*.

L'héroïne, la marquise, n'y est pas nommée, mais tout désigne Julie d'Aiglemont. La nouvelle contient un véritable morceau de bravoure sur le mariage qui valut à Balzac un abondant courrier, et qui impose à la première partie du roman une dominante psychologique. En outre, Balzac donne un titre à l'ensemble du volume, *Même histoire*, et s'en explique dans une préface sans doute faussement datée du 25 mars 1834.

Vers l'édition définitive

En 1842, l'ensemble reçoit son titre définitif, et Balzac unifie le nom de l'héroïne. Le roman est alors achevé, malgré quelques incohérences chronologiques.

HISTOIRE D'UN TEXTE

L'histoire des avatars de ce roman étant assez complexe, nous choisissons une présentation sous forme de tableau, qui, nous l'espérons, rendra plus claire l'évolution du texte.

I. LES MANUSCRITS

PARTIE DU ROMAN	MANUSCRIT	LOCALISATION
Premières fautes		
Titre original : *Le Rendez-vous*	Manuscrit partiel 15 feuillets – jusqu'à la lettre à Louisa	Bibliothèque Lovenjoul, A 77
Souffrances inconnues	Manuscrit complet à l'exception d'un feuillet 17 feuillets 1 feuillet avec adjonction	Fondation Martin – Bodmer, Cologny près de Genève. Bibliothèque Lovenjoul
À trente ans	Manuscrit complet 25 feuillets	Fondation Martin – Bodmer
Le Doigt de Dieu	Pas de manuscrit. Balzac a utilisé pour la description de Paris un texte de 1831	Dans *Le Mendiant*, Bibliothèque Lovenjoul, A 148, f° 1
Les Deux Rencontres	Pas de manuscrit	
La Vieillesse d'une mère coupable		
Titre original : *L'Expiation*	Manuscrit complet 16 feuillets	Bibliothèque Lovenjoul, A 77

II. LES PUBLICATIONS PRÉORIGINALES

TITRE	PUBLICATION PRÉORIGINALE	PLACE DANS LE ROMAN
Une vue de Touraine	*La Silhouette* 11 février 1830	P. 67-69
La Dernière Revue de Napoléon Pour compléter la page, la revue donne sous le titre « Croquis » et la signature Henri B., 15 lignes qui se retrouvent pour l'essentiel dans la description du château de Moncontour (p. 105)	*La Caricature*, 25 novembre 1830	P. 55-62
Les Deux Rencontres en deux parties : *La Fascination et Le Capitaine parisien*	*Revue de Paris*, 23 et 30 janvier 1831	Considérablement modifiée, cette nouvelle constitue la 5ᵉ partie du roman
Le Doigt de Dieu	*Revue de Paris*, 27 mars 1831	1ʳᵉ moitié de la 4ᵉ partie du roman
Le Rendez-vous	*Revue des Deux Mondes* 15 septembre – 1ᵉʳ octobre 1831	1ʳᵉ partie du roman sous le titre *Premières fautes*
La Femme de trente ans (L'héroïne s'appelle la marquise de Vieumesnil)	*Revue de Paris*, 29 avril 1832	3ᵉ partie du roman sous le titre *À trente ans*

III. PUBLICATIONS EN LIBRAIRIE

PUBLICATION EN LIBRAIRIE	DATE ET ÉDITEUR	MODIFICATIONS PAR RAPPORT À L'ÉTAT PRÉCÉDENT DU ROMAN
2ᵉ édition des *Scènes de la vie privée*, avec *Le Rendez-vous* (qui intègre *La Dernière Revue de Napoléon* et *Une vue de Touraine*), *La Femme de trente ans*, *Le Doigt de Dieu*, *Les Deux Rencontres*, *L'Expiation* (où l'héroïne s'appelle Mme de Ballan)	mai 1832, Mame-Delaunay	Une partie nouvelle dans *Les Deux Rencontres* : *Enseignement* (235-238). Scène nouvelle, *L'Expiation* constitue sous le titre *La Vieillesse d'une mère coupable* la 6ᵉ partie du roman. Divers changements pour unifier les récits.

PUBLICATION EN LIBRAIRIE	DATE ET ÉDITEUR	MODIFICATIONS PAR RAPPORT À L'ÉTAT PRÉCÉDENT DU ROMAN
3e édition des *Scènes de la vie privée* dans la série des *Études de mœurs.* Les scènes portent un titre global : *Même histoire*	Septembre 1834, Mme Charles Béchet	Suppression de la numérotation des scènes. Additions : *Souffrances inconnues* entre *Le Rendez-vous* et *La Femme de trente ans* (2e partie du roman) ; Le texte initial du *Doigt de Dieu* porte un sous-titre, *La Bièvre,* et se complète d'une seconde partie, *La Vallée du torrent* (178-185). La dernière partie devient *Expiation.*
Réimpression du 4e volume des *Scènes de la vie privée*	1837, Werdet	Suppression du titre et de la préface. Continuation de l'unification.
Scènes de la vie privée	1839, Charpentier	Texte de 1834 avec changements infimes
La Comédie humaine, tome III	1842, Furne	Titre définitif. Six parties avec changements de titres : *Le Rendez-vous* devient *Premières fautes, La Femme de trente ans* devient *À trente ans, Expiation* devient *La Vieillesse d'une mère coupable.* Suppression des subdivisions. Unification du nom de l'héroïne, modification de la chronologie. Quelques corrections dans le *Furne corrigé.*

NOTE SUR LA PRÉSENTE ÉDITION

Nous reproduisons ici le texte du roman tel qu'il a été établi d'abord par Maurice Allem pour l'édition des Classiques Garnier, puis par Bernard Gagnebin et René Guise pour l'édition dans la Bibliothèque de la Pléiade. L'appareil de notes doit beaucoup aux éditions existantes, notamment celle de Bernard Gagnebin et René Guise.

LA FEMME DE TRENTE ANS
DÉDIÉ A LOUIS BOULANGER, PEINTRE [1]

I

PREMIÈRES FAUTES

Au commencement du mois d'avril 1813, il y eut un dimanche dont la matinée promettait un de ces beaux jours où les Parisiens voient pour la première fois de l'année leurs pavés sans boue et leur ciel sans nuages. Avant midi, un cabriolet à pompe [2] attelé de deux chevaux fringants déboucha dans la rue de Rivoli par la rue Castiglione, et s'arrêta derrière plusieurs équipages stationnés à la grille nouvellement ouverte au milieu de la terrasse des Feuillants. Cette leste [3] voiture était conduite par un homme en apparence soucieux et maladif ; des cheveux grisonnants couvraient à peine son crâne jaune et le faisaient vieux avant le temps ; il jeta les rênes au laquais à cheval qui suivait sa voiture, et descendit pour prendre dans ses bras une jeune fille dont la beauté mignonne [4] attira l'attention des oisifs en promenade sur la terrasse. La petite personne se laissa complaisamment saisir par la taille quand elle fut debout sur le bord de la voiture, et passa ses bras autour du cou de son guide, qui la posa sur le trottoir, sans avoir chiffonné la garniture de sa robe en reps vert. Un amant n'aurait pas eu tant de soin. L'inconnu devait être le père de cette enfant qui, sans le remercier, lui prit familièrement le bras et l'entraîna brusquement dans le jardin. Le vieux père remarqua les regards émerveillés de quelques jeunes gens, et la tristesse empreinte sur son visage s'effaça pour un moment. Quoiqu'il fût arrivé depuis longtemps à l'âge où les hommes doivent se contenter des trompeuses jouissances que donne la vanité, il se mit à sourire :

— On te croit ma femme, dit-il à l'oreille de la jeune personne en se redressant et marchant avec une lenteur qui la désespéra.

Il semblait avoir de la coquetterie pour sa fille, et jouissait peut-être plus qu'elle des œillades que les curieux lançaient sur ses petits pieds chaussés de brodequins [5] en prunelle puce, sur une taille délicieuse dessinée par une robe à guimpe, et sur le cou frais qu'une collerette brodée ne cachait pas entièrement. Les mouvements de la marche relevaient par instants la robe de la jeune fille et permettaient de voir, au-dessus des brodequins, la rondeur d'une jambe finement moulée par un bas de soie à jours. Aussi, plus d'un promeneur dépassa-t-il le couple pour admirer ou pour revoir la jeune figure autour de laquelle se jouaient quelques rouleaux de cheveux bruns et dont la blancheur et l'incarnat étaient rehaussés autant par les reflets du satin rose qui doublait une élégante capote [6] que par le désir et l'impatience qui pétillaient dans tous les traits de cette jolie personne. Une douce malice animait ses beaux yeux noirs, fendus en amande, surmontés de sourcils bien arqués, bordés de longs cils et qui nageaient dans un fluide pur. La vie et la jeunesse étalaient leurs trésors sur ce visage mutin et sur un buste, gracieux encore, malgré la ceinture alors placée sous le sein. Insensible aux hommages, la jeune fille regardait avec une espèce d'anxiété le château des Tuileries, sans doute le but de sa pétulante [7] promenade. Il était midi moins un quart. Quelque matinale que fût cette heure, plusieurs femmes, qui toutes avaient voulu se montrer en toilette, revenaient du château, non sans retourner la tête d'un air boudeur, comme si elles se repentaient d'être venues trop tard pour jouir d'un spectacle désiré. Quelques mots

échappés à la mauvaise humeur de ces belles prome-
neuses désappointées et saisis au vol par la jolie
inconnue, l'avaient singulièrement inquiétée. Le
vieillard épiait d'un œil plus curieux que moqueur les
signes d'impatience et de crainte qui se jouaient sur le
charmant visage de sa compagne, et l'observait peut-
être avec trop de soin pour ne pas avoir quelque arrière-pensée paternelle.

Ce dimanche était le treizième de l'année 1813 [8].
Le surlendemain, Napoléon partait pour cette fatale
campagne pendant laquelle il allait perdre successivement Bessières et Duroc, gagner les mémorables
batailles de Lutzen et de Bautzen, se voir trahi par
l'Autriche, la Saxe, la Bavière, par Bernadotte, et disputer la terrible bataille de Leipsick. La magnifique
parade commandée par l'Empereur devait être la dernière de celles qui excitèrent si longtemps l'admiration
des Parisiens et des étrangers. La vieille garde allait
exécuter pour la dernière fois les savantes manœuvres
dont la pompe et la précision étonnèrent quelquefois
jusqu'à ce géant lui-même, qui s'apprêtait alors à son
duel avec l'Europe. Un sentiment triste amenait aux
Tuileries une brillante et curieuse population. Chacun
semblait deviner l'avenir, et pressentait peut-être que
plus d'une fois l'imagination aurait à retracer le
tableau de cette scène, quand ces temps héroïques de
la France contracteraient, comme aujourd'hui, des
teintes presque fabuleuses.

— Allons donc plus vite, mon père, disait la jeune
fille avec un air de lutinerie en entraînant le vieillard.
J'entends les tambours.

— C'est les troupes qui entrent aux Tuileries,
répondit-il.

— Ou qui défilent, tout le monde revient ! répliqua-t-elle avec une enfantine amertume qui fit sourire
le vieillard.

— La parade ne commence qu'à midi et demi, dit
le père qui marchait presque en arrière de son impétueuse fille.

A voir le mouvement qu'elle imprimait à son bras

droit, vous eussiez dit qu'elle s'en aidait pour courir.
Sa petite main, bien gantée, froissait impatiemment
un mouchoir, et ressemblait à la rame d'une barque
qui fend les ondes. Le vieillard souriait par moments ;
mais parfois aussi des expressions soucieuses attristaient passagèrement sa figure desséchée. Son amour
pour cette belle créature lui faisait autant admirer le
présent que craindre l'avenir. Il semblait se dire :
— Elle est heureuse aujourd'hui, le sera-t-elle toujours ? Car les vieillards sont assez enclins à doter de
leurs chagrins l'avenir des jeunes gens. Quand le père
et la fille arrivèrent sous le péristyle du pavillon au
sommet duquel flottait le drapeau tricolore, et par où
les promeneurs vont et viennent du jardin des Tuileries dans le Carrousel [9], les factionnaires leur crièrent
d'une voix grave : — On ne passe plus !
    L'enfant se haussa sur la pointe des pieds, et put
entrevoir une foule de femmes parées qui encom-
braient les deux côtés de la vieille arcade en marbre
par où l'Empereur devait sortir.
    — Tu le vois bien, mon père, nous sommes partis
trop tard.
    Sa petite moue chagrine trahissait l'importance
qu'elle avait mise à se trouver à cette revue.
    — Eh ! bien, Julie, allons-nous-en, tu n'aimes pas
être foulée.
    — Restons, mon père. D'ici je puis encore aperce-
voir l'Empereur ; s'il périssait pendant la campagne, je
ne l'aurais jamais vu.
    Le père tressaillit en entendant ces égoïstes paroles,
sa fille avait des larmes dans la voix, il la regarda, et
crut remarquer sous ses paupières abaissées quelques
pleurs causés moins par le dépit que par un de ces
premiers chagrins dont le secret est facile à deviner
pour un vieux père. Tout à coup Julie rougit, et jeta
une exclamation dont le sens ne fut compris ni par les
sentinelles, ni par le vieillard. A ce cri, un officier qui
s'élançait de la cour vers l'escalier se retourna vivement, s'avança jusqu'à l'arcade du jardin, reconnut la
jeune personne un moment cachée par les gros bon-

nets à poil des grenadiers, et fit fléchir aussitôt, pour
elle et pour son père, la consigne qu'il avait donnée
lui-même ; puis, sans se mettre en peine des mur-
mures de la foule élégante qui assiégeait l'arcade, il
attira doucement à lui l'enfant enchantée.

— Je ne m'étonne plus de sa colère ni de son
empressement, puisque tu étais de service, dit le
vieillard à l'officier d'un air aussi sérieux que railleur.

— Monsieur, répondit le jeune homme, si vous
voulez être bien placés, ne nous amusons point à
causer. L'Empereur n'aime pas à attendre, et je suis
chargé par le grand maréchal [10] d'aller l'avertir.

Tout en parlant, il avait pris avec une sorte de fami-
liarité le bras de Julie, et l'entraînait rapidement vers le
Carrousel. Julie aperçut avec étonnement une foule
immense qui se pressait dans le petit espace compris
entre les murailles grises du palais et les bornes réunies par les chaînes qui dessinent de grands carrés
sablés au milieu de la cour des Tuileries. Le cordon de
sentinelles, établi pour laisser un passage libre à
l'empereur et à son état-major, avait beaucoup de
peine à ne pas être débordé par cette foule empressée
et bourdonnant comme un essaim.

— Cela sera donc bien beau ? demanda Julie en
souriant.

— Prenez donc garde, s'écria l'officier qui saisit
Julie par la taille et la souleva avec autant de vigueur
que de rapidité pour la transporter près d'une
colonne.

Sans ce brusque enlèvement, sa curieuse parente
allait être froissée par la croupe du cheval blanc, har-
naché d'une selle en velours vert et or, que le Mame-
luck de Napoléon tenait par la bride, presque sous
l'arcade, à dix pas en arrière de tous les chevaux qui
attendaient les grands-officiers [11], compagnons de
l'empereur. Le jeune homme plaça le père et la fille
près de la première borne de droite, devant la foule, et
les recommanda par un signe de tête aux deux vieux
grenadiers entre lesquels ils se trouvèrent. Quand
l'officier revint au palais, un air de bonheur et de joie

avait succédé sur sa figure au subit effroi que la recu-
lade du cheval y avait imprimé ; Julie lui avait serré
mystérieusement la main, soit pour le remercier du
petit service qu'il venait de lui rendre, soit pour lui
dire : — Enfin je vais donc vous voir ! Elle inclina
même doucement la tête en réponse au salut respectueux que l'officier lui fit, ainsi qu'à son père, avant de
disparaître avec prestesse. Le vieillard, qui semblait
avoir exprès laissé les deux jeunes gens ensemble, restait dans une attitude grave, un peu en arrière de sa
fille ; mais il l'observait à la dérobée, et tâchait de lui
inspirer une fausse sécurité en paraissant absorbé dans
la contemplation du magnifique spectacle qu'offrait le
Carrousel. Quand Julie reporta sur son père le regard
d'un écolier inquiet de son maître, le vieillard lui
répondit même par un sourire de gaieté bienveillante ;
mais son œil perçant avait suivi l'officier jusque sous
l'arcade, et aucun événement de cette scène rapide ne
lui avait échappé.

— Quel beau spectacle ! dit Julie à voix basse en
pressant la main de son père.

L'aspect pittoresque et grandiose que présentait en
ce moment le Carrousel faisait prononcer cette exclamation par des milliers de spectateurs dont toutes les
figures étaient béantes d'admiration. Une autre rangée
de monde, tout aussi pressée que celle où le vieillard
et sa fille se tenaient, occupait, sur une ligne parallèle
au château, l'espace étroit et pavé qui longe la grille
du Carrousel. Cette foule achevait de dessiner fortement, par la variété des toilettes de femmes,
l'immense carré long [12] que forment les bâtiments des
Tuileries et cette grille alors nouvellement posée. Les
régiments de la vieille garde [13] qui allaient être passés
en revue remplissaient ce vaste terrain, où ils figuraient en face du palais d'imposantes lignes bleues de
dix rangs de profondeur. Au-delà de l'enceinte, et
dans le Carrousel, se trouvaient, sur d'autres lignes
parallèles, plusieurs régiments d'infanterie et de cavalerie prêts à défiler sous l'arc triomphal qui orne le
milieu de la grille, et sur le faîte duquel se voyaient, à

cette époque, les magnifiques chevaux de Venise [14]. La musique des régiments, placée au bas des galeries du Louvre, était masquée par les lanciers polonais [15] de service. Une grande partie du carré sablé restait vide comme une arène préparée pour les mouvements de ces corps silencieux dont les masses, disposées avec la symétrie de l'art militaire, réfléchissaient les rayons du soleil dans les feux triangulaires de dix mille baïonnettes. L'air, en agitant les plumets des soldats, les faisait ondoyer comme les arbres d'une forêt courbés sous un vent impétueux. Ces vieilles bandes [16], muettes et brillantes, offraient mille contrastes de couleurs dus à la diversités des uniformes, des parements, des armes et des aiguillettes. Cet immense tableau, miniature d'un champ de bataille avant le combat, était poétiquement encadré, avec tous ses accessoires et ses accidents bizarres, par les hauts bâtiments majestueux dont l'immobilité semblait imitée par les chefs et les soldats. Le spectateur comparait involontairement ces murs d'hommes à ces murs de pierre. Le soleil du printemps, qui jetait profusément sa lumière sur les murs blancs bâtis de la veille [17] et sur les murs séculaires, éclairait pleinement ces innombrables figures basanées qui toutes racontaient des périls passés et attendaient gravement les périls à venir. Les colonels de chaque régiment allaient et venaient seuls devant les fronts que formaient ces hommes héroïques. Puis, derrière les masses de ces groupes bariolées d'argent, d'azur, de pourpre et d'or, les curieux pouvaient apercevoir les banderoles tricolores attachées aux lances de six infatigables cavaliers polonais, qui, semblables aux chiens conduisant un troupeau le long d'un champ, voltigeaient sans cesse entre les troupes et les curieux, pour empêcher ces derniers de dépasser le petit espace de terrain qui leur était concédé auprès de la grille impériale. A ces mouvements près, on aurait pu se croire dans le palais de la Belle au bois dormant. La brise de printemps, qui passait sur les bonnets à longs poils des grenadiers, attestait l'immobilité des soldats, de même que le sourd murmure de la foule accusait leur silence. Parfois seulement le retentissement d'un chapeau chinois [18], ou quelque léger coup frappé par inadvertance sur une grosse caisse et répété par les échos du palais impérial, ressemblait à ces coups de tonnerre lointains qui annoncent un orage. Un enthousiasme indescriptible éclatait dans l'attente de la multitude. La France allait faire ses adieux à Napoléon, à la veille d'une campagne dont les dangers étaient prévus par le moindre citoyen. Il s'agissait, cette fois, pour l'Empire Français, d'être ou de ne pas être. Cette pensée semblait animer la population citadine et la population armée qui se pressaient, également silencieuses, dans l'enceinte où planaient l'aigle et le génie de Napoléon. Ces soldats, espoir de la France, ces soldats, sa dernière goutte de sang, entraient aussi pour beaucoup dans l'inquiète curiosité des spectateurs. Entre la plupart des assistants et des militaires, il se disait des adieux peut-être éternels ; mais tous les cœurs, même les plus hostiles à l'Empereur, adressaient au ciel des vœux ardents pour la gloire de la patrie. Les hommes les plus fatigués de la lutte commencée entre l'Europe et la France avaient tous déposé leurs haines en passant sous l'arc de triomphe, comprenant qu'au jour du danger Napoléon était toute la France. L'horloge du château sonna une demi-heure. En ce moment les bourdonnements de la foule cessèrent, et le silence devint si profond, que l'on eût entendu la parole d'un enfant. Le vieillard et sa fille, qui semblaient ne vivre que par les yeux, distinguèrent alors un bruit d'éperons et un cliquetis d'épées qui retentirent sous le sonore péristyle du château.

Un petit homme assez gras, vêtu d'un uniforme vert, d'une culotte blanche, et chaussé de bottes à l'écuyère, parut tout à coup en gardant sur sa tête un chapeau à trois cornes aussi prestigieux que l'homme lui-même ; le large ruban rouge de la Légion d'Honneur flottait sur sa poitrine, une petite épée était à son côté. L'homme fut aperçu par tous les yeux, et à la fois, de tous les points dans la place. Aussitôt, les tambours battirent aux champs, les deux orchestres débutèrent par une phrase dont l'expression guerrière fut répétée sur tous les instruments, depuis la plus douce des flûtes jusqu'à la grosse caisse. A ce belliqueux appel, les âmes tressaillirent, les drapeaux saluèrent, les soldats présentèrent les armes par un mouvement unanime et régulier qui agita les fusils depuis le premier rang jusqu'au dernier dans le Carrousel. Des mots de commandement s'élancèrent de rang en rang comme des échos. Des cris de : Vive l'Empereur ! furent poussés par la multitude enthousiasmée. Enfin tout frissonna, tout remua, tout s'ébranla. Napoléon était monté à cheval. Ce mouvement avait imprimé la vie à ces masses silencieuses, avait donné une voix aux instruments, un élan aux aigles, et aux drapeaux, une émotion à toutes les figures. Les murs des hautes galeries de ce vieux palais semblaient crier aussi : Vive l'Empereur ! Ce ne fut pas quelque chose d'humain, ce fut une magie, un simulacre de la puissance divine, ou mieux une fugitive image de ce règne si fugitif. L'homme entouré de tant d'amour, d'enthousiasme, de dévouement, de vœux, pour qui le soleil avait chassé les nuages du ciel, resta sur son cheval, à trois pas en avant du petit escadron doré qui le suivait, ayant le grand-maréchal à sa gauche, le maréchal de service à sa droite. Au sein de tant d'émotions excitées par lui, aucun trait de son visage ne parut s'émouvoir.

— Oh ! mon Dieu, oui. A Wagram au milieu du feu, à la Moscowa parmi les morts, il est toujours tranquille comme Baptiste [19], *lui* !

Cette réponse à de nombreuses interrogations était faite par le grenadier qui se trouvait auprès de la jeune fille. Julie fut pendant un moment absorbée par la contemplation de cette figure dont le calme indiquait une si grande sécurité de puissance. L'Empereur aperçut Mlle de Chatillonest, et se pencha vers Duroc, pour lui dire une phrase courte qui fit sourire le grand-maréchal. Les manœuvres commencèrent. Si jusqu'alors la jeune personne avait partagé son atten-

tion entre la figure impassible de Napoléon et les
lignes bleues, vertes et rouges des troupes, en ce
moment elle s'occupa presque exclusivement, au
milieu des mouvements rapides et réguliers exécutés
par ces vieux soldats, d'un jeune officier qui courait à
cheval parmi les lignes mouvantes, et revenait avec
une infatigable activité vers le groupe à la tête duquel
brillait le simple Napoléon. Cet officier montait un
superbe cheval noir, et se faisait distinguer, au sein de
cette multitude chamarrée, par le bel uniforme bleu
de ciel des officiers d'ordonnance de l'Empereur. Ses
broderies pétillaient si vivement au soleil, et l'aigrette
de son schako étroit et long en recevait de si fortes
lueurs, que les spectateurs durent le comparer à un
feu follet, à une âme invisible chargée par l'Empereur
d'animer, de conduire ces bataillons dont les armes
ondoyantes jetaient des flammes, quand, sur un seul
signe de ses yeux, ils se brisaient, se rassemblaient,
tournoyaient comme les ondes d'un gouffre, ou passaient devant lui comme ces lames longues, droites et
hautes que l'Océan courroucé dirige sur ses rivages.

Quand les manœuvres furent terminées, l'officier
d'ordonnance accourut à bride abattue, et s'arrêta
devant l'Empereur pour en attendre les ordres. En ce
moment, il était à vingt pas de Julie, en face du groupe
impérial, dans une attitude assez semblable à celle que
Gérard a donnée au général Rapp dans le tableau de
la *Bataille d'Austerlitz* [20]. Il fut permis alors à la jeune
fille d'admirer *son amant* [21] dans toute sa splendeur
militaire. Le colonel Victor d'Aiglemont, à peine âgé
de trente ans, était grand, bien fait, svelte ; et ses heu-
reuses proportions ne ressortaient jamais mieux que
quand il employait sa force à gouverner un cheval
dont le dos élégant et souple paraissait plier sous lui.
Sa figure mâle et brune possédait ce charme inexplicable qu'une parfaite régularité de traits communique
à de jeunes visages. Son front était large et haut. Ses
yeux de feu, ombragés de sourcils épais et bordés de
longs cils, se dessinaient comme deux ovales blancs
entre deux lignes noires. Son nez offrait la gracieuse

courbure d'un bec d'aigle. La pourpre de ses lèvres était rehaussée par les sinuosités de l'inévitable moustache noire [22]. Ses joues larges et fortement colorées offraient des tons bruns et jaunes qui dénotaient une vigueur extraordinaire. Sa figure, une de celles que la bravoure a marquées de son cachet, offrait le type que cherche aujourd'hui l'artiste quand il songe à représenter un des héros de la France impériale. Le cheval trempé de sueur, et dont la tête agitée exprimait une extrême impatience, les deux pieds de devant écartés et arrêtés sur une même ligne sans que l'un dépassât l'autre, faisait flotter les longs crins de sa queue fournie ; et son dévouement offrait une matérielle image de celui que son maître avait pour l'empereur. En voyant son amant si occupé de saisir les regards de Napoléon, Julie éprouva un moment de jalousie en pensant qu'il ne l'avait pas encore regardée. Tout à coup, un mot est prononcé par le souverain, Victor presse les flancs de son cheval et part au galop ; mais l'ombre d'une borne projetée sur le sable effraie l'animal qui s'effarouche, recule, se dresse, et si brusquement que le cavalier semble en danger. Julie jette un cri, elle pâlit ; chacun la regarde avec curiosité, elle ne voit personne ; ses yeux sont attachés sur ce cheval trop fougueux que l'officier châtie tout en courant redire les ordres de Napoléon. Ces étourdissants tableaux absorbaient si bien Julie, qu'à son insu elle s'était cramponnée au bras de son père à qui elle révélait involontairement ses pensées par la pression plus ou moins vive de ses doigts. Quand Victor fut sur le point d'être renversé par le cheval, elle s'accrocha plus violemment encore à son père, comme si elle-même eût été en danger de tomber. Le vieillard contemplait avec une sombre et douloureuse inquiétude le visage épanoui de sa fille, et des sentiments de pitié, de jalousie, des regrets même, se glissèrent dans toutes ses rides contractées. Mais quand l'éclat inaccoutumé des yeux de Julie, le cri qu'elle venait de pousser et le mouvement convulsif de ses doigts, achevèrent de lui dévoiler un

amour secret, certes, il dut avoir quelques tristes
révélations de l'avenir, car sa figure offrit alors une
expression sinistre. En ce moment, l'âme de Julie
semblait avoir passé dans celle de l'officier. Une
pensée plus cruelle que toutes celles qui avaient
effrayé le vieillard crispa les traits de son visage souffrant, quand il vit d'Aiglemont échangeant, en passant devant eux, un regard d'intelligence avec Julie
dont les yeux étaient humides, et dont le teint avait
contracté une vivacité extraordinaire. Il emmena
brusquement sa fille dans le jardin des Tuileries.

— Mais, mon père, disait-elle, il y a encore sur la
place du Carrousel des régiments qui vont manœu-
vrer.

— Non, mon enfant, toutes les troupes défilent.

— Je pense, mon père, que vous vous trompez.
M. d'Aiglemont a dû les faire avancer...

— Mais, ma fille, je souffre et ne veux pas rester.

Julie n'eut pas de peine à croire son père quand elle
eut jeté les yeux sur ce visage, auquel de paternelles
inquiétudes donnaient un air abattu.

— Souffrez-vous beaucoup ? demanda-t-elle avec
indifférence, tant elle était préoccupée.

— Chaque jour n'est-il pas un jour de grâce pour
moi ? répondit le vieillard.

— Vous allez donc encore m'affliger en me parlant
de votre mort. J'étais si gaie ! Voulez-vous bien
chasser vos vilaines idées noires.

— Ah ! s'écria le père en poussant un soupir, enfant
gâté ! les meilleurs cœurs sont quelquefois bien cruels.
Vous consacrer notre vie, ne penser qu'à vous, préparer votre bien-être, sacrifier nos goûts à vos fantaisies, vous adorer, vous donner même notre sang, ce
n'est donc rien ? Hélas ! oui, vous acceptez tout avec
insouciance. Pour toujours obtenir vos sourires et
votre dédaigneux amour, il faudrait avoir la puissance
de Dieu. Puis enfin un autre arrive ! un amant, un
mari nous ravissent vos cœurs.

Julie étonnée regarda son père qui marchait lentement, et qui jetait sur elle des regards sans lueur.

— Vous vous cachez même de nous, reprit-il, mais peut-être aussi de vous-même....

— Que dites-vous donc, mon père ?

— Je pense, Julie, que vous avez des secrets pour moi. — Tu aimes, reprit vivement le vieillard en s'apercevant que sa fille venait de rougir. Ah ! j'espérais te voir fidèle à ton vieux père jusqu'à sa mort, j'espérais te conserver près de moi heureuse et brillante ! t'admirer comme tu étais encore naguère. En ignorant ton sort, j'aurais pu croire à un avenir tranquille pour toi ; mais maintenant il est impossible que j'emporte une espérance de bonheur pour ta vie, car tu aimes encore plus le colonel que tu n'aimes le cousin. Je n'en puis plus douter.

— Pourquoi me serait-il interdit de l'aimer ? s'écria-t-elle avec une vive expression de curiosité.

— Ah ! ma Julie, tu ne me comprendrais pas, répondit le père en souriant.

— Dites toujours, reprit-elle en laissant échapper un mouvement de mutinerie.

— Eh ! bien, mon enfant, écoute-moi. Les jeunes filles se créent souvent de nobles, de ravissantes images, des figures tout idéales, et se forgent des idées chimériques sur les hommes, sur les sentiments, sur le monde ; puis elles attribuent innocemment à un caractère les perfections qu'elles ont rêvées, et s'y confient [23] ; elles aiment dans l'homme de leur choix cette créature imaginaire ; mais plus tard, quand il n'est plus temps de s'affranchir du malheur, la trompeuse apparence qu'elles ont embellie, leur première idole enfin se change en un squelette odieux. Julie, j'aimerais mieux te savoir amoureuse d'un vieillard que de te voir aimant le colonel. Ah ! si tu pouvais te placer à dix ans d'ici dans la vie, tu rendrais justice à mon expérience. Je connais Victor : sa gaieté est une gaieté sans esprit, une gaieté de caserne, il est sans talent et dépensier. C'est un de ces hommes que le ciel a créés pour prendre et digérer quatre repas par jour, dormir, aimer la première venue et se battre. Il n'entend pas la vie. Son bon cœur, car il a bon cœur, l'entraînera peut-être à donner sa bourse à un malheureux, à un camarade ; mais il est insouciant, mais il n'est pas doué de cette délicatesse de cœur qui nous rend esclaves du bonheur d'une femme ; mais il est ignorant, égoïste... Il y a beaucoup de *mais*.

— Cependant, mon père, il faut bien qu'il ait de l'esprit et des moyens pour avoir été fait colonel...

— Ma chère, Victor restera colonel toute sa vie. Je n'ai encore vu personne qui m'ait paru digne de toi, reprit le vieux père avec une sorte d'enthousiasme.

Il s'arrêta un moment, contempla sa fille, et ajouta :

— Mais, ma pauvre Julie, tu es encore trop jeune, trop faible, trop délicate pour supporter les chagrins et les tracas du mariage. D'Aiglemont a été gâté par ses parents, de même que tu l'as été par ta mère et par moi. Comment espérer que vous pourrez vous entendre tous deux avec des volontés différentes dont les tyrannies seront inconciliables ? Tu seras ou victime ou tyran. L'une ou l'autre alternative [24] apporte une égale somme de malheurs dans la vie d'une femme. Mais tu es douce et modeste, tu plieras d'abord. Enfin tu as, dit-il d'une voix altérée, une grâce de sentiment qui sera méconnue, et alors...

Il n'acheva pas, les larmes le gagnèrent.

— Victor, reprit-il après une pause, blessera les naïves qualités de ta jeune âme. Je connais les militaires, ma Julie ; j'ai vécu aux armées. Il est rare que le cœur de ces gens-là puisse triompher des habitudes produites ou par les malheurs au sein desquels ils vivent, ou par les hasards de leur vie aventurière [25].

— Vous voulez donc, mon père, répliqua Julie d'un ton qui tenait le milieu entre le sérieux et la plaisanterie, contrarier mes sentiments, me marier pour vous et non pour moi ?

— Te marier pour moi ! s'écria le père avec un mouvement de surprise, pour moi, ma fille, de qui tu n'entendras bientôt plus la voix si amicalement grondeuse. J'ai toujours vu les enfants attribuant à un sentiment personnel les sacrifices que leur font les parents ! Epouse Victor, ma Julie. Un jour tu déplo-

reras amèrement sa nullité, son défaut d'ordre, son
égoïsme, son indélicatesse, son ineptie en amour, et
mille autres chagrins qui te viendront par lui. Alors,
souviens-toi que, sous ces arbres, la voix prophétique
de ton vieux père a retenti vainement à tes oreilles !

Le vieillard se tut, il avait surpris sa fille agitant la
tête d'une manière mutine. Tous deux firent quelques
pas vers la grille où leur voiture était arrêtée. Pendant
cette marche silencieuse, la jeune fille examina furtivement le visage de son père et quitta par degrés sa
mine boudeuse. La profonde douleur gravée sur ce
front penché vers la terre lui fit une vive impression.

— Je vous promets, mon père, dit-elle d'une voix
douce et altérée, de ne pas vous parler de Victor avant
que vous ne soyez revenu de vos préventions contre
lui.

Le vieillard regarda sa fille avec étonnement. Deux
larmes qui roulaient dans ses yeux tombèrent le long
de ses joues ridées. Il ne put embrasser Julie devant la
foule qui les environnait, mais il lui pressa tendrement
la main. Quand il remonta en voiture, toutes les pensées soucieuses qui s'étaient amassées sur son front
avaient complètement disparu. L'attitude un peu
triste de sa fille l'inquiétait alors bien moins que la joie
innocente dont le secret avait échappé pendant la
revue à Julie.

Dans les premiers jours du mois de mars 1814 [26],
un peu moins d'un an après cette revue de l'Empereur, une calèche roulait sur la route d'Amboise à
Tours. En quittant le dôme vert des noyers sous lesquels se cachait la poste de la Frillière, cette voiture
fut entraînée avec une telle rapidité, qu'en un
moment, elle arriva au pont bâti sur la Cise, à
l'embouchure de cette rivière dans la Loire, et s'y
arrêta. Un trait venait de se briser par suite du mouvement impétueux que, sur l'ordre de son maître, un
jeune postillon avait imprimé à quatre des plus vigoureux chevaux du relais. Ainsi, par un effet du hasard,
les deux personnes qui se trouvaient dans la calèche
eurent le loisir de contempler à leur réveil un des plus

beaux sites que puissent présenter les séduisantes rives
de la Loire. A sa droite, le voyageur embrasse d'un
regard toutes les sinuosités de la Cise, qui se roule,
comme un serpent argenté, dans l'herbe des prairies
auxquelles les premières pousses du printemps donnaient alors les couleurs de l'émeraude. A gauche, la
Loire apparaît dans toute sa magnificence. Les innombrables facettes de quelques *roulées* [27], produites par
une brise matinale un peu froide, réfléchissaient les
scintillements du soleil sur les vastes nappes que
déploie cette majestueuse rivière. Çà et là des îles ver-
doyantes se succèdent dans l'étendue des eaux,
comme les chatons [28] d'un collier. De l'autre côté du
fleuve, les plus belles campagnes de la Touraine
déroulent leurs trésors à perte de vue. Dans le lointain, l'œil ne rencontre d'autres bornes que les collines
du Cher, dont les cimes dessinaient en ce moment des
lignes lumineuses sur le transparent azur du ciel. A
travers le tendre feuillage des îles, au fond du tableau,
Tours semble, comme Venise, sortir du sein des eaux.
Les campaniles de sa vieille cathédrale s'élancent dans
les airs, où ils se confondaient alors avec les créations
fantastiques [29] de quelques nuages blanchâtres. Au-
delà du pont sur lequel la voiture était arrêtée, le voyageur aperçoit devant lui, le long de la Loire jusqu'à
Tours, une chaîne de rochers qui, par une fantaisie de
la nature, paraît avoir été posée pour encaisser le
fleuve dont les flots minent incessamment la pierre,
spectacle qui fait toujours l'étonnement du voyageur.
Le village de Vouvray se trouve comme niché dans les
gorges et les éboulements de ces roches, qui commencent à décrire un coude devant le pont de la Cise.
Puis, de Vouvray jusqu'à Tours, les effrayantes anfrac-
tuosités de cette colline déchirée sont habitées par une
population de vignerons. En plus d'un endroit il existe
trois étages de maisons, creusées dans le roc et réunies
par de dangereux escaliers taillés à même la pierre. Au
sommet d'un toit, une jeune fille en jupon rouge court
à son jardin. La fumée d'une cheminée s'élève entre
les sarments et le pampre naissant d'une vigne. Des

closiers [30] labourent des champs perpendiculaires.
Une vieille femme, tranquille sur un quartier de roche
éboulée, tourne son rouet sous les fleurs d'un aman-
dier, et regarde passer les voyageurs à ses pieds en
souriant de leur effroi. Elle ne s'inquiète pas plus des
crevasses du sol que de la ruine pendante d'un vieux
mur dont les assises ne sont plus retenues que par les
tortueuses racines d'un manteau de lierre. Le marteau
des tonneliers fait retenir les voûtes de caves
aériennes. Enfin, la terre est partout cultivée et partout féconde, là où la nature a refusé de la terre à
l'industrie humaine. Aussi rien n'est-il comparable,
dans le cours de la Loire, au riche panorama que la
Touraine présente alors aux yeux du voyageur. Le
triple tableau de cette scène, dont les aspects sont à
peine indiqués, procure à l'âme un de ces spectacles
qu'elle inscrit à jamais dans son souvenir ; et, quand
un poète en a joui, ses rêves viennent souvent lui en
reconstruire fabuleusement les effets romantiques. Au
moment où la voiture parvint sur le pont de la Cise,
plusieurs voiles blanches débouchèrent entre les îles
de la Loire, et donnèrent une nouvelle harmonie à ce
site harmonieux. La senteur des saules qui bordent le
fleuve ajoutait de pénétrants parfums au goût de la
bise humide. Les oiseaux faisaient entendre leurs pro-
lixes concerts, le chant monotone d'un gardeur de
chèvres y joignait une sorte de mélancolie, tandis que
les cris des mariniers annonçaient une agitation loin-
taine. De molles vapeurs, capricieusement arrêtées
autour des arbres épars dans ce vaste paysage, y imprimaient une dernière grâce. C'était la Touraine dans
toute sa gloire, le printemps dans toute sa splendeur.
Cette partie de la France, la seule que les armées
étrangères ne devaient point troubler, était en ce
moment la seule qui fût tranquille, et l'on eût dit
qu'elle défiait l'Invasion.

Une tête coiffée d'un bonnet de police se montra
hors de la calèche aussitôt qu'elle ne roula plus ;
bientôt un militaire impatient en ouvrit lui-même la
portière, et sauta sur la route comme pour aller que-

reller le postillon. L'intelligence avec laquelle ce Tourangeau raccommodait le trait cassé rassura le colonel comte d'Aiglemont, qui revint vers la portière en étendant ses bras comme pour détirer ses muscles endormis ; il bâilla, regarda le paysage, et posa la main sur le bras d'une jeune femme soigneusement enveloppée dans un vitchoura [31].

— Tiens, Julie, lui dit-il d'une voie enrouée, réveille-toi donc pour examiner le pays ! Il est magnifique.

Julie avança la tête hors de la calèche. Un bonnet de martre lui servait de coiffure, et les plis du manteau fourré dans lequel elle était enveloppée déguisaient si bien ses formes qu'on ne pouvait plus voir que sa figure. Julie d'Aiglemont ne ressemblait déjà plus à la jeune fille qui courait naguère avec joie et bonheur à la revue des Tuileries. Son visage, toujours délicat, était privé des couleurs roses qui jadis lui donnaient un si riche éclat. Les touffes noires de quelques cheveux défrisés par l'humidité de la nuit faisaient ressortir la blancheur mate de sa tête, dont la vivacité semblait engourdie. Cependant ses yeux brillaient d'un feu surnaturel ; mais au-dessous de leurs paupières, quelques teintes violettes se dessinaient sur les joues fatiguées. Elle examina d'un œil indifférent les campagnes du Cher, la Loire et ses îles, Tours et les longs rochers de Vouvray ; puis, sans vouloir regarder la ravissante vallée de la Cise, elle se rejeta promptement dans le fond de la calèche, et dit d'une voix qui en plein air paraissait d'une extrême faiblesse : — Oui, c'est admirable. Elle avait, comme on le voit, pour son malheur, triomphé de son père.

— Julie, n'aimerais-tu pas à vivre ici ?

— Oh ! là ou ailleurs, dit-elle avec insouciance.

— Souffres-tu ? lui demanda le colonel d'Aiglemont.

— Pas du tout, répondit la jeune femme avec une vivacité momentanée.

Elle contempla son mari en souriant et ajouta :

— J'ai envie de dormir.

Le galop d'un cheval retentit soudain. Victor d'Aiglemont laissa la main de sa femme, et tourna la tête vers le coude que la route fait en cet endroit. Au moment où Julie ne fut plus vue par le colonel, l'expression de gaieté qu'elle avait imprimée à son pâle visage disparut comme si quelque lueur eût cessé de l'éclairer. N'éprouvant ni le désir de revoir le paysage ni la curiosité de savoir quel était le cavalier dont le cheval galopait si furieusement, elle se replaça dans le coin de la calèche, et ses yeux se fixèrent sur la croupe des chevaux sans trahir aucune espèce de sentiment. Elle eut un air aussi stupide que peut l'être celui d'un paysan breton écoutant le prône de son curé. Un jeune homme, monté sur un cheval de prix, sortit tout d'un coup d'un bosquet de peupliers et d'aubépines en fleurs.

— C'est un Anglais, dit le colonel.

— Oh ! mon Dieu oui, mon général [32], répliqua le postillon. Il est de la race des gars qui veulent, dit-on, manger la France.

L'inconnu était un de ces voyageurs qui se trouvèrent sur le continent lorsque Napoléon arrêta tous les Anglais en représailles de l'attentat commis envers le droit des gens [33] par le cabinet de Saint-James lors de la rupture du traité d'Amiens. Soumis au caprice du pouvoir impérial, ces prisonniers ne restèrent pas tous dans les résidences où ils furent saisis, ni dans celles qu'ils eurent d'abord la liberté de choisir. La plupart de ceux qui habitaient en ce moment la Touraine y furent transférés de divers points de l'empire, où leur séjour avait paru compromettre les intérêts de la politique continentale. Le jeune captif qui promenait en ce moment son ennui matinal était une victime de la puissance bureaucratique [34]. Depuis deux ans, un ordre parti du ministère des Relations Extérieures l'avait arraché au climat de Montpellier, où la rupture de la paix le surprit autrefois cherchant à se guérir d'une affection de poitrine. Du moment où ce jeune homme reconnut un militaire dans la personne du comte d'Aiglemont, il s'empressa d'en éviter les

regards en tournant assez brusquement la tête vers les
prairies de la Cise.

— Tous ces Anglais sont insolents comme si le
globe leur appartenait, dit le colonel en murmurant.
Heureusement Soult [35] va leur donner les étrivières.

Quand le prisonnier passa devant la calèche, il y jeta
les yeux. Malgré la brièveté de son regard, il put alors
admirer l'expression de mélancolie qui donnait à la
figure pensive de la comtesse je ne sais quel attrait
indéfinissable. Il y a beaucoup d'hommes dont le cœur
est puissamment ému par la seule apparence de la
souffrance chez une femme : pour eux la douleur
semble être une promesse de constance et d'amour.
Entièrement absorbée dans la contemplation d'un
coussin de sa calèche, Julie ne fit attention ni au
cheval ni au cavalier. Le trait avait été solidement et
promptement rajusté. Le comte remonta en voiture.
Le postillon s'efforça de regagner le temps perdu, et
mena rapidement les deux voyageurs sur la partie de
la levée que bordent les rochers suspendus au sein
desquels mûrissent les vins de Vouvray, d'où s'élancent tant de jolies maisons, où apparaissent dans le
lointain les ruines de cette si célèbre abbaye de Mar-
moutiers, la retraite de saint Martin.

— Que nous veut donc ce milord diaphane ? s'écria
le colonel en tournant la tête pour s'assurer que le
cavalier qui depuis le pont de la Cise suivait sa voiture
était le jeune Anglais.

Comme l'inconnu ne violait aucune convenance de
politesse en se promenant sur la berme [36] de la levée,
le colonel se remit dans le coin de sa calèche après
avoir jeté un regard menaçant sur l'Anglais. Mais il ne
put, malgré son involontaire inimitié, s'empêcher de
remarquer la beauté du cheval et la grâce du cavalier.
Le jeune homme avait une de ces figures britanniques
dont le teint est si fin, la peau si douce et si blanche,
qu'on est quelquefois tenté de supposer qu'elles
appartiennent au corps délicat d'une jeune fille. Il
était blond, mince et grand. Son costume avait ce
caractère de recherche et de propreté [37] qui distingue

les fashionables [38] de la prude Angleterre. On eût dit qu'il rougissait plus par pudeur que par plaisir à l'aspect de la comtesse. Une seule fois Julie leva les yeux sur l'étranger ; mais elle y fut en quelque sorte obligée par son mari qui voulait lui faire admirer les jambes d'un cheval de race pure. Les yeux de Julie rencontrèrent alors ceux du timide Anglais. Dès ce moment le gentilhomme, au lieu de faire marcher son cheval près de la calèche, la suivit à quelques pas de distance. A peine la comtesse regarda-t-elle l'inconnu. Elle n'aperçut aucune des perfections humaines et chevalines qui lui étaient signalées, et se rejeta au fond de la voiture après avoir laissé échapper un léger mouvement de sourcils comme pour approuver son mari. Le colonel se rendormit, et les deux époux arrivèrent à Tours sans s'être dit une seule parole et sans que les ravissants paysages de la changeante scène au sein de laquelle ils voyageaient attirassent une seule fois l'attention de Julie. Quand son mari sommeilla, Mme d'Aiglemont le contempla à plusieurs reprises. Au dernier regard qu'elle lui jeta, un cahot fit tomber sur les genoux de la jeune femme un médaillon suspendu à son cou par une chaîne de deuil, et le portrait de son père lui apparut soudain. A cet aspect, des larmes jusque-là réprimées, roulèrent dans ses yeux. L'Anglais vit peut-être les traces humides et brillantes que ces pleurs laissèrent un moment sur les joues pâles de la comtesse, mais que l'air sécha promptement. Chargé par l'Empereur de porter des ordres au maréchal Soult, qui avait à défendre la France de l'invasion faite par les Anglais dans le Béarn, le colonel d'Aiglemont profitait de sa mission pour soustraire sa femme aux dangers qui menaçaient alors Paris, et la conduisait à Tours chez une vieille parente à lui. Bientôt la voiture roula sur le pavé de Tours, sur le pont, dans la Grande-Rue, et s'arrêta devant l'hôtel antique où demeurait la ci-devant comtesse de Listomère-Landon.

La comtesse de Listomère-Landon était une de ces belles vieilles femmes au teint pâle, à cheveux blancs,

qui ont un sourire fin, qui semblent porter des
paniers, et sont coiffées d'un bonnet dont la mode est
inconnue. Portraits septuagénaires du siècle de
Louis XV, ces femmes sont presque toujours caressantes, comme si elles aimaient encore ; moins pieuses
que dévotes, et moins dévotes qu'elles n'en ont l'air ;
toujours exhalant la poudre à la maréchale [39], contant
bien, causant mieux, et riant plus d'un souvenir que
d'une plaisanterie. L'actualité leur déplaît. Quand une
vieille femme de chambre vint annoncer à la comtesse
(car elle devait bientôt reprendre son titre) la visite
d'un neveu qu'elle n'avait pas vu depuis le commencement de la guerre d'Espagne, elle ôta vivement ses
lunettes, ferma la *Galerie de l'ancienne cour* [40], son livre
favori ; puis elle retrouva une sorte d'agilité pour
arriver sur son perron au moment où les deux époux
en montaient les marches.

La tante et la nièce se jetèrent un rapide coup d'œil.

— Bonjour, ma chère tante, s'écria le colonel en
saisissant la vieille femme et l'embrassant avec préci-
pitation. Je vous amène une jeune personne à garder.
Je viens vous confier mon trésor. Ma Julie n'est ni
coquette, ni jalouse ; elle a une douceur d'ange... Mais
elle ne se gâtera pas ici, j'espère, dit-il en s'interrompant.

— Mauvais sujet ! répondit la comtesse en lui lançant un regard moqueur.

Elle s'offrit, la première, avec une certaine grâce
aimable, à embrasser Julie qui restait pensive et paraissait plus embarrassée que curieuse.

— Nous allons donc faire connaissance, mon cher
cœur ? reprit la comtesse. Ne vous effrayez pas trop de
moi, je tâche de n'être jamais vieille avec les jeunes
gens.

Avant d'arriver au salon, la marquise [41] avait déjà,
suivant l'habitude des provinces, commandé à
déjeuner pour ses deux hôtes ; mais le comte arrêta
l'éloquence de sa tante en lui disant d'un ton sérieux
qu'il ne pouvait pas lui donner plus de temps que la
poste n'en mettrait à relayer. Les trois parents entrè-

rent donc au plus vite dans le salon et le colonel eut à
peine le temps de raconter à sa grand'tante les événements politiques et militaires qui l'obligeaient à lui
demander un asile pour sa femme. Pendant ce récit, la
tante regardait alternativement et son neveu qui parlait sans être interrompu, et sa nièce dont la pâleur et
la tristesse lui parurent causées par cette séparation
forcée. Elle avait l'air de se dire : — Hé ! hé ! ces
jeunes gens-là s'aiment.

En ce moment, des claquements de fouet retentirent dans la vieille cour silencieuse dont les pavés
étaient dessinés par des bouquets d'herbe. Victor
embrassa derechef la comtesse, et s'élança hors du
logis.

— Adieu, ma chère, dit-il en embrassant sa femme
qui l'avait suivi jusqu'à la voiture.

— Oh ! Victor, laisse-moi t'accompagner plus loin
encore, dit-elle d'une voix caressante, je ne voudrais
pas te quitter...

— Y penses-tu ?

— Eh ! bien, répliqua Julie, adieu, puisque tu le
veux.

La voiture disparut.

— Vous aimez donc bien mon pauvre Victor ?
demanda la comtesse à sa nièce en l'interrogeant par
un de ces savants regards que les vieilles femmes jettent aux jeunes.

— Hélas ! madame, répondit Julie, ne faut-il pas
bien aimer un homme pour l'épouser ?

Cette dernière phrase fut accentuée par un ton de
naïveté qui trahissait tout à la fois un cœur pur ou de
profonds mystères. Or, il était bien difficile à une
femme amie de Duclos et du maréchal de Richelieu [42]
de ne pas chercher à deviner le secret de ce jeune
ménage. La tante et la nièce étaient en ce moment sur
le seuil de la porte cochère, occupées à regarder la
calèche qui fuyait. Les yeux de la comtesse n'exprimaient pas l'amour comme la marquise le comprenait.
La bonne dame était Provençale, et ses passions
avaient été vives.

— Vous vous êtes donc laissé prendre par mon
vaurien de neveu ? demanda-t-elle à sa nièce.

La comtesse tressaillit involontairement, car
l'accent et le regard de cette vieille coquette semblè-
rent lui annoncer une connaissance du caractère de
Victor plus approfondie peut-être que ne l'était la
sienne. Mme d'Aiglemont, inquiète, s'enveloppa donc
dans cette dissimulation maladroite, premier refuge
des cœurs naïfs et souffrants. Mme de Listomère se
contenta des réponses de Julie ; mais elle pensa joyeusement que sa solitude allait être réjouie par quelque
secret d'amour, car sa nièce lui parut avoir quelque
intrigue amusante à conduire. Quand Mme d'Aiglemont se trouva dans un grand salon, tendu de tapisseries encadrées par des baguettes dorées, qu'elle fut
assise devant un grand feu, abritée des bises *fenestra-
les* [43] par un paravent chinois, sa tristesse ne put guère
se dissiper. Il était difficile que la gaieté naquît sous de
si vieux lambris, entre des meubles séculaires. Néanmoins la jeune Parisienne prit une sorte de plaisir à
entrer dans cette solitude profonde, et dans le silence
solennel de la province. Après avoir échangé quelques
mots avec cette tante, à laquelle elle avait écrit
naguère une lettre de nouvelle mariée, elle resta silencieuse comme si elle eût écouté la musique d'un
opéra. Ce ne fut qu'après deux heures d'un calme
digne de la Trappe qu'elle s'aperçut de son impoli-
tesse envers sa tante, elle se souvint de ne lui avoir fait
que de froides réponses. La vieille femme avait respecté le caprice de sa nièce par cet instinct plein de
grâce qui caractérise les gens de l'ancien temps. En ce
moment la douairière tricotait. Elle s'était, à la vérité,
absentée plusieurs fois pour s'occuper d'une certaine
chambre *verte* où devait coucher la comtesse et où les
gens de la maison plaçaient les bagages ; mais alors
elle avait repris sa place dans un grand fauteuil, et
regardait la jeune femme à la dérobée. Honteuse de
s'être abandonnée à son irrésistible méditation, Julie
essaya de se la faire pardonner en s'en moquant.

— Ma chère petite, nous connaissons la douleur des veuves, répondit la tante.

Il fallait avoir quarante ans pour deviner l'ironie qu'exprimèrent les lèvres de la vieille dame. Le lendemain, la comtesse fut beaucoup mieux, elle causa. Mme de Listomère ne désespéra plus d'apprivoiser cette nouvelle mariée qu'elle avait d'abord jugée comme un être sauvage et stupide ; elle l'entretint des joies du pays, des bals et des maisons où elles pouvaient aller. Toutes les questions de la marquise furent, pendant cette journée, autant de pièges que, par une ancienne habitude de cour, elle ne put s'empêcher de tendre à sa nièce pour en deviner le caractère. Julie résista à toutes les instances qui lui furent faites pendant quelques jours d'aller chercher des distractions au dehors. Aussi, malgré l'envie qu'avait la vieille dame de promener orgueilleusement sa jolie nièce, finit-elle par renoncer à vouloir la mener dans le monde. La comtesse avait trouvé un prétexte à sa solitude et à sa tristesse dans le chagrin que lui avait causé la mort de son père, de qui elle portait encore le deuil. Au bout de huit jours, la douairière admira la douceur angélique, les grâces modestes, l'esprit indulgent de Julie, et s'intéressa, dès lors, prodigieusement à la mystérieuse mélancolie qui rongeait ce jeune cœur. La comtesse était une de ces femmes nées pour être aimables, et qui semblent apporter avec elles le bonheur. Sa société devint si douce et si précieuse à Mme de Listomère, qu'elle s'affola de sa nièce, et désira ne plus la quitter. Un mois suffit pour établir entre elles une éternelle amitié. La vieille dame remarqua, non sans surprise, les changements qui se firent dans la physionomie de Mme d'Aiglemont. Les couleurs vives qui embrasaient le teint s'éteignirent insensiblement, et la figure prit des tons mats et pâles. En perdant son éclat primitif, Julie devenait moins triste. Parfois la douairière réveillait chez sa jeune parente des élans de gaieté ou de rires folâtres bientôt réprimés par une pensée importune. Elle devina que ni le souvenir paternel ni l'absence de Victor n'étaient

la cause de la mélancolie profonde qui jetait un voile
sur la vie de sa nièce ; puis elle eut tant de mauvais
soupçons qu'il lui fut difficile de s'arrêter à la véritable
cause du mal, car nous ne rencontrons peut-être le
vrai que par hasard. Un jour, enfin, Julie fit briller aux
yeux de sa tante étonnée un oubli complet du
mariage, une folie de jeune fille étourdie, une candeur
d'esprit, un enfantillage digne du premier âge, tout cet
esprit délicat, et parfois si profond, qui distingue les
jeunes personnes en France. Mme de Listomère
résolut alors de sonder les mystères de cette âme dont
le naturel extrême équivalait à une impénétrable dissimulation. La nuit approchait, les deux dames étaient
assises devant une croisée qui donnait sur la rue, Julie
avait repris un air pensif, un homme à cheval vint à
passer.

— Voilà une de vos victimes, dit la vieille dame.

Mme d'Aiglemont regarda sa tante en manifestant
un étonnement mêlé d'inquiétude.

— C'est un jeune Anglais, un gentilhomme,
l'honorable Arthur Ormond, fils aîné de lord Grenville. Son histoire est intéressante. Il est venu à Montpellier en 1802, espérant que l'air de ce pays, où il
était envoyé par les médecins, le guérirait d'une
maladie de poitrine à laquelle il devait succomber.
Comme tous ses compatriotes, il a été arrêté par
Bonaparte lors de la guerre, car ce monstre-là ne peut
se passer de guerroyer. Par distraction, ce jeune
Anglais s'est mis à étudier sa maladie, que l'on croyait
mortelle. Insensiblement, il a pris goût à l'anatomie, à
la médecine ; il s'est passionné pour ces sortes d'arts,
ce qui est fort extraordinaire chez un homme de qua-
lité ; mais le Régent s'est bien occupé de chimie ! Bref,
M. Arthur a fait des progrès étonnants, même pour les
professeurs de Montpellier ; l'étude l'a consolé de sa
captivité, et, en même temps, il s'est radicalement
guéri. On prétend qu'il est resté deux ans sans parler,
respirant rarement, demeurant couché dans une
étable, buvant du lait d'une vache venue de Suisse, et
vivant de cresson. Depuis qu'il est à Tours, il n'a vu

personne, il est fier comme un paon ; mais vous avez
certainement fait sa conquête, car ce n'est probablement pas pour moi qu'il passe sous nos fenêtres deux
fois par jour depuis que vous êtes ici... Certes, il vous
aime.

Ces derniers mots réveillèrent la comtesse comme
par magie. Elle laissa échapper un geste et un sourire
qui surprirent la marquise. Loin de témoigner cette
satisfaction instinctive ressentie même par la femme la
plus sévère quand elle apprend qu'elle fait un malheureux, le regard de Julie fut terne et froid. Son visage
indiquait un sentiment de répulsion voisin de l'horreur. Cette proscription n'était pas celle qu'une
femme aimante frappe sur le monde entier au profit
d'un seul être ; elle sait alors rire et plaisanter ; non,
Julie était en ce moment comme une personne à qui le
souvenir d'un danger trop vivement présent en fait
ressentir encore la douleur. La tante, bien convaincue
que sa nièce n'aimait pas son neveu, fut stupéfaite en
découvrant qu'elle n'aimait personne. Elle trembla
d'avoir à reconnaître en Julie un cœur désenchanté,
une jeune femme à qui l'expérience d'un jour, d'une
nuit peut-être avait suffi pour apprécier la nullité de
Victor.

— Si elle le connaît, tout est dit, pensa-t-elle, mon
neveu subira bientôt les inconvénients du mariage.

Elle se proposait alors de convertir Julie aux doc-
trines monarchiques du siècle de Louis XV ; mais,
quelques heures plus tard, elle apprit, ou plutôt elle
devina la situation assez commune dans le monde à
laquelle la comtesse devait sa mélancolie. Julie,
devenue tout à coup pensive, se retira chez elle plus
tôt que de coutume. Quand sa femme de chambre
l'eut déshabillée et l'eut laissée prête à se coucher, elle
resta devant le feu, plongée dans une duchesse [44] de
velours jaune, meuble antique, aussi favorable aux
affligés qu'aux gens heureux ; elle pleura, elle soupira,
elle pensa ; puis elle prit une petite table, chercha du
papier et se mit à écrire. Les heures passèrent rapidement, la confidence que Julie faisait dans cette lettre

paraissait lui coûter beaucoup, chaque phrase amenait
de longues rêveries ; tout à coup la jeune femme
fondit en larmes et s'arrêta. En ce moment les hor-
loges sonnèrent deux heures. Sa tête, aussi lourde que
celle d'une mourante, s'inclina sur son sein ; puis
quand elle la releva, Julie vit sa tante surgie tout à
coup, comme un personnage qui se serait détaché de
la tapisserie tendue sur les murs.

— Qu'avez-vous donc, ma petite ? lui dit la tante.
Pourquoi veiller si tard, et surtout pourquoi pleurer
seule, à votre âge ?

Elle s'assit sans autre cérémonie près de la nièce et
dévora des yeux la lettre commencée.

— Vous écriviez à votre mari !

— Sais-je où il est ? reprit la comtesse.

La tante prit le papier et le lut. Elle avait apporté ses
lunettes, il y avait préméditation. L'innocente créature
laissa prendre la lettre sans faire la moindre observation. Ce n'était ni un défaut de dignité, ni quelque
sentiment de culpabilité secrète qui lui ôtait ainsi
toute énergie ; non, sa tante se rencontra là dans un
de ces moments de crise où l'âme est sans ressort, où
tout est indifférent, le bien comme le mal, le silence
aussi bien que la confiance. Semblable à une jeune
fille vertueuse qui accable un amant de dédains, mais
qui, le soir, se trouve si triste, si abandonnée, qu'elle
le désire, et veut un cœur où déposer ses souffrances,
Julie laissa violer sans mot dire, le cachet que la délicatesse imprime à une lettre ouverte, et resta pensive
pendant que la marquise lisait.

« Ma chère Louisa, pourquoi réclamer tant de fois
l'accomplissement de la plus imprudente promesse
que puissent se faire deux jeunes filles ignorantes ? Tu
te demandes souvent, m'écris-tu, pourquoi je n'ai pas
répondu depuis six mois à tes interrogations. Si tu n'as
pas compris mon silence, aujourd'hui tu en devineras
peut-être la raison en apprenant les mystères que je
vais trahir. Je les aurais à jamais ensevelis dans le fond
de mon cœur, si tu ne m'avertissais de ton prochain
mariage. Tu vas te marier, Louisa. Cette pensée me

fait frémir. Pauvre petite, marie-toi ; puis, dans quelques mois, un de tes plus poignants regrets viendra du
souvenir de ce que nous étions naguère, quand un
soir, à Ecouen [45], parvenues toutes deux sous les plus
grands chênes de la montagne, nous contemplâmes la
belle vallée que nous avions à nos pieds et que nous y
admirâmes des rayons du soleil couchant dont les
reflets nous enveloppaient. Nous nous assîmes sur un
quartier de roche, et tombâmes dans un ravissement
auquel succéda la plus douce mélancolie. Tu trouvas
la première que ce soleil lointain nous parlait d'avenir.
Nous étions bien curieuses et bien folles alors ! Te
souviens-tu de toutes nos extravagances ? Nous nous
embrassâmes comme deux amants, disions-nous.
Nous nous jurâmes que la première mariée de nous
deux raconterait fidèlement à l'autre ces secrets
d'hyménée, ces joies que nos âmes enfantines nous
peignaient si délicieuses. Cette soirée fera ton désespoir, Louisa. Dans ce temps, tu étais jeune, belle,
insouciante, sinon heureuse ; un mari te rendra, en
peu de jours, ce que je suis déjà, laide, souffrante et
vieille. Te dire combien j'étais fière, vaine et joyeuse
d'épouser le colonel Victor d'Aiglemont, ce serait une
folie ! Et même comment te le dirai-je ? je ne me sou-
viens plus de moi-même. En peu d'instants mon
enfance est devenue comme un songe. Ma contenance
pendant la journée solennelle qui consacrait un lien
dont l'étendue m'était cachée n'a pas été exempte de
reproches. Mon père a plus d'une fois tâché de
réprimer ma gaieté, car je témoignais des joies qu'on
trouvait inconvenantes, et mes discours révélaient de
la malice, justement parce qu'ils étaient sans malice.
Je faisais mille enfantillages avec ce voile nuptial, avec
cette robe et ces fleurs. Restée seule, le soir, dans la
chambre où j'avais été conduite avec apparat, je
méditai quelque espièglerie pour intriguer Victor ; et,
en attendant qu'il vînt, j'avais des palpitations de cœur
semblables à celles qui me saisissaient autrefois en ces
jours solennels du 31 décembre, quand, sans être
aperçue, je me glissais dans le salon où les étrennes

étaient entassées. Lorsque mon mari entra, qu'il me
chercha [46], le rire étouffé que je fis entendre sous les
mousselines qui m'enveloppaient a été le dernier éclat
de cette gaieté douce qui anima les jeux de notre
enfance... »

Quand la douairière eut achevé de lire cette lettre,
qui, commençant ainsi, devait contenir de bien tristes
observations, elle posa lentement ses lunettes sur la
table, y remit aussitôt la lettre, et arrêta sur sa nièce
deux yeux verts dont le feu clair n'était pas encore
affaibli par son âge.

— Ma petite, dit-elle, une femme mariée ne saurait
écrire ainsi à une jeune personne sans manquer aux
convenances...

— C'est ce que je pensais, répondit Julie en interrompant sa tante ; et j'avais honte de moi pendant que
vous la lisiez...

— Si à table un mets ne nous semble pas bon, il
n'en faut dégoûter personne, mon enfant, reprit la
vieille avec bonhomie, surtout lorsque, depuis Eve
jusqu'à nous, le mariage a paru chose si excellente... — Vous n'avez plus de mère ? dit la vieille
femme.

La comtesse tressaillit ; puis elle leva doucement la
tête et dit :

— J'ai déjà regretté plus d'une fois ma mère depuis
un an ; mais j'ai eu le tort de ne pas avoir écouté la
répugnance de mon père qui ne voulait pas de Victor
pour gendre.

Elle regarda sa tante, et un frisson de joie sécha ses
larmes quand elle aperçut l'air de bonté qui animait
cette vieille figure. Elle tendit sa jeune main à la marquise qui semblait la solliciter ; et quand leurs doigts
se pressèrent, ces deux femmes achevèrent de se comprendre.

— Pauvre orpheline ! ajouta la marquise.

Ce fut un dernier trait de lumière pour Julie. Elle
crut entendre encore la voix prophétique de son père.

— Vous avez les mains brûlantes ! Sont-elles toujours ainsi ? demanda la vieille femme.

— La fièvre ne m'a quittée que depuis sept ou huit jours, répondit-elle.

— Vous aviez la fièvre et vous me le cachiez !

— Je l'ai depuis un an, dit Julie avec une sorte d'anxiété pudique.

— Ainsi, mon bon petit ange, reprit sa tante, le mariage n'a été jusqu'à présent pour vous qu'une longue douleur ?

La jeune femme n'osa répondre ; mais elle fit un geste affirmatif qui trahissait toutes ses souffrances.

— Vous êtes donc malheureuse ?

— Oh ! non, ma tante. Victor m'aime à l'idolâtrie, et je l'adore, il est si bon !

— Oui, vous l'aimez ; mais vous le fuyez, n'est-ce pas ?

— Oui... quelquefois... il me cherche trop souvent.

— N'êtes-vous pas souvent troublée dans la solitude par la crainte qu'il ne vienne vous y surprendre ?

— Hélas ! oui, ma tante. Mais je l'aime bien, je vous assure.

— Ne vous accusez-vous pas en secret vous-même de ne pas savoir ou de ne pouvoir partager ses plaisirs ? Parfois ne pensez-vous point que l'amour légitime est plus dur à porter que ne le serait une passion criminelle ?

— Oh ! c'est cela, dit-elle en pleurant. Vous devinez donc tout, là où tout est énigme pour moi. Mes sens sont engourdis, je suis sans idées, enfin je vis difficilement. Mon âme est oppressée par une indéfinissable appréhension qui glace mes sentiments et me jette dans une torpeur continuelle. Je suis sans voix pour me plaindre et sans paroles pour exprimer ma peine. Je souffre, et j'ai honte de souffrir en voyant Victor heureux de ce qui me tue.

— Enfantillages, niaiseries que tout cela ! s'écria la tante dont le visage desséché s'anima tout à coup par un gai sourire, reflet des joies de son jeune âge.

— Et vous aussi vous riez ! dit avec désespoir la jeune femme.

— J'ai été ainsi, reprit promptement la marquise.

Maintenant que Victor vous a laissée seule, n'êtes-
vous pas redevenue jeune fille, tranquille ; sans plaisirs, mais sans souffrances ?

Julie ouvrit de grands yeux hébétés.

— Enfin, mon ange, vous adorez Victor, n'est-ce
pas ? mais vous aimeriez mieux être sa sœur que sa
femme, et le mariage enfin ne vous réussit point.

— Hé ! bien, oui, ma tante. Mais pourquoi sourire ?

— Oh ! vous avez raison, ma pauvre enfant. Il n'y a
dans tout ceci, rien de bien gai. Votre avenir serait
gros de plus d'un malheur si je ne vous prenais sous
ma protection, et si ma vieille expérience ne savait pas
deviner la cause bien innocente de vos chagrins. Mon
neveu ne méritait pas son bonheur, le sot ! Sous le
règne de notre bien-aimé Louis XV, une jeune femme
qui se serait trouvée dans la situation où vous êtes
aurait bientôt puni son mari de se conduire en vrai
lansquenet. L'égoïste ! Les militaires de ce tyran impérial sont tous de vilains ignorants. Ils prennent la brutalité pour de la galanterie, ils ne connaissent pas plus
les femmes qu'ils ne savent aimer ; ils croient que
d'aller à la mort le lendemain les dispense d'avoir, la
veille, des égards et des attentions pour nous. Autrefois, l'on savait aussi bien aimer que mourir à propos.
Ma nièce, je vous le formerai. Je mettrai fin au triste
désacccord, assez naturel, qui vous conduirait à vous
haïr l'un et l'autre, à souhaiter un divorce, si toutefois
vous n'étiez pas morte avant d'en venir au désespoir.

Julie écoutait sa tante avec autant d'étonnement
que de surprise d'entendre des paroles dont la sagesse
était plutôt pressentie que comprise par elle, et très
effrayée de retrouver dans la bouche d'une parente
pleine d'expérience, mais sous une forme plus douce,
l'arrêt porté par son père sur Victor. Elle eut peut-être
une vive intuition de son avenir, et sentit sans doute le
poids des malheurs qui devaient l'accabler, car elle
fondit en larmes, et se jeta dans les bras de la vieille
dame en lui disant : — Soyez ma mère ! — La tante
ne pleura pas, car la Révolution a laissé aux femmes

de l'ancienne monarchie peu de larmes dans les yeux. Autrefois l'amour et plus tard la Terreur les ont familiarisées avec les plus poignantes péripéties, en sorte qu'elles conservent au milieu des dangers de la vie une dignité froide, une affection sincère, mais sans expansion, qui leur permet d'être toujours fidèles à l'étiquette et une noblesse de maintien que les mœurs nouvelles ont eu le grand tort de répudier. La douairière prit la jeune femme dans ses bras, la baisa au front avec une tendresse et une grâce qui souvent se trouvent plus dans les manières et les habitudes de ces femmes que dans leur cœur ; elle cajola sa nièce par de douces paroles, lui promit un heureux avenir, la berça par des promesses d'amour en l'aidant à se coucher, comme si elle eût été sa fille, une fille chérie dont l'espoir et les chagrins devenaient les siens propres ; elle se revoyait jeune, se retrouvait inexpériente [47] et jolie en sa nièce. La comtesse s'endormit, heureuse d'avoir rencontré une amie, une mère à qui désormais elle pourrait tout dire. Le lendemain matin, au moment où la tante et la nièce s'embrassaient avec cette cordialité profonde et cet air d'intelligence qui prouvent un progrès dans le sentiment, une cohésion plus parfaite entre deux âmes, elles entendirent le pas d'un cheval, tournèrent la tête en même temps, et virent le jeune Anglais qui passait lentement, selon son habitude. Il paraissait avoir fait une certaine étude de la vie que menaient ces deux femmes solitaires, et ne manquait jamais à se trouver à leur déjeuner ou à leur dîner. Son cheval ralentissait le pas sans avoir besoin d'être averti ; puis, pendant le temps qu'il mettait à franchir l'espace pris par les deux fenêtres de la salle à manger, Arthur y jetait un regard mélancolique, la plupart du temps dédaigné par la comtesse, qui n'y faisait aucune attention. Mais accoutumée à ces curiosités mesquines qui s'attachent aux plus petites choses afin d'animer la vie de province, et dont se garantissent difficilement les esprits supérieurs, la marquise s'amusait de l'amour timide et sérieux, si tacitement exprimé par l'Anglais. Ces regards périodiques étaient

devenus comme une habitude pour elle, et chaque
jour elle signalait le passage d'Arthur par de nouvelles
plaisanteries. En se mettant à table, les deux femmes
regardèrent simultanément l'insulaire. Les yeux de
Julie et d'Arthur se rencontrèrent cette fois avec une
telle précision de sentiment, que la jeune femme
rougit. Aussitôt l'Anglais pressa son cheval et partit au
galop.

— Mais, madame, dit Julie à sa tante, que faut-il
faire ? Il doit être constant pour les gens qui voient
passer cet Anglais que je suis...

— Oui, répondit la tante en l'interrompant.

— Hé ! bien, ne pourrais-je pas lui dire de ne pas se
promener ainsi ?

— Ne serait-ce pas lui donner à penser qu'il est
dangereux ? Et d'ailleurs pouvez-vous empêcher un
homme d'aller et venir où bon lui semble ? Demain
nous ne mangerons plus dans cette salle ; quand il ne
nous y verra plus, le jeune gentilhomme discontinuera
de vous aimer par la fenêtre. Voilà, ma chère enfant,
comment se comporte une femme qui a l'usage du
monde.

Mais le malheur de Julie devait être complet. A
peine les deux femmes se levaient-elles de table, que le
valet de chambre de Victor arriva soudain. Il venait de
Bourges à franc étrier, par des chemins détournés, et
apportait à la comtesse une lettre de son mari. Victor,
qui avait quitté l'Empereur, annonçait à sa femme la
chute du régime impérial, la prise de Paris, et
l'enthousiasme qui éclatait en faveur des Bourbons sur
tous les points de la France ; mais ne sachant comment pénétrer jusqu'à Tours, il la priait de venir en
toute hâte à Orléans où il espérait se trouver avec des
passe-ports pour elle. Ce valet de chambre, ancien
militaire, devait accompagner Julie de Tours à
Orléans, route que Victor croyait libre encore.

— Madame, vous n'avez pas un instant à perdre,
dit le valet de chambre, les Prussiens, les Autrichiens
et les Anglais vont faire leur jonction à Blois ou à
Orléans...

En quelques heures, la jeune femme fut prête, et partit dans une vieille voiture de voyage que lui prêta sa tante...

— Pourquoi ne viendriez-vous pas à Paris avec nous ? dit-elle en embrassant sa tante. Maintenant que les Bourbons se rétablissent, vous y trouveriez...

— Sans ce retour inespéré j'y serais encore allée, ma pauvre petite, car mes conseils vous sont trop nécessaires, et à Victor et à vous. Aussi vais-je faire toutes mes dispositions pour vous y rejoindre.

Julie partit accompagnée de sa femme de chambre et du vieux militaire, qui galopait à côté de la chaise en veillant à la sécurité de sa maîtresse. A la nuit, en arrivant à un relais en avant de Blois, Julie, inquiète d'entendre une voiture qui marchait derrière la sienne et ne l'avait pas quittée depuis Amboise, se mit à la portière afin de voir quels étaient ses compagnons de voyage. Le clair de lune lui permit d'apercevoir Arthur, debout, à trois pas d'elle, les yeux attachés sur sa chaise. Leurs regards se rencontrèrent. La comtesse se rejeta vivement au fond de sa voiture, mais avec un sentiment de peur qui la fit palpiter. Comme la plupart des jeunes femmes réellement innocentes et sans expérience, elle voyait une faute dans un amour involontairement inspiré à un homme. Elle ressentait une terreur instinctive, que lui donnait peut-être la conscience de sa faiblesse devant une si audacieuse agression. Une des plus fortes armes de l'homme est ce pouvoir terrible d'occuper de lui-même une femme dont l'imagination naturellement mobile s'effraie ou s'offense d'une poursuite. La comtesse se souvint du conseil de sa tante, et résolut de rester pendant le voyage au fond de sa chaise de poste, sans en sortir. Mais à chaque relais elle entendait l'Anglais qui se promenait autour des deux voitures ; puis sur la route, le bruit importun de sa calèche retentissait incessamment aux oreilles de Julie. La jeune femme pensa bientôt qu'une fois réunie à son mari, Victor saurait la défendre contre cette singulière persécution.

— Mais si ce jeune homme ne m'aimait pas cependant ?

Cette réflexion fut la dernière de toutes celles qu'elle fit. En arrivant à Orléans, sa chaise de poste fut arrêtée par les Prussiens, conduite dans la cour d'une auberge, et gardée par des soldats. La résistance était impossible. Les étrangers expliquèrent aux trois voyageurs, par des signes impératifs, qu'ils avaient reçu la consigne de ne laisser sortir personne de la voiture. La comtesse resta pleurant pendant deux heures environ prisonnière au milieu des soldats qui fumaient, riaient, et parfois la regardaient avec une insolente curiosité ; mais enfin elle les vit s'écartant de la voiture avec une sorte de respect en entendant le bruit de plusieurs chevaux. Bientôt une troupe d'officiers supérieurs étrangers, à la tête desquels était un général autrichien, entoura la chaise de poste.

— Madame, lui dit le général, agréez nos excuses ; il y a eu erreur, vous pouvez continuer sans crainte votre voyage, et voici un passe-port qui vous évitera désormais toute espèce d'avanie...

La comtesse prit le papier en tremblant, et balbutia de vagues paroles. Elle voyait près du général et en costume d'officier anglais, Arthur à qui sans doute elle devait sa prompte délivrance. Tout à la fois joyeux et mélancolique, le jeune Anglais détourna la tête, et n'osa regarder Julie qu'à la dérobée. Grâce au passe-port, Mme d'Aiglemont parvint à Paris sans aventure fâcheuse. Elle y retrouva son mari, qui, délié de son serment de fidélité à l'Empereur, avait reçu le plus flatteur accueil du comte d'Artois [48] nommé lieutenant-général du royaume par son frère Louis XVIII. Victor eut dans les gardes du corps un grade éminent qui lui donna le rang de général. Cependant, au milieu des fêtes qui marquèrent le retour des Bourbons, un malheur bien profond, et qui devait influer sur sa vie, assaillit la pauvre Julie : elle perdit la comtesse de Listomère-Landon. La vieille dame mourut de joie et d'une goutte remontée au cœur, en revoyant à Tours le duc d'Angoulême. Ainsi, la personne à laquelle son âge donnait le droit d'éclairer Victor, la seule qui, par d'adroits conseils, pouvait rendre l'accord de la femme et du mari plus parfait, cette personne était morte. Julie sentit toute l'étendue de cette perte. Il n'y avait plus qu'elle-même entre elle et son mari. Mais, jeune et timide, elle devait préférer d'abord la souffrance à la plainte. La perfection même de son caractère s'opposait à ce qu'elle osât se soustraire à ses devoirs, ou tenter de rechercher la cause de ses douleurs ; car les faire cesser eût été chose trop délicate : Julie aurait craint d'offenser sa pudeur de jeune fille.

Un mot sur les destinées de M. d'Aiglemont sous la Restauration.

Ne se rencontre-t-il pas beaucoup d'hommes dont la nullité profonde est un secret pour la plupart des gens qui les connaissent ? Un haut rang, une illustre naissance, d'importantes fonctions, un certain vernis de politesse, une grande réserve dans la conduite, ou les prestiges de la fortune sont, pour eux, comme des gardes qui empêchent les critiques de pénétrer jusqu'à leur intime existence. Ces gens ressemblent aux rois dont la véritable taille, le caractère et les mœurs ne peuvent jamais être ni bien connus ni justement appréciés, parce qu'ils sont vus de trop loin ou de trop près. Ces personnages à mérite factice interrogent au lieu de parler, ont l'art de mettre les autres en scène pour éviter de poser devant eux ; puis, avec une heureuse adresse, ils tirent chacun par le fil de ses passions ou de ses intérêts, et se jouent ainsi des hommes qui leur sont réellement supérieurs, en font des marionnettes et les croient petits pour les avoir rabaissés jusqu'à eux. Ils obtiennent alors le triomphe naturel d'une pensée mesquine, mais fixe, sur la mobilité des grandes pensées. Aussi pour juger ces têtes vides, et peser leurs valeurs négatives, l'observateur doit-il posséder un esprit plus subtil que supérieur, plus de patience que de portée dans la vue, plus de finesse et de tact que d'élévation et de grandeur dans les idées. Néanmoins, quelque habileté que déploient

ces usurpateurs en défendant leurs côtés faibles, il leur
est bien difficile de tromper leurs femmes, leurs mères,
leurs enfants ou l'ami de la maison ; mais ces personnes leur gardent presque toujours le secret sur une
chose qui touche, en quelque sorte, à l'honneur commun ; et souvent même elles les aident à en imposer
au monde. Si, grâce à ces conspirations domestiques,
beaucoup de niais passent pour des hommes supérieurs, ils compensent le nombre d'hommes supérieurs
qui passent pour des niais, en sorte que l'Etat Social a
toujours la même masse de capacités apparentes.
Songez maintenant au rôle que doit jouer une femme
d'esprit et de sentiment en présence d'un mari de ce
genre, n'apercevez-vous pas des existences pleines de
douleurs et de dévouement dont rien ici-bas ne saurait
récompenser certains cœurs pleins d'amour et de délicatesse ? Qu'il se rencontre une femme forte dans
cette horrible situation, elle en sort par un crime,
comme fit Catherine II, néanmoins nommée *la
Grande* [49]. Mais comme toutes les femmes ne sont pas
assises sur un trône, elles se vouent, la plupart, à des
malheurs domestiques qui, pour être obscurs, n'en
sont pas moins terribles. Celles qui cherchent ici-bas
des consolations immédiates à leurs maux ne font souvent que changer de peines lorsqu'elles veulent rester
fidèles à leurs devoirs, ou commettent des fautes si
elles violent les lois au profit de leurs plaisirs. Ces
réflexions sont toutes applicables à l'histoire secrète de
Julie. Tant que Napoléon resta debout, le comte
d'Aiglemont, colonel comme tant d'autres, bon officier d'ordonnance, excellant à remplir une mission
dangereuse, mais incapable d'un commandement de
quelque importance, n'excita nulle envie, passa pour
un des braves que favorisait l'empereur, et fut ce que
les militaires nomment vulgairement *un bon enfant* [50].
La Restauration, qui lui rendit le titre de marquis, ne
le trouva pas ingrat : il suivit les Bourbons à Gand [51].
Cet acte de logique et de fidélité fit mentir l'horoscope
que jadis tirait son beau-père en disant de son gendre
qu'il resterait colonel. Au second retour, nommé lieu-

tenant-général et redevenu marquis, M. d'Aiglemont eut l'ambition d'arriver à la pairie, il adopta les maximes et la politique du *Conservateur* [52], s'enveloppa d'une dissimulation qui ne cachait rien, devint grave, interrogateur, peu parleur, et fut pris pour un homme profond. Retranché sans cesse dans les formes de la politesse, muni de formules, retenant et prodiguant les phrases toutes faites qui se frappent régulièrement à Paris pour donner en petite monnaie aux sots le sens des grandes idées ou des faits, les gens du monde le réputèrent homme de goût et de savoir. Entêté dans ses opinions aristocratiques, il fut cité comme ayant un beau caractère. Si, par hasard, il devenait insouciant ou gai comme il l'était jadis, l'insignifiance et la niaiserie de ses propos avaient pour les autres des sous-entendus diplomatiques. — Oh ! il ne dit que ce qu'il veut dire, pensaient de très honnêtes gens. Il était aussi bien servi par ses qualités que par ses défauts. Sa bravoure lui valait une haute réputation militaire que rien ne démentait, parce qu'il n'avait jamais commandé en chef. Sa figure mâle et noble exprimait des pensées larges, et sa physionomie n'était une imposture que pour sa femme. En entendant tout le monde rendre justice à ses talents postiches, le marquis d'Aiglemont finit par se persuader à lui-même qu'il était un des hommes les plus remarquables de la cour où, grâce à ses dehors, il sut plaire, et où ses différentes valeurs furent acceptées sans protêt.

Néanmoins, M. d'Aiglemont était modeste au logis, il y sentait instinctivement la supériorité de sa femme, quelque jeune qu'elle fût ; et, de ce respect involontaire, naquit un pouvoir occulte que la marquise se trouva forcée d'accepter, malgré tous ses efforts pour en repousser le fardeau. Conseil de son mari, elle en dirigea les actions et la fortune. Cette influence contre nature fut pour elle une espèce d'humiliation et la source de bien des peines qu'elle ensevelissait dans son cœur. D'abord, son instinct si délicatement féminin lui disait qu'il est bien plus beau d'obéir à un

homme de talent que de conduire un sot, et qu'une
jeune épouse, obligée de penser et d'agir en homme,
n'est ni femme ni homme, abdique toutes les grâces
de son sexe en en perdant les malheurs, et n'acquiert
aucun des privilèges que nos lois ont remis aux plus
forts. Son existence cachait une bien amère dérision.
N'était-elle pas obligée d'honorer une idole creuse, de
protéger son protecteur, pauvre être qui, pour salaire
d'un dévouement continu, lui jetait l'amour égoïste
des maris, ne voyait en elle que la femme, ne daignait
ou ne savait pas, injure tout aussi profonde,
s'inquiéter de ses plaisirs, ni d'où venaient sa tristesse
et son dépérissement ? Comme la plupart des maris
qui sentent le joug d'un esprit supérieur, le marquis
sauvait son amour-propre en concluant de la faiblesse
physique à la faiblesse morale de Julie qu'il se plaisait
à plaindre en demandant compte au sort de lui avoir
donné pour épouse une jeune fille maladive. Enfin, il
se faisait la victime tandis qu'il était le bourreau. La
marquise, chargée de tous les malheurs de cette triste
existence, devait sourire encore à son maître imbécile,
parer de fleurs une maison de deuil, et afficher le bonheur sur un visage pâli par de secrets supplices. Cette
responsabilité d'honneur, cette abnégation magnifique
donnèrent insensiblement à la jeune marquise une
dignité de femme, une conscience de vertu qui lui
servirent de sauvegarde contre les dangers du monde.
Puis, pour sonder ce cœur à fond, peut-être le malheur intime et caché par lequel son premier, son naïf
amour de jeune fille était couronné, lui fit-il prendre
en horreur les passions ; peut-être n'en conçut-elle ni
l'entraînement, ni les joies illicites, mais délirantes, qui
font oublier à certaines femmes les lois de sagesse, les
principes de vertu sur lesquels la société repose.
Renonçant, comme à un songe, aux douceurs, à la
tendre harmonie que la vieille expérience de Mme de
Listomère-Landon lui avait promise, elle attendit avec
résignation la fin de ses peines en espérant mourir
jeune. Depuis son retour de Touraine, sa santé s'était
chaque jour affaiblie, et la vie semblait lui être

mesurée par la souffrance ; souffrance élégante
d'ailleurs, maladie presque voluptueuse en apparence,
et qui pouvait passer aux yeux des gens superficiels
pour une fantaisie de petite-maîtresse [53]. Les médecins
avaient condamné la marquise à rester couchée sur un
divan, où elle s'étiolait au milieu des fleurs qui
l'entouraient, en se fanant comme elles. Sa faiblesse
lui interdisait la marche et le grand air ; elle ne sortait
qu'en voiture fermée. Sans cesse environnée de toutes
les merveilles de notre luxe et de notre industrie
modernes, elle ressemblait moins à une malade qu'à
une reine indolente. Quelques amis, amoureux peut-
être de son malheur et de sa faiblesse, sûrs de toujours
la trouver chez elle, et spéculant sans doute aussi sur
sa bonne santé future, venaient lui apporter les nouvelles et l'instruire de ces mille petits événements qui
rendent à Paris l'existence si variée. Sa mélancolie,
quoique grave et profonde, était donc la mélancolie de
l'opulence. La marquise d'Aiglemont ressemblait à
une belle fleur dont la racine est rongée par un insecte
noir. Elle allait parfois dans le monde, non par goût,
mais pour obéir aux exigences de la position à laquelle
aspirait son mari. Sa voix et la perfection de son chant
pouvaient lui permettre d'y recueillir des applaudissements qui flattent presque toujours une jeune femme ;
mais à quoi lui servaient des succès qu'elle ne rappor-
tait ni à des sentiments ni à des espérances ? Son mari
n'aimait pas la musique. Enfin, elle se trouvait
presque toujours gênée dans les salons où sa beauté
lui attirait des hommages intéressés. Sa situation y
excitait une sorte de compassion cruelle, une curiosité
triste. Elle était atteinte d'une inflammation assez
ordinairement mortelle, que les femmes se confient à
l'oreille, et à laquelle notre néologie n'a pas encore su
trouver de nom [54]. Malgré le silence au sein duquel sa
vie s'écoulait, la cause de sa souffrance n'était un
secret pour personne. Toujours jeune fille, en dépit du
mariage, les moindres regards la rendaient honteuse.
Aussi, pour éviter de rougir, n'apparaissait-elle jamais
que riante, gaie ; elle affectait une fausse joie, se disait

toujours bien portante, ou prévenait les questions sur
sa santé par de pudiques mensonges. Cependant, en
1817, un événement contribua beaucoup à modifier
l'état déplorable dans lequel Julie avait été plongée
jusqu'alors. Elle eut une fille, et voulut la nourrir.
Pendant deux années, les vives distractions et les
inquiets plaisirs que donnent les soins maternels lui
firent une vie moins malheureuse. Elle se sépara
nécessairement de son mari. Les médecins lui pronos-
tiquèrent une meilleure santé ; mais la marquise ne
crut point à ces présages hypothétiques. Comme
toutes les personnes pour lesquelles la vie n'a plus de
douceur, peut-être voyait-elle dans la mort un heureux
dénouement.

Au commencement de l'année 1819, la vie lui fut
plus cruelle que jamais. Au moment où elle s'applau-
dissait du bonheur négatif qu'elle avait su conquérir,
elle entrevit d'effroyables abîmes : son mari s'était, par
degrés, déshabitué d'elle. Ce refroidissement d'une
affection déjà si tiède et tout égoïste pouvait amener
plus d'un malheur que son tact fin et sa prudence lui
faisaient prévoir. Quoiqu'elle fût certaine de conserver
un grand empire sur Victor et d'avoir obtenu son
estime pour toujours, elle craignait l'influence des passions sur un homme si nul et si vaniteusement irré-
fléchi. Souvent ses amis surprenaient Julie livrée à de
longues méditations ; les moins clairvoyants lui en
demandaient le secret en plaisantant comme si une
jeune femme pouvait ne songer qu'à des frivolités,
comme s'il n'existait pas presque toujours un sens
profond dans les pensées d'une mère de famille.
D'ailleurs, le malheur aussi bien que le bonheur vrai
nous mène à la rêverie. Parfois, en jouant avec son
Hélène, Julie la regardait d'un œil sombre, et cessait
de répondre à ces interrogations enfantines qui font
tant de plaisir aux mères, pour demander compte de
sa destinée au présent et à l'avenir. Ses yeux se
mouillaient alors de larmes, quand soudain quelque
souvenir lui rappelait la scène de la revue aux Tuileries. Les prévoyantes paroles de son père retentissaient

derechef à son oreille, et sa conscience lui reprochait
d'en avoir méconnu la sagesse. De cette désobéissance
folle venaient tous ses malheurs ; et souvent elle ne
savait, entre tous, lequel était le plus difficile à porter.
Non seulement les doux trésors de son âme restaient
ignorés, mais elle ne pouvait jamais parvenir à se faire
comprendre de son mari, même dans les choses les
plus ordinaires de la vie. Au moment où la faculté
d'aimer se développait en elle plus forte et plus active,
l'amour permis, l'amour conjugal s'évanouissait au
milieu de graves souffrances physiques et morales.
Puis elle avait pour son mari cette compassion voisine
du mépris qui flétrit à la longue tous les sentiments.
Enfin, si ses conversations avec quelques amis, si les
exemples, ou si certaines aventures du grand monde
ne lui eussent pas appris que l'amour apportait
d'immenses bonheurs, ses blessures lui auraient fait
deviner les plaisirs profonds et purs qui doivent unir
des âmes fraternelles. Dans le tableau que sa mémoire
lui traçait du passé, la candide figure d'Arthur s'y des-
sinait chaque jour plus pure et plus belle, mais rapidement ; car elle n'osait s'arrêter à ce souvenir. Le
silencieux et timide amour du jeune Anglais était le
seul événement qui, depuis le mariage, eût laissé quelques doux vestiges dans ce cœur sombre et solitaire.
Peut-être toutes les espérances trompées, tous les
désirs avortés qui, graduellement, attristaient l'esprit
de Julie, se reportaient-ils, par un jeu naturel de l'imagination, sur cet homme, dont les manières, les sentiments et le caractère paraissaient offrir tant de sympathies avec les siens. Mais cette pensée avait toujours
l'apparence d'un caprice, d'un songe. Après ce rêve
impossible, toujours clos par des soupirs, Julie se
réveillait plus malheureuse, et sentait encore mieux ses
douleurs latentes quand elle les avait endormies sous
les ailes d'un bonheur imaginaire. Parfois, ses plaintes
prenaient un caractère de folie et d'audace, elle voulait
des plaisirs à tout prix ; mais plus souvent encore, elle
restait en proie à je ne sais quel engourdissement stupide, écoutait sans comprendre, ou concevait des pen-

sées si vagues, si indécises, qu'elle n'eût pas trouvé de
langage pour les rendre. Froissée dans ses plus intimes
volontés, dans les mœurs que, jeune fille, elle avait
rêvées jadis, elle était obligée de dévorer ses larmes. A
qui se serait-elle plainte ? de qui pouvait-elle être
entendue ? Puis, elle avait cette extrême délicatesse de
la femme, cette ravissante pudeur de sentiment qui
consiste à taire une plainte inutile, à ne pas prendre
un avantage quand le triomphe doit humilier le vainqueur et le vaincu. Julie essayait de donner sa capacité, ses propres vertus à M. d'Aiglemont, et se vantait
de goûter le bonheur qui lui manquait. Toute sa
finesse de femme était employée en pure perte à des
ménagements ignorés de celui-là même dont ils per-
pétuaient le despotisme. Par moments, elle était ivre
de malheur, sans idée, sans frein ; mais, heureusement, une pitié vraie la ramenait toujours à une espérance suprême : elle se réfugiait dans la vie future,
admirable croyance qui lui faisait accepter de nouveau
sa tâche douloureuse. Ces combats si terribles, ces
déchirements intérieurs étaient sans gloire, ces longues
mélancolies étaient inconnues ; nulle créature ne
recueillait ses regards ternes, ses larmes amères jetées
au hasard et dans la solitude.

Les dangers de la situation critique à laquelle la
marquise était insensiblement arrivée par la force des
circonstances se révélèrent à elle dans toute leur gravité pendant une soirée du mois de janvier 1820.
Quand deux époux se connaissent parfaitement et ont
pris une longue habitude d'eux-mêmes, lorsqu'une
femme sait interpréter les moindres gestes d'un
homme et peut pénétrer les sentiments ou les choses
qu'il lui cache, alors des lumières soudaines éclatent
souvent après des réflexions ou des remarques précédentes, dues au hasard, ou primitivement faites avec
insouciance. Une femme se réveille souvent tout à
coup sur le bord ou au fond d'un abîme. Ainsi la
marquise, heureuse d'être seule depuis quelques jours,
devina le secret de sa solitude. Inconstant ou lassé,
généreux ou plein de pitié pour elle, son mari ne lui

appartenait plus. En ce moment, elle ne pensa plus à elle, ni à ses souffrances ni à ses sacrifices ; elle ne fut plus que mère, et vit la fortune, l'avenir, le bonheur de sa fille ; sa fille, le seul être d'où lui vînt quelque félicité ; son Hélène, seul bien qui l'attachât à la vie. Maintenant, Julie voulait vivre pour préserver son enfant du joug effroyable sous lequel une marâtre [55] pouvait étouffer la vie de cette chère créature. A cette nouvelle prévision d'un sinistre avenir, elle tomba dans une de ces méditations ardentes qui dévorent des années entières. Entre elle et son mari, désormais, il devait se trouver tout un monde de pensées, dont le poids porterait sur elle seule. Jusqu'alors, sûre d'être aimée par Victor, autant qu'il pouvait aimer, elle s'était dévouée à un bonheur qu'elle ne partageait pas ; mais aujourd'hui, n'ayant plus la satisfaction de savoir que ses larmes faisaient la joie de son mari, seule dans le monde, il ne lui restait plus que le choix des malheurs. Au milieu du découragement qui, dans le calme et le silence de la nuit, détendit toutes ses forces ; au moment où, quittant son divan et son feu presque éteint, elle allait, à la lueur d'une lampe, contempler sa fille d'un œil sec, M. d'Aiglemont rentra plein de gaieté. Julie lui fit admirer le sommeil d'Hélène ; mais il accueillit l'enthousiasme de sa femme par une phrase banale.

— A cet âge, dit-il, tous les enfants sont gentils.

Puis, après avoir insouciamment baisé le front de sa fille, il baissa les rideaux du berceau, regarda Julie, lui prit la main, et l'amena près de lui sur ce divan où tant de fatales pensées venaient de surgir.

— Vous êtes bien belle ce soir, madame d'Aiglemont ! s'écria-t-il avec cette insupportable gaieté dont le vide était si connu de la marquise.

— Où avez-vous passé la soirée ? lui demanda-t-elle en feignant une profonde indifférence.

— Chez madame de Sérizy.

Il avait pris sur la cheminée un écran [56], et il en examinait le transparent avec attention, sans avoir aperçu la trace des larmes versées par sa femme. Julie

frissonna. Le langage ne suffirait pas à exprimer le
torrent de pensées qui s'échappa de son cœur et
qu'elle dut y contenir.

— Mme de Sérizy donne un concert lundi prochain, et se meurt d'envie de t'avoir. Il suffit que
depuis longtemps tu n'aies paru dans le monde pour
qu'elle désire te voir chez elle. C'est une bonne femme
qui t'aime beaucoup. Tu me feras plaisir d'y venir ;
j'ai presque répondu de toi...

— J'irai, répondit Julie.

Le son de la voix, l'accent et le regard de la marquise eurent quelque chose de si pénétrant, de si particulier, que, malgré son insouciance, Victor regarda
sa femme avec étonnement. Ce fut tout. Julie avait
deviné que Mme de Sérizy était la femme qui lui avait
enlevé le cœur de son mari. Elle s'engourdit dans une
rêverie de désespoir, et parut très occupée à regarder
le feu. Victor faisait tourner l'écran dans ses doigts
avec l'air ennuyé d'un homme qui, après avoir été
heureux ailleurs, apporte chez lui la fatigue du bonheur. Quand il eut bâillé plusieurs fois, il prit un flambeau d'une main, de l'autre alla chercher languissam-
ment le cou de sa femme, et voulut l'embrasser ; mais
Julie se baissa, lui présenta son front, et y reçut le
baiser du soir, ce baiser machinal, sans amour, espèce
de grimace qui lui parut assez odieuse. Quand Victor
eut fermé la porte, la marquise tomba sur un siège ;
ses jambes chancelèrent, elle fondit en larmes. Il faut
avoir subi le supplice de quelque scène analogue pour
comprendre tout ce que celle-ci cache de douleurs,
pour deviner les longs et terribles drames auxquels elle
donne lieu. Ces simples et niaises paroles, ces silences
entre les deux époux, les gestes, les regards, la manière
dont le marquis s'était assis devant le feu, l'attitude
qu'il eut en cherchant à baiser le cou de sa femme,
tout avait servi à faire, de cette heure, un tragique
dénouement à la vie solitaire et douloureuse menée
par Julie. Dans sa folie, elle se mit à genoux devant
son divan, s'y plongea le visage pour ne rien voir, et
pria le ciel, en donnant aux paroles habituelles de son

oraison un accent intime, une signification nouvelle
qui eussent déchiré le cœur de son mari, s'il l'eût
entendu. Elle demeura pendant huit jours préoccupée de son avenir, en proie à son malheur, qu'elle
étudiait en cherchant les moyens de ne pas mentir à
son cœur, de regagner son empire sur le marquis, et
de vivre assez longtemps pour veiller au bonheur de sa
fille. Elle résolut alors de lutter avec sa rivale, de repa-
raître dans le monde, d'y briller ; de feindre pour son
mari un amour qu'elle ne pouvait plus éprouver, de le
séduire ; puis, lorsque par ses artifices elle l'aurait
soumis à son pouvoir, d'être coquette avec lui comme
le sont ces capricieuses maîtresses qui se font un
plaisir de tourmenter leurs amants. Ce manège odieux
était le seul remède possible à ses maux. Ainsi, elle
deviendrait maîtresse de ses souffrances, elle les
ordonnerait selon son bon plaisir, et les rendrait plus
rares tout en subjuguant son mari, tout en le domp-
tant sous un despotisme terrible. Elle n'eut plus aucun
remords de lui imposer une vie difficile. D'un seul
bond, elle s'élança dans les froids calculs de l'indifférence. Pour sauver sa fille, elle devina tout à coup les
perfidies, les mensonges des créatures qui n'aiment
pas, les tromperies de la coquetterie, et ces ruses
atroces qui font haïr si profondément la femme chez
qui les hommes supposent alors des corruptions
innées. A l'insu de Julie, sa vanité féminine, son
intérêt et un vague désir de vengeance s'accordèrent
avec son amour maternel pour la faire entrer dans une
voie où de nouvelles douleurs l'attendaient. Mais elle
avait l'âme trop belle, l'esprit trop délicat, et surtout
trop de franchise pour être longtemps complice de ces
fraudes. Habituée à lire en elle-même, au premier pas
dans le vice, car ceci était du vice, le cri de sa conscience devait étouffer celui des passions et de
l'égoïsme. En effet, chez une jeune femme dont le
cœur est encore pur, et où l'amour est resté vierge, le
sentiment de la maternité même est soumis à la voix
de la pudeur. La pudeur n'est-elle pas toute la
femme ? Mais Julie ne voulut apercevoir aucun

danger, aucune faute dans sa nouvelle vie. Elle vint
chez Mme de Sérizy. Sa rivale comptait voir une
femme pâle, languissante ; la marquise avait mis du
rouge, et se présenta dans tout l'éclat d'une parure qui
rehaussait encore sa beauté.

Mme la comtesse de Sérizy était une de ces femmes
qui prétendent exercer à Paris une sorte d'empire sur
la mode et sur le monde ; elle dictait des arrêts qui,
reçus dans le cercle où elle régnait, lui semblaient uni-
versellement adoptés ; elle avait la prétention de faire
des mots ; elle était souverainement *jugeuse*. Littérature, politique, hommes et femmes, tout subissait sa
censure ; et Mme de Sérizy semblait défier celle des
autres. Sa maison était, en toute chose, un modèle de
bon goût. Au milieu de ces salons remplis de femmes
élégantes et belles, Julie triompha de la comtesse. Spirituelle, vive, sémillante, elle eut autour d'elle les
hommes les plus distingués de la soirée. Pour le désespoir des femmes, sa toilette était irréprochable, et
toutes lui envièrent une coupe de robe, une forme de
corsage dont l'effet fut attribué généralement à
quelque génie de couturière inconnue, car les femmes
aiment mieux croire à la science des chiffons qu'à la
grâce et à la perfection de celles qui sont faites de
manière à les bien porter. Lorsque Julie se leva pour
aller au piano chanter la romance de Desdémone [57],
les hommes accoururent de tous les salons pour
entendre cette célèbre voix, muette depuis si longtemps, et il se fit un profond silence. La marquise
éprouva de vives émotions en voyant les têtes pressées
aux portes et tous les regards attachés sur elle. Elle
chercha son mari, lui lança une œillade pleine de
coquetterie, et vit avec plaisir qu'en ce moment son
amour-propre était extraordinairement flatté. Heureuse de ce triomphe, elle ravit l'assemblée dans la
première partie d'*al piu salice* [58]. Jamais ni la Malibran
ni la Pasta [59] n'avaient fait entendre des chants si par-
faits de sentiment et d'intonation ; mais, au moment
de la reprise, elle regarda dans les groupes, et aperçut
Arthur dont le regard fixe ne la quittait pas. Elle tres-

saillit vivement, et sa voix s'altéra. Mme de Sérizy
s'élança de sa place vers la marquise.

— Qu'avez-vous, ma chère ? Oh ! pauvre petite,
elle est si souffrante ! Je tremblais en lui voyant entreprendre une chose au-dessus de ses forces...

La romance fut interrompue. Julie, dépitée, ne se
sentit plus le courage de continuer et subit la compassion perfide de sa rivale. Toutes les femmes chucho-
tèrent ; puis, à force de discuter cet incident, elles
devinèrent la lutte commencée entre la marquise et
Mme de Sérizy, qu'elles n'épargnèrent pas dans leurs
médisances. Les bizarres pressentiments qui avaient si
souvent agité Julie se trouvaient tout à coup réalisés.
En s'occupant d'Arthur, elle s'était complu à croire
qu'un homme, en apparence si doux, si délicat, devait
être resté fidèle à son premier amour. Parfois elle
s'était flattée d'être l'objet de cette belle passion, la
passion pure et vraie d'un homme jeune, dont toutes
les pensées appartiennent à sa bien-aimée, dont tous
les moments lui sont consacrés, qui n'a point de
détours, qui rougit de ce qui fait rougir une femme,
pense comme une femme, ne lui donne point de
rivales, et se livre à elle sans songer à l'ambition, ni à
la gloire, ni à la fortune. Elle avait rêvé tout cela
d'Arthur, par folie, par distraction ; puis tout à coup
elle crut voir son rêve accompli. Elle lut sur le visage
presque féminin du jeune Anglais les pensées profondes, les mélancolies douces, les résignations douloureuses dont elle-même était la victime. Elle se
reconnut en lui. Le malheur et la mélancolie sont les
interprètes les plus éloquents de l'amour, et corres-
pondent entre deux êtres souffrants avec une
incroyable rapidité. La vue intime et l'intussuscep-
tion [60] des choses ou des idées sont chez eux complètes et justes. Aussi la violence du choc que reçut la
marquise lui révéla-t-elle tous les dangers de l'avenir.
Trop heureuse de trouver un prétexte à son trouble
dans son état habituel de souffrance, elle se laissa
volontiers accabler par l'ingénieuse pitié de Mme de
Sérizy. L'interruption de la romance était un événe-

ment dont s'entretenaient assez diversement plusieurs
personnes. Les unes déploraient le sort de Julie, et se
plaignaient de ce qu'une femme si remarquable fût
perdue pour le monde ; les autres voulaient savoir la
cause de ses souffrances et de la solitude dans laquelle
elle vivait.

— Eh ! bien, mon cher Ronquerolles, disait le
marquis au frère de Mme de Sérizy, tu enviais mon
bonheur en voyant Mme d'Aiglemont, et tu me
reprochais de lui être infidèle ? Va, tu trouverais mon
sort bien peu désirable, si tu restais comme moi en
présence d'une jolie femme pendant une ou deux
années, sans oser lui baiser la main, de peur de la
briser. Ne t'embarrasse jamais de ces bijoux délicats,
bons seulement à mettre sous verre, et que leur fragilité, leur cherté nous oblige à toujours respecter.
Sors-tu souvent ton beau cheval pour lequel tu
crains, m'a-t-on dit, les averses et la neige ? Voilà
mon histoire. Il est vrai que je suis sûr de la vertu
de ma femme ; mais mon mariage est une chose de
luxe ; et si tu me crois marié, tu te trompes. Aussi
mes infidélités sont-elles en quelque sorte légitimes.
Je voudrais bien savoir comment vous feriez à ma
place, messieurs les rieurs ? Beaucoup d'hommes
auraient moins de ménagements que je n'en ai pour
ma femme. Je suis sûr, ajouta-t-il à voix basse, que
Mme d'Aiglemont ne se doute de rien. Aussi, certes,
aurais-je grand tort de me plaindre, je suis très heureux... Seulement, rien n'est plus ennuyeux pour un
homme sensible, que de voir souffrir une pauvre
créature à laquelle on est attaché...

— Tu as donc beaucoup de sensibilité ? répondit
M. de Ronquerolles, car tu es rarement chez toi.

Cette amicale épigramme fit rire les auditeurs ; mais
Arthur resta froid et imperturbable, en gentleman qui
a pris la gravité pour base de son caractère. Les
étranges paroles de ce mari firent sans doute concevoir
quelques espérances au jeune Anglais, qui attendit
avec patience le moment où il pourrait se trouver seul

avec M. d'Aiglemont, et l'occasion s'en présenta
bientôt.

— Monsieur, lui dit-il, je vois avec une peine
infinie l'état de madame la marquise, et si vous saviez
que, faute d'un régime particulier, elle doit mourir
misérablement, je pense que vous ne plaisanteriez pas
sur ses souffrances. Si je vous parle ainsi, j'y suis en
quelque sorte autorisé par la certitude que j'ai de
sauver Mme d'Aiglemont, et de la rendre à la vie et
au bonheur. Il est peu naturel qu'un homme de mon
rang soit médecin ; et, néanmoins, le hasard a voulu
que j'étudiasse la médecine. Or, je m'ennuie assez,
dit-il en affectant un froid égoïsme qui devait servir
ses desseins, pour qu'il me soit indifférent de
dépenser mon temps et mes voyages au profit d'un
être souffrant, au lieu de satisfaire quelques sottes
fantaisies. Les guérisons de ces sortes de maladies
sont rares, parce qu'elles exigent beaucoup de soins,
de temps et de patience ; il faut surtout avoir de la
fortune, voyager, suivre scrupuleusement des prescriptions qui varient chaque jour, et n'ont rien de
désagréable. Nous sommes deux gentilshommes,
dit-il en donnant à ce mot l'acception du mot anglais
gentleman, et nous pouvons nous entendre. Je vous
préviens que si vous acceptez ma proposition, vous
serez à tout moment le juge de ma conduite. Je
n'entreprendrai rien sans vous avoir pour conseil,
pour surveillant, et je vous réponds du succès si vous
consentez à m'obéir. Oui, si vous voulez ne pas être
pendant longtemps le mari de Mme d'Aiglemont, lui
dit-il à l'oreille.

— Il est sûr, milord, dit le marquis en riant, qu'un
Anglais pouvait seul me faire une proposition si
bizarre. Permettez-moi de ne pas la repousser et de ne
pas l'accueillir, j'y songerai. Puis, avant tout elle doit
être soumise à ma femme.

En ce moment, Julie avait reparu au piano. Elle
chanta l'air de *Sémiramide, Son regina, son guerriera* [61].
Des applaudissements unanimes, mais des applaudissements sourds, pour ainsi dire, les acclamations

polies du faubourg Saint-Germain, témoignèrent de l'enthousiasme qu'elle excita.

Lorsque d'Aiglemont ramena sa femme à son hôtel, Julie vit avec une sorte de plaisir inquiet le prompt succès de ses tentatives. Son mari, réveillé par le rôle qu'elle venait de jouer, voulut l'honorer d'une fantaisie, et la prît en goût, comme il eût fait d'une actrice. Julie trouva plaisant d'être traitée ainsi, elle, vertueuse et mariée ; elle essaya de jouer avec son pouvoir, et dans cette première lutte, sa bonté la fit succomber encore une fois, mais ce fut la plus terrible de toutes les leçons que lui gardait le sort. Vers deux ou trois heures du matin, Julie était sur son séant, sombre et rêveuse, dans le lit conjugal ; une lampe à lueur incertaine éclairait faiblement la chambre, le silence le plus profond y régnait ; et, depuis une heure environ, la marquise, livrée à de poignants remords, versait des larmes dont l'amertume ne peut être comprise que des femmes qui se sont trouvées dans la même situation. Il fallait avoir l'âme de Julie pour sentir comme elle l'horreur d'une caresse calculée, pour se trouver autant froissée par un baiser froid ; apostasie de cœur encore aggravée par une douloureuse prostitution. Elle se mésestimait elle-même, elle maudissait le mariage, elle aurait voulu être morte ; et, sans un cri jeté par sa fille, elle se serait peut-être précipitée par la fenêtre sur le pavé. M. d'Aiglemont dormait paisiblement près d'elle, sans être réveillé par les larmes chaudes que sa femme laissait tomber sur lui. Le lendemain, Julie sut être gaie. Elle trouva des forces pour paraître heureuse et cacher, non plus sa mélancolie, mais une invincible horreur. De ce jour elle ne se regarda plus comme une femme irréprochable. Ne s'était-elle pas menti à elle-même, dès lors n'était-elle pas capable de dissimulation, et ne pouvait-elle pas plus tard déployer une profondeur étonnante dans les délits conjugaux ? Son mariage était cause de cette perversité *a priori* qui ne s'exerçait encore sur rien. Cependant elle s'était déjà demandé pourquoi résister à un amant aimé quand elle se don-

nait, contre son cœur et contre le vœu de la nature, à
un mari qu'elle n'aimait plus. Toutes les fautes, et les
crimes peut-être, ont pour principe un mauvais raisonnement ou quelque excès d'égoïsme. La société ne
peut exister que par les sacrifices individuels qu'exigent les lois. En accepter les avantages, n'est-ce pas
s'engager à maintenir les conditions qui la font subsis-
ter ? Or, les malheureux sans pain, obligés de respecter la propriété, ne sont pas moins à plaindre que
les femmes blessées dans les vœux et la délicatesse de
leur nature. Quelques jours après cette scène, dont les
secrets furent ensevelis dans le lit conjugal, d'Aiglemont présenta lord Grenville à sa femme. Julie reçut
Arthur avec une politesse froide qui faisait honneur à
sa dissimulation. Elle imposa silence à son cœur, voila
ses regards, donna de la fermeté à sa voix, et put ainsi
rester maîtresse de son avenir. Puis, après avoir
reconnu par ces moyens, innés pour ainsi dire chez les
femmes, toute l'étendue de l'amour qu'elle avait inspiré, Mme d'Aiglemont sourit à l'espoir d'une
prompte guérison, et n'opposa plus de résistance à la
volonté de son mari, qui la violentait pour lui faire
accepter les soins du jeune docteur. Néanmoins, elle
ne voulut se fier à lord Grenville qu'après en avoir
assez étudié les paroles et les manières pour être sûr
qu'il aurait la générosité de souffrir en silence. Elle
avait sur lui le plus absolu pouvoir, elle en abusait
déjà : n'était-elle pas femme ?

Montcontour est un ancien manoir situé sur un de
ces blonds rochers au bas desquels passe la Loire, non
loin de l'endroit où Julie s'était arrêtée en 1814. C'est
un de ces petits châteaux de Touraine, blancs, jolis, à
tourelles sculptées, brodés comme une dentelle de
Malines ; un de ces châteaux mignons, pimpants, qui
se mirent dans les eaux du fleuve avec leurs bouquets
de mûriers, leurs vignes, leurs chemins creux, leurs
longues balustrades à jour, leurs caves en rocher, leurs
manteaux de lierre et leurs escarpements. Les toits de
Montcontour pétillent sous les rayons du soleil, tout y
est ardent. Mille vestiges de l'Espagne poétisent cette

ravissante habitation : les genêts d'or, les fleurs à clo-
chettes embaument la brise ; l'air est caressant, la terre
sourit partout, et partout de douces magies envelop-
pent l'âme, la rendent paresseuse, amoureuse, l'amol-
lissent et la bercent. Cette belle et suave contrée
endort les douleurs et réveille les passions. Personne
ne reste froid sous ce ciel pur, devant ces eaux scin-
tillantes. Là meurt plus d'une ambition, là vous vous
couchez au sein d'un tranquille bonheur, comme
chaque soir le soleil se couche dans ses langes de
pourpre et d'azur.

Par une douce soirée du mois d'août, en 1821, deux
personnes gravissaient les chemins pierreux qui
découpent les rochers sur lesquels est assis le château,
et se dirigeaient vers les hauteurs pour y admirer sans
doute les points de vue multipliés qu'on y découvre.
Ces deux personnes étaient Julie et lord Grenville ;
mais cette Julie semblait être une nouvelle femme. La
marquise avait les franches couleurs de la santé. Ses
yeux, vivifiés par une féconde puissance, étincelaient à
travers une humide vapeur, semblable au fluide qui
donne à ceux des enfants d'irrésistibles attraits. Elle
souriait à plein, elle était heureuse de vivre, et concevait la vie. A la manière dont elle levait ses pieds
mignons, il était facile de voir que nulle souffrance
n'alourdissait comme autrefois ses moindres mouvements, n'alanguissait ni ses regards, ni ses paroles, ni
ses gestes. Sous l'ombrelle de soie blanche qui la
garantissait des chauds rayons du soleil, elle ressemblait à une jeune mariée sous son voile, à une vierge
prête à se livrer aux enchantements de l'amour.
Arthur la conduisait avec un soin d'amant, il la guidait
comme on guide un enfant, la mettait dans le meilleur
chemin, lui faisait éviter les pierres, lui montrait une
échappée de vue ou l'amenait devant une fleur, toujours mû par un perpétuel sentiment de bonté, par
une intention délicate, par une connaissance intime
du bien-être de cette femme, sentiments qui semblaient être innés en lui, autant et plus peut-être que
le mouvement nécessaire à sa propre existence. La

malade et son médecin marchaient du même pas sans
être étonnés d'un accord qui paraissait avoir existé dès
le premier jour où ils marchèrent ensemble ; ils obéis-
saient à une même volonté, s'arrêtaient, impressionnés
par les mêmes sensations ; leurs regards, leurs paroles
correspondaient à des pensées mutuelles. Parvenus tous
deux en haut d'une vigne, ils voulurent aller se reposer
sur une de ces longues pierres blanches que l'on extrait
continuellement des caves pratiquées dans le rocher ;
mais avant de s'y asseoir, Julie contempla le site.

— Le beau pays ! s'écria-t-elle. Dressons une tente
et vivons ici. Victor, cria-t-elle, venez donc, venez
donc !

M. d'Aiglemont répondit d'en bas par un cri de
chasseur, mais sans hâter sa marche ; seulement il
regardait sa femme de temps en temps lorsque les
sinuosités du sentier le lui permettaient. Julie aspira
l'air avec plaisir en levant la tête et en jetant à Arthur
un de ces coups d'œil fins par lesquels une femme
d'esprit dit toute sa pensée.

— Oh ! reprit-elle, je voudrais rester toujours ici.
Peut-on jamais se lasser d'admirer cette belle vallée ?
Savez-vous le nom de cette jolie rivière, milord ?

— C'est la Cise.

— La Cise, répéta-t-elle. Et là-bas, devant nous,
qu'est-ce ?

— Ce sont les coteaux du Cher, dit-il.

— Et sur la droite ? Ah ! c'est Tours. Mais voyez le
bel effet que produisent dans le lointain les clochers
de la cathédrale.

Elle se fit muette, et laissa tomber sur la main
d'Arthur la main qu'elle avait étendue vers la ville.
Tous deux, ils admirèrent en silence le paysage et les
beautés de cette nature harmonieuse. Le murmure des
eaux, la pureté de l'air et du ciel, tout s'accordait avec
les pensées qui vinrent en foule dans leurs cœurs
aimants et jeunes.

— Oh ! mon Dieu, combien j'aime ce pays, répéta
Julie avec un enthousiasme croissant et naïf. Vous
l'avez habité longtemps ? reprit-elle après une pause.

A ces mots, lord Grenville tressaillit.

— C'est là, répondit-il avec mélancolie en montrant un bouquet de noyers sur la route, là que prisonnier je vous vis pour la première fois...

— Oui, mais j'étais déjà bien triste ; cette nature me sembla sauvage, et maintenant...

Elle s'arrêta, lord Grenville n'osa pas la regarder.

— C'est à vous, dit enfin Julie après un long silence, que je dois ce plaisir. Ne faut-il pas être vivante pour éprouver les joies de la vie, et jusqu'à présent n'étais-je pas morte à tout ? Vous m'avez donné plus que la santé, vous m'avez appris à en sentir tout le prix...

Les femmes ont un inimitable talent pour exprimer leurs sentiments sans employer de trop vives paroles ; leur éloquence est surtout dans l'accent, dans le geste, l'attitude et les regards. Lord Grenville se cacha la tête dans ses mains, car des larmes roulaient dans ses yeux. Ce remerciement était le premier que Julie lui fît depuis leur départ de Paris. Pendant une année entière, il avait soigné la marquise avec le dévouement le plus entier. Secondé par d'Aiglemont, il l'avait conduite aux eaux d'Aix, puis sur les bords de la mer à La Rochelle. Epiant à tout moment les changements que ses savantes et simples prescriptions produisaient sur la constitution délabrée de Julie, il l'avait cultivée comme une fleur rare peut l'être par un horticulteur passionné. La marquise avait paru recevoir les soins intelligents d'Arthur avec tout l'égoïsme d'une Parisienne habituée aux hommages, ou avec l'insouciance d'une courtisane qui ne sait ni le coût des choses ni la valeur des hommes, et les prises au degré d'utilité dont ils lui sont. L'influence exercée sur l'âme par les lieux est une chose digne de remarque. Si la mélancolie nous gagne infailliblement lorsque nous sommes au bord des eaux, une autre loi de notre nature impressible [62] fait que, sur les montagnes, nos sentiments s'épurent ; la passion y gagne en profondeur ce qu'elle paraît perdre en vivacité. L'aspect du vaste bassin de la Loire, l'élévation de la jolie colline où les deux amants s'étaient assis, causaient peut-être le calme délicieux dans lequel ils savourèrent d'abord le bonheur qu'on goûte à deviner l'étendue d'une passion cachée sous des paroles insignifiantes en apparence. Au moment où Julie achevait la phrase qui avait si vivement ému lord Grenville, une brise caressante agita la cime des arbres, répandit la fraîcheur des eaux dans l'air ; quelques nuages couvrirent le soleil, et des ombres molles laissèrent voir toutes les beautés de cette jolie nature. Julie détourna la tête pour dérober au jeune lord la vue des larmes qu'elle réussit à retenir et à sécher, car l'attendrissement d'Arthur l'avait promptement gagnée. Elle n'osa lever les yeux sur lui dans la crainte qu'il ne lût trop de joie dans ce regard. Son instinct de femme lui faisait sentir qu'à cette heure dangereuse elle devait ensevelir son amour au fond de son cœur. Cependant le silence pouvait être également redoutable. En s'apercevant que lord Grenville était hors d'état de prononcer une parole, Julie reprit d'une voix douce : — Vous êtes touché de ce que je vous ai dit, milord. Peut-être cette vive expansion est-elle la manière que prend une âme gracieuse et bonne comme l'est la vôtre pour revenir sur un faux jugement. Vous m'aurez crue ingrate en me trouvant froide et réservée, ou moqueuse et insensible pendant ce voyage qui heureusement va bientôt se terminer. Je n'aurais pas été digne de recevoir vos soins, si je n'avais su les apprécier. Milord, je n'ai rien oublié. Hélas ! je n'oublierai rien, ni la sollicitude qui vous faisait veiller sur moi comme une mère sur son enfant, ni surtout la noble confiance de nos entretiens fraternels, la délicatesse de vos procédés ; séductions contre lesquelles nous sommes toutes sans armes. Milord, il est hors de mon pouvoir de vous récompenser...

A ce mot, Julie s'éloigna vivement, et lord Grenville ne fit aucun mouvement pour l'arrêter, la marquise alla sur une roche à une faible distance, et y resta immobile ; leurs émotions furent un secret pour eux-mêmes, sans doute ils pleurèrent en silence ; les chants des oiseaux, si gais, si prodigues d'expressions

tendres au coucher du soleil, durent augmenter la violente commotion qui les avait forcés de se séparer : la
nature se chargeait de leur exprimer un amour dont ils
n'osaient parler.

— Eh ! bien, milord, reprit Julie en se mettant
devant lui dans une attitude pleine de dignité qui lui
permit de prendre la main d'Arthur, je vous demanderai de rendre pure et sainte la vie que vous m'avez
restituée. Ici, nous nous quitterons. Je sais, ajouta-
t-elle en voyant pâlir lord Grenville, que, pour prix de
votre dévouement, je vais exiger de vous un sacrifice
encore plus grand que ceux dont l'étendue devrait être
mieux reconnue par moi... Mais, il le faut... vous ne
resterez pas en France. Vous le commander, n'est-ce
pas vous donner des droits qui seront sacrés ? ajouta-
t-elle en mettant la main du jeune homme sur son
cœur palpitant.

— Oui, dit Arthur en se levant.

En ce moment il montra d'Aiglemont qui tenait sa
fille dans ses bras, et qui parut de l'autre côté d'un
chemin creux sur la balustrade du château. Il y avait
grimpé pour y faire sauter sa petite Hélène.

— Julie, je ne vous parlerai point de mon amour,
nos âmes se comprennent trop bien. Quelque profonds, quelque secrets que fussent mes plaisirs de
cœur, vous les avez tous partagés. Je le sens, je le sais,
je le vois. Maintenant, j'acquiers la délicieuse preuve
de constante sympathie de nos cœurs, mais je fuirai...
J'ai plusieurs fois calculé trop habilement les moyens
de tuer cet homme pour pouvoir y toujours résister, si
je restais près de vous.

— J'ai eu la même pensée, dit-elle en laissant
paraître sur sa figure troublée les marques d'une surprise douloureuse.

Mais il y avait tant de vertu, tant de certitude d'elle-
même et tant de victoires secrètement remportées sur
l'amour dans l'accent et le geste qui échappèrent à
Julie, que lord Grenville demeura pénétré d'admiration. L'ombre même du crime s'était évanouie dans
cette naïve conscience. Le sentiment religieux qui

dominait sur ce beau front devait toujours en chasser les mauvaises pensées involontaires que notre imparfaite nature engendre, mais qui montrent tout à la fois la grandeur et les périls de notre destinée.

— Alors, reprit-elle, j'aurais encouru votre mépris, et il m'aurait sauvée, reprit-elle en baissant les yeux. Perdre votre estime, n'était-ce pas mourir ?

Ces deux héroïques amants restèrent encore un moment silencieux, occupés à dévorer leurs peines : bonnes et mauvaises, leurs pensées étaient fidèlement les mêmes, et ils s'entendaient aussi bien dans leurs intimes plaisirs que dans leurs douleurs les plus cachées.

— Je ne dois pas murmurer, le malheur de ma vie est mon ouvrage, ajouta-t-elle en levant au ciel les yeux pleins de larmes.

— Milord, s'écria le général de sa place en faisant un geste, nous nous sommes rencontrés ici pour la première fois. Vous ne vous souvenez peut-être pas. Tenez, là-bas, près de ces peupliers.

L'Anglais répondit par une brusque inclination de tête.

— Je devais mourir jeune et malheureuse, répondit Julie. Oui, ne croyez pas que je vive. Le chagrin sera tout aussi mortel que pouvait l'être la terrible maladie de laquelle vous m'avez guérie. Je ne me crois pas coupable. Non, les sentiments que j'ai conçus pour vous sont irrésistibles, éternels, mais bien involontaires, et je veux rester vertueuse. Cependant je serai tout à la fois fidèle à ma conscience d'épouse, à mes devoirs de mère et aux vœux de mon cœur. Ecoutez, lui dit-elle d'une voix altérée, je n'appartiendrai plus à cet homme, jamais. Et, par un geste effrayant d'horreur et de vérité, Julie montra son mari. — Les lois du monde, reprit-elle, exigent que je lui rende l'existence heureuse, j'y obéirai ; je serai sa servante ; mon dévouement pour lui sera sans bornes, mais d'aujourd'hui je suis veuve. Je ne veux être une prostituée ni à mes yeux ni à ceux du monde ; si je ne suis point à M. d'Aiglemont, je ne serai jamais à un autre.

Vous n'aurez de moi que ce que vous m'avez arraché.
Voilà l'arrêt que j'ai porté sur moi-même, dit-elle en
regardant Arthur avec fierté. Il est irrévocable, milord.
Maintenant, apprenez que si vous cédiez à une pensée
criminelle, la veuve de M. d'Aiglemont entrerait dans
un cloître, soit en Italie, soit en Espagne. Le malheur
a voulu que nous ayons parlé de notre amour. Ces
aveux étaient inévitables peut-être ; mais que ce soit
pour la dernière fois que nos cœurs aient si fortement
vibré. Demain, vous feindrez de recevoir une lettre qui
vous appelle en Angleterre, et nous nous quitterons
pour ne plus nous revoir.

Cependant Julie, épuisée par cet effort, sentit ses
genoux fléchir, un froid mortel la saisit, et par une
pensée bien féminine, elle s'assit pour ne pas tomber
dans les bras d'Arthur.

— Julie ! cria lord Grenville.

Ce cri perçant retentit comme un éclat de tonnerre.
Cette déchirante clameur exprima tout ce que
l'amant, jusque-là muet, n'avait pu dire.

— Hé ! bien, qu'a-t-elle donc ? demanda le général.

En entendant ce cri, le marquis avait hâté le pas, et
se trouva soudain devant les deux amants.

— Ce ne sera rien, dit Julie avec cet admirable
sang-froid que la finesse naturelle aux femmes leur
permet d'avoir assez souvent dans les grandes crises
de la vie. La fraîcheur de ce noyer a failli me faire
perdre connaissance, et mon docteur a dû en frémir
de peur. Ne suis-je pas pour lui comme une œuvre
d'art qui n'est pas encore achevée ? Il a peut-être
tremblé de la voir détruite...

Elle prit audacieusement le bras de lord Grenville,
sourit à son mari, regarda le paysage avant de quitter
le sommet des rochers, et entraîna son compagnon de
voyage en lui prenant la main.

— Voici, certes, le plus beau site que nous ayons
vu, dit-elle ; je ne l'oublierai jamais. Voyez donc,
Victor, quels lointains, quelle étendue et quelle
variété. Ce pays me fait concevoir l'amour.

Riant d'un rire presque convulsif, mais riant de

manière à tromper son mari, elle sauta gaiement dans les chemins creux, et disparut.

— Eh ! quoi, sitôt ?... dit-elle quand elle se trouva loin de M. d'Aiglemont. Hé ! quoi, mon ami, dans un instant nous ne pourrons plus être et ne serons plus jamais nous-mêmes ; enfin nous ne vivrons plus...

— Allons lentement, répondit lord Grenville, les voitures sont encore loin. Nous marcherons ensemble, et s'il nous est permis de mettre des paroles dans nos regards, nos cœurs vivront un moment de plus.

Ils se promenèrent sur la levée, au bord des eaux, aux dernières lueurs du soir, presque silencieusement, disant de vagues paroles, douces comme le murmure de la Loire, mais qui remuaient l'âme. Le soleil, au moment de sa chute, les enveloppa de ses reflets rouges avant de disparaître, image mélancolique de leur fatal amour. Très inquiet de ne pas retrouver sa voiture à l'endroit où il s'était arrêté, le général suivait ou devançait les deux amants, sans se mêler de la conversation. La noble et délicate conduite que lord Grenville tenait pendant ce voyage avait détruit les soupçons du marquis, et depuis quelque temps il laissait sa femme libre, en se confiant à la foi punique [63] du lord-docteur. Arthur et Julie marchèrent encore dans le triste et douloureux accord de leurs cœurs flétris. Naguère, en montant à travers les escarpements de Montcontour, ils avaient tous deux une vague espérance, un inquiet bonheur dont ils n'osaient pas se demander compte ; mais en descendant le long de la levée, ils avaient renversé le frêle édifice construit dans leur imagination, et sur lequel ils n'osaient respirer, semblables aux enfants qui prévoient la chute des châteaux de cartes qu'ils ont bâtis. Ils étaient sans espérances. Le soir même, lord Grenville partit. Le dernier regard qu'il jeta sur Julie prouva malheureusement que, depuis le moment où la sympathie leur avait révélé l'étendue d'une passion si forte, il avait eu raison de se défier de lui-même.

Quand M. d'Aiglemont et sa femme se trouvèrent le lendemain assis au fond de leur voiture, sans leur

compagnon de voyage, et qu'ils parcoururent avec
rapidité la route, jadis faite en 1814 par la marquise,
alors ignorante de l'amour et qui en avait alors
presque maudit la constance, elle retrouva mille
impressions oubliées. Le cœur a sa mémoire à lui.
Telle femme incapable de se rappeler les événements
les plus graves, se souviendra pendant toute sa vie des
choses qui importent à ses sentiments. Aussi, Julie
eut-elle une parfaite souvenance de détails même fri-
voles. Elle reconnut avec bonheur les plus légers accidents de son premier voyage, et jusqu'à des pensées
qui lui étaient venues à certains endroits de la route.
Victor, redevenu passionnément amoureux de sa
femme depuis qu'elle avait recouvré la fraîcheur de la
jeunesse et toute sa beauté, se serra près d'elle à la
façon des amants. Lorsqu'il essaya de la prendre dans
ses bras, elle se dégagea doucement, et trouva je ne
sais quel prétexte pour éviter cette innocente caresse.
Puis, bientôt, elle eut horreur du contact de Victor de
qui elle sentait et partageait la chaleur, par la manière
dont ils étaient assis. Elle voulut se mettre seule sur le
devant de la voiture ; mais son mari lui fit la grâce de
la laisser au fond. Elle le remercia de cette attention
par un soupir auquel il se méprit, et cet ancien séducteur de garnison, interprétant à son avantage la mélancolie de sa femme, la mit à la fin du jour dans l'obli-
gation de lui parler avec une fermeté qui lui imposa.

— Mon ami, lui dit-elle, vous avez déjà failli me
tuer ; vous le savez. Si j'étais encore une jeune fille
sans expérience, je pourrais recommencer le sacrifice
de ma vie ; mais je suis mère, j'ai une fille à élever, et
je me dois autant à elle qu'à vous. Subissons un malheur qui nous atteint également. Vous êtes le moins à
plaindre. N'avez-vous pas su trouver des consolations
que mon devoir, notre honneur commun, et, mieux
que tout cela, la nature m'interdisent. Tenez, ajouta-
t-elle, vous avez étourdiment oublié dans un tiroir
trois lettres de Mme de Sérizy ; les voici. Mon silence
vous prouve que vous avez en moi une femme pleine
d'indulgence, et qui n'exige pas de vous les sacrifices

auxquels les lois la condamnent ; mais j'ai assez
réfléchi pour savoir que nos rôles ne sont pas les
mêmes, et que la femme seule est prédestinée au malheur. Ma vertu repose sur des principes arrêtés et
fixes. Je saurai vivre irréprochable ; mais laissez-moi
vivre.

Le marquis, abasourdi par la logique que les
femmes savent étudier aux clartés de l'amour, fut subjugué par l'espèce de dignité qui leur est naturelle
dans ces sortes de crises. La répulsion instinctive que
Julie manifestait pour tout ce qui froissait son amour
et les vœux de son cœur est une des plus belles choses
de la femme, et vient peut-être d'une vertu naturelle
que ni les lois ni la civilisation ne feront taire. Mais
qui donc oserait blâmer les femmes ? Quand elles ont
imposé silence au sentiment exclusif qui ne leur
permet pas d'appartenir à deux hommes, ne sont-elles
pas comme des prêtres sans croyance ? Si quelques
esprits rigides blâment l'espèce de transaction conclue
par Julie entre ses devoirs et son amour, les âmes passionnées lui en feront un crime. Cette réprobation
générale accuse ou le malheur qui attend les désobéis-
sances aux lois, ou de bien tristes imperfections dans
les institutions sur lesquelles repose la Société euro-
péenne.

Deux ans se passèrent, pendant lesquels M. et
Mme d'Aiglemont menèrent la vie des gens du
monde, allant chacun de leur côté, se rencontrant
dans les salons plus souvent que chez eux ; élégant
divorce par lequel se terminent beaucoup de mariages
dans le grand monde. Un soir, par extraordinaire, les
deux époux se trouvaient réunis dans leur salon.
Mme d'Aiglemont avait eu à dîner l'une de ses amies.
Le général, qui dînait toujours en ville, était resté chez
lui.

— Vous allez être bien heureuse, Mme la marquise,
dit M. d'Aiglemont en posant sur une table la tasse
dans laquelle il venait de boire son café.

Le marquis regarda Mme de Wimphen d'un air
moitié malicieux, moitié chagrin, et ajouta :

— Je pars pour une longue chasse, où je vais avec le grand-veneur. Vous serez au moins pendant huit jours absolument veuve, et c'est ce que vous désirez, je crois...

— Guillaume, dit-il au valet qui vint enlever les tasses, faites atteler.

Mme de Wimphen était cette Louisa à laquelle jadis Mme d'Aiglemont voulait conseiller le célibat. Les deux femmes se jetèrent un regard d'intelligence qui prouvait que Julie avait trouvé dans son amie une confidente de ses peines, confidente précieuse et charitable, car Mme de Wimphen était très heureuse en mariage ; et, dans la situation opposée où elles étaient, peut-être le bonheur de l'une faisait-il une garantie de son dévouement au malheur de l'autre. En pareil cas, la dissemblance des destinées est presque toujours un puissant lien d'amitié.

— Est-ce le temps de la chasse ? dit Julie en jetant un regard indifférent à son mari.

Le mois de mars était à sa fin.

— Madame, le grand-veneur chasse quand il veut et où il veut. Nous allons en forêt royale tuer des sangliers.

— Prenez garde qu'il ne vous arrive quelque accident...

— Un malheur est toujours imprévu, répondit-il en souriant.

— La voiture de monsieur est prête, dit Guillaume.

Le général se leva, baisa la main de Mme de Wimphen, et se tourna vers Julie.

— Madame, si je périssais victime d'un sanglier ! dit-il d'un air suppliant.

– Qu'est-ce que cela signifie ? demanda Mme de Wimphen.

— Allons, venez, dit Mme d'Aiglemont à Victor.

Puis, elle sourit comme pour dire à Louisa :

— Tu vas voir.

Julie tendit son cou à son mari, qui s'avança pour l'embrasser ; mais la marquise se baissa de telle sorte, que le baiser conjugal glissa sur la ruche de sa pèlerine.

— Vous en témoignerez devant Dieu, reprit le marquis en s'adressant à Mme de Wimphen, il me faut un firman [64] pour obtenir cette légère faveur. Voilà comment ma femme entend l'amour. Elle m'a amené là, je ne sais par quelle ruse. Bien du plaisir !

Et il sortit.

— Mais ton pauvre mari est vraiment bien bon, s'écria Louisa quand les deux femmes se trouvèrent seules. Il t'aime.

— Oh ! n'ajoute pas une syllabe à ce dernier mot. Le nom que je porte me fait horreur...

— Oui, mais Victor t'obéit entièrement, dit Louisa.

— Son obéissance, répondit Julie, est en partie fondée sur la grande estime que je lui ai inspirée. Je suis une femme très vertueuse selon les lois ; je lui rends sa maison agréable ; je ferme les yeux sur ses intrigues ; je ne prends rien sur sa fortune ; il peut en gaspiller les revenus à son gré : j'ai soin seulement d'en conserver le capital. A ce prix, j'ai la paix. Il ne s'explique pas, ou ne veut pas s'expliquer mon existence. Mais si je mène ainsi mon mari, ce n'est pas sans redouter les effets de son caractère. Je suis comme un conducteur d'ours qui tremble qu'un jour la muselière ne se brise. Si Victor croyait avoir le droit de ne plus m'estimer, je n'ose prévoir ce qui pourrait arriver ; car il est violent, plein d'amour-propre, de vanité surtout. S'il n'a pas l'esprit assez subtil pour prendre un parti sage dans une circonstance délicate où ses passions mauvaises seront mises en jeu ; il est faible de caractère, et me tuerait peut-être provisoirement [65], quitte à mourir de chagrin le lendemain. Mais ce fatal bonheur n'est pas à craindre...

Il y eut un moment de silence, pendant lequel les pensées des deux amies se portèrent sur la cause secrète de cette situation.

— J'ai été bien cruellement obéie, reprit Julie en lançant un regard d'intelligence à Louisa. Cependant ne je *lui* avais pas interdit de m'écrire. Ah ! *il* m'a oubliée, et a eu raison. Il serait par trop funeste que sa destinée fût brisée ! n'est-ce pas assez de la mienne ?

Croirais-tu, ma chère, que je lis les journaux anglais, dans le seul espoir de voir son nom imprimé. Eh ! bien, il n'a pas encore paru à la chambre des lords.

— Tu sais donc l'anglais ?

— Je ne te l'ai pas dit ! je l'ai appris.

— Pauvre petite, s'écria Louisa en saisissant la main de Julie, mais comment peux-tu vivre encore ?

— Ceci est un secret, répondit la marquise en laissant échapper un geste de naïveté presque enfantine. Ecoute. Je prends de l'opium. L'histoire de la duchesse de..., à Londres, m'en a donné l'idée. Tu sais, Maturin en a fait un roman [66]. Mes gouttes de laudanum sont très faibles. Je dors. Je n'ai guère que sept heures de veille, et je les donne à ma fille...

Louisa regarda le feu, sans oser contempler son amie dont toutes les misères se développaient à ses yeux pour la première fois.

— Louisa, garde-moi le secret, dit Julie après un moment de silence.

Tout à coup un valet apporta une lettre à la marquise.

— Ah ! s'écria-t-elle en pâlissant.

— Je ne demanderai pas de qui, dit Mme de Wimphen.

La marquise lisait et n'entendait plus rien, son amie vit les sentiments les plus actifs, l'exaltation la plus dangereuse, se peindre sur le visage de Mme d'Aiglemont qui rougissait et pâlissait tour à tour. Enfin Julie jeta le papier dans le feu.

— Cette lettre est incendiaire ! Oh ! mon cœur m'étouffe.

Elle se leva, marcha ; ses yeux brûlaient.

— Il n'a pas quitté Paris ! s'écria-t-elle.

Son discours saccadé, que Mme de Wimphen n'osa pas interrompre, fut scandé par des pauses effrayantes. A chaque interruption, les phrases étaient prononcées d'un accent de plus en plus profond. Les derniers mots eurent quelque chose de terrible.

— Il n'a pas cessé de me voir, à mon insu. Un de mes regards surpris chaque jour l'aide à vivre. Tu ne sais pas, Louisa ? il meurt et demande à me dire adieu, il sait que mon mari s'est absenté ce soir pour plusieurs jours, et va venir dans un moment. Oh ! j'y périrai. Je suis perdue. Ecoute ! reste avec moi. Devant deux femmes, il n'osera pas ! Oh ! demeure, je me crains.

— Mais mon mari sait que j'ai dîné chez toi, répondit Mme de Wimphen, et doit venir me chercher.

— Eh ! bien, avant ton départ, je l'aurai renvoyé. Je serai notre bourreau à tous deux. Hélas ! il croira que je ne l'aime plus. Et cette lettre ! ma chère, elle contenait des phrases que je vois écrites en traits de feu.

Une voiture roula sous la porte.

— Ah ! s'écria la marquise avec une sorte de joie, il vient publiquement et sans mystère.

— Lord Grenville, cria le valet.

La marquise resta debout, immobile. En voyant Arthur pâle, maigre et hâve, il n'y avait plus de sévérité possible. Quoique lord Grenville fût violemment contrarié de ne pas trouver Julie seule, il parut calme et froid. Mais pour ces deux femmes initiées aux mystères de son amour, sa contenance, le son de sa voix, l'expression de ses regards, eurent un peu de la puissance attribuée à la torpille [67]. La marquise et Mme de Wimphen restèrent comme engourdies par la vive communication d'une douleur horrible. Le son de la voix de lord Grenville faisait palpiter si cruellement Mme d'Aiglemont, qu'elle n'osait lui répondre de peur de lui révéler l'étendue du pouvoir qu'il exerçait sur elle ; lord Grenville n'osait regarder Julie, en sorte que Mme de Wimphen fit presque à elle seule les frais d'une conversation sans intérêt ; lui jetant un regard empreint d'une touchante reconnaissance, Julie la remercia du secours qu'elle lui donnait. Alors les deux amants imposèrent silence à leurs sentiments, et durent se tenir dans les bornes prescrites par les devoirs et les convenances. Mais bientôt on annonça M. de Wimphen ; en le voyant entrer, les deux amies se lancèrent un regard, et comprirent, sans se parler,

les nouvelles difficultés de la situation. Il était impossible de mettre M. de Wimphen dans le secret de ce
drame, et Louisa n'avait pas de raisons valables à
donner à son mari, en lui demandant à rester chez son
amie. Lorsque Mme de Wimphen mit son châle, Julie
se leva comme pour aider Louisa à l'attacher, et dit à
voix basse :

— J'aurai du courage. S'il est venu publiquement
chez moi, que puis-je craindre ? Mais, sans toi, dès le
premier moment, en le voyant si changé, je serais
tombée à ses pieds.

— Hé ! bien, Arthur, vous ne m'avez pas obéi, dit
Mme d'Aiglemont d'une voix tremblante en revenant
prendre sa place sur une causeuse où lord Grenville
n'osa venir s'asseoir.

— Je n'ai pu résister plus longtemps au plaisir
d'entendre votre voix, d'être auprès de vous. C'était
une folie, un délire. Je ne suis plus maître de moi. Je
me suis bien consulté, je suis trop faible. Je dois
mourir. Mais mourir sans vous avoir vue, sans avoir
écouté le frémissement de votre robe, sans avoir
recueilli vos pleurs, quelle mort !

Il voulut s'éloigner de Julie, mais son brusque mouvement fit tomber un pistolet de sa poche. La marquise regarda cette arme d'un œil qui n'exprimait plus
ni passion ni pensée. Lord Grenville ramasse le pistolet et parut violemment contrarié d'un accident qui
pouvait passer pour une spéculation d'amoureux.

— Arthur ! demanda Julie.

— Madame, répondit-il, en baissant les yeux, j'étais
venu plein de désespoir, je voulais...

Il s'arrêta.

— Vous vouliez vous tuer chez moi ! s'écria-t-elle.

— Non pas seul, dit-il d'une voix douce.

— Eh ! quoi, mon mari, peut-être ?

— Non, non, s'écria-t-il d'une voix étouffée. Mais
rassurez-vous, reprit-il, mon fatal projet s'est évanoui.
Lorsque je suis entré, quand je vous ai vue, alors je me
suis senti le courage de me taire, de mourir seul.

Julie se leva, se jeta dans les bras d'Arthur qui,

malgré les sanglots de sa maîtresse, distingua deux
paroles pleines de passion.

— Connaître le bonheur et mourir, dit-elle. Eh !
bien, oui !

Toute l'histoire de Julie était dans ce cri profond,
cri de nature et d'amour auquel les femmes sans religion succombent ; Arthur la saisit et la porta sur le
canapé par un mouvement empreint de toute la violence que donne un bonheur inespéré. Mais tout à
coup la marquise s'arracha des bras de son amant, lui
jeta le regard fixe d'une femme au désespoir, le prit
par la main, saisit un flambeau, l'entraîna dans sa
chambre à coucher ; puis, parvenue au lit où dormait
Hélène, elle repoussa doucement les rideaux et découvrit son enfant en mettant une main devant la bougie,
afin que la clarté n'offensât pas les paupières transpa-
rentes et à peine fermées de la petite fille. Hélène avait
les bras ouverts, et souriait en dormant. Julie montra
par un regard son enfant à lord Grenville. Ce regard
disait tout.

— Un mari, nous pouvons l'abandonner même
quand il nous aime. Un homme est un être fort, il a
des consolations. Nous pouvons mépriser les lois du
monde. Mais un enfant sans mère !

Toutes ces pensées et mille autres plus attendris-
santes encore étaient dans ce regard.

— Nous pouvons l'emporter, dit l'Anglais en murmurant, je l'aimerai bien...

— Maman ! dit Hélène en s'éveillant.

A ce mot, Julie fondit en larmes. Lord Grenville
s'assit et resta les bras croisés, muet et sombre.

— Maman ! Cette jolie, cette naïve interpellation
réveilla tant de sentiments nobles et tant d'irrésistibles
sympathies, que l'amour fut un moment écrasé sous la
voix puissante de la maternité. Julie ne fut plus
femme, elle fut mère. Lord Grenville ne résista pas
longtemps, les larmes de Julie le gagnèrent. En ce
moment, une porte ouverte avec violence fit un grand
bruit, et ces mots : — Mme d'Aiglemont, es-tu par
ici ? retentirent comme un éclat de tonnerre au cœur

des deux amants. Le marquis était revenu. Avant que
Julie eût pu retrouver son sang-froid, le général se
dirigeait de sa chambre dans celle de sa femme. Ces
deux pièces étaient contiguës. Heureusement, Julie fit
un signe à lord Grenville qui alla se jeter dans un
cabinet de toilette dont la porte fut vivement fermée
par la marquise.

— Eh ! bien, ma femme, lui dit Victor, me voici. La
chasse n'a pas lieu. Je vais me coucher.

— Bonsoir, lui dit-elle, je vais en faire autant. Ainsi
laissez-moi me déshabiller.

— Vous êtes bien revêche ce soir. Je vous obéis,
madame la marquise.

Le général rentra dans sa chambre, Julie l'accompagna pour fermer la porte de communication, et
s'élança pour délivrer lord Grenville. Elle retrouva
toute sa présence d'esprit, et pensa que la visite de
son ancien docteur était fort naturelle ; elle pouvait
l'avoir laissé au salon pour venir coucher sa fille, et
allait lui dire de s'y rendre sans bruit ; mais quand
elle ouvrit la porte du cabinet, elle jeta un cri perçant. Les doigts de lord Grenville avaient été pris et
écrasés dans la rainure.

— Eh ! bien, qu'as-tu donc ? lui demanda son mari.

— Rien, rien, répondit-elle, je viens de me piquer le
doigt avec une épingle.

La porte de communication se rouvrir tout à coup.
La marquise crut que son mari venait par intérêt pour
elle, et maudit cette sollicitude où le cœur n'était pour
rien. Elle eut à peine le temps de fermer le cabinet de
toilette, et lord Grenville n'avait pas encore pu
dégager sa main. Le général reparut en effet ; mais la
marquise se trompait, il était amené par une inquiétude personnelle.

— Peux-tu me prêter un foulard ? Ce drôle de
Charles me laisse sans un seul mouchoir de tête. Dans
les premiers jours de notre mariage, tu te mêlais de
mes affaires avec des soins si minutieux que tu m'en
ennuyais. Ah ! le mois de miel [68] n'a pas beaucoup
duré pour moi, ni pour mes cravates. Maintenant je

suis livré au bras séculier de ces gens-là qui se
moquent tous de moi.

— Tenez, voilà un foulard. Vous n'êtes pas entré
dans le salon ?

— Non.

— Vous y auriez peut-être encore rencontré lord
Grenville.

— Il est à Paris ?

— Apparemment.

— Oh ! j'y vais, ce bon docteur.

— Mais il doit être parti, s'écria Julie.

Le marquis était en ce moment au milieu de la
chambre de sa femme, et se coiffait avec le foulard, en
se regardant avec complaisance dans la glace.

— Je ne sais pas où sont nos gens, dit-il. J'ai sonné
Charles déjà trois fois, il n'est pas venu. Vous êtes
donc sans votre femme de chambre ? Sonnez-la, je
voudrais avoir cette nuit une couverture de plus à mon
lit.

— Pauline est sortie, répondit sèchement la marquise.

— A minuit ! dit le général.

— Je lui ai permis d'aller à l'Opéra.

— Cela est singulier ! reprit le mari tout en se dés-
habillant, j'ai cru la voir en montant l'escalier.

— Elle est alors sans doute rentrée, dit Julie en
affectant de l'impatience.

Puis, pour n'éveiller aucun soupçon chez son mari,
la marquise tira le cordon de la sonnette, mais faiblement.

Les événements de cette nuit n'ont pas tous été
parfaitement connus ; mais tous durent être aussi simples, aussi horribles que le sont les incidents vulgaires
et domestiques qui précèdent. Le lendemain, la marquise d'Aiglemont se mit au lit pour plusieurs jours.

— Qu'est-il donc arrivé de si extraordinaire chez
toi, pour que tout le monde parle de ta femme ?
demanda M. de Ronquerolles à M. d'Aiglemont quelques jours après cette nuit de catastrophes.

— Crois-moi, reste garçon, dit d'Aiglemont. Le feu

a pris aux rideaux du lit où couchait Hélène ; ma femme a eu un tel saisissement que la voilà malade pour un an, dit le médecin. Vous épousez une jolie femme, elle enlaidit ; vous épousez une jeune fille pleine de santé, elle devient malingre ; vous la croyez passionnée, elle est froide ; ou bien, froide en apparence, elle est réellement si passionnée qu'elle vous tue ou vous déshonore. Tantôt la créature la plus douce est quinteuse, et jamais les quinteuses ne deviennent douces ; tantôt l'enfant que vous avez eue niaise et faible, déploie contre vous une volonté de fer, un esprit de démon. Je suis las du mariage.

— Ou de ta femme.

— Cela serait difficile. A propos, veux-tu venir à Saint-Thomas-d'Aquin avec moi voir l'enterrement de lord Grenville ?

— Singulier passe-temps. Mais, reprit Ronquerolles, sait-on décidément la cause de sa mort ?

— Son valet de chambre prétend qu'il est resté pendant toute une nuit sur l'appui extérieur d'une fenêtre pour sauver l'honneur de sa maîtresse ; et, il a fait diablement froid ces jours-ci !

— Ce dévouement serait très estimable chez nous autres, vieux routiers ; mais lord Grenville est jeune, et... Anglais. Ces Anglais veulent toujours se singulariser.

— Bah ! répondit d'Aiglemont, ces traits d'héroïsme dépendent de la femme qui les inspire, et ce n'est certes pas pour la mienne que ce pauvre Arthur est mort !

II

SOUFFRANCES INCONNUES

Entre la petite rivière du Loing et la Seine, s'étend une vaste plaine bordée par la forêt de Fontainebleau, par les villes de Moret, de Nemours et de Montereau. Cet aride pays n'offre à la vue que de rares monticules ; parfois, au milieu des champs, quelques carrés de bois qui servent de retraite au gibier ; puis, partout, ces lignes sans fin, grises ou jaunâtres, particulières aux horizons de la Sologne, de la Beauce et du Berri [69]. Au milieu de cette plaine, entre Moret et Montereau, le voyageur aperçoit un vieux château nommé Saint-Lange, dont les abords ne manquent ni de grandeur ni de majesté. C'est de magnifiques avenues d'ormes, des fossés, de longs murs d'enceinte, des jardins immenses, et les vastes constructions seigneuriales, qui pour être bâties voulaient les profits de la maltôte [70], ceux des fermes générales, les concussions autorisées ou les grandes fortunes aristocratiques détruites aujourd'hui par le marteau du Code civil. Si l'artiste ou quelque rêveur vient à s'égarer par hasard dans les chemins à profondes ornières ou dans les terres fortes qui défendent l'abord de ce pays, il se demande par quel caprice ce poétique château fut jeté dans cette savane de blé, dans ce désert de craie, de marne et de sables où la gaieté meurt, où la tristesse

naît infailliblement, où l'âme est incessamment fatiguée par une solitude sans voix, par un horizon monotone, beautés négatives, mais favorables aux souffrances qui ne veulent pas de consolations.

Une jeune femme, célèbre à Paris par sa grâce, par
sa figure, par son esprit, et dont la position sociale,
dont la fortune étaient en harmonie avec sa haute
célébrité, vint, au grand étonnement du petit village,
situé à un mille environ de Saint-Lange, s'y établir
vers la fin de l'année 1820. Les fermiers et les paysans
n'avaient point vu de maîtres au château depuis un
temps immémorial. Quoique d'un produit considérable, la terre était abandonnée aux soins d'un régisseur et gardée par d'anciens serviteurs. Aussi le voyage
de madame la marquise causa-t-il une sorte d'émoi
dans le pays. Plusieurs personnes étaient groupées au
bout du village, dans la cour d'une méchante auberge,
sise à l'embranchement des routes de Nemours et de
Moret, pour voir passer une calèche qui allait assez
lentement, car la marquise était venue de Paris avec
ses chevaux. Sur le devant de la voiture, la femme de
chambre tenait une petite fille plus songeuse que
rieuse. La mère gisait au fond, comme un moribond
envoyé par les médecins à la campagne. La physionomie abattue de cette jeune femme délicate contenta
fort peu les politiques du village, auxquels son arrivée
à Saint-Lange avait fait concevoir l'espérance d'un
mouvement quelconque dans la commune. Certes,
toute espèce de mouvement était visiblement antipathique à cette femme endolorie.

La plus forte tête du village de Saint-Lange déclara
le soir au cabaret, dans la chambre où buvaient les
notables, que, d'après la tristesse empreinte sur les
traits de Mme la marquise, elle devait être ruinée. En
l'absence de M. le marquis, que les journaux dési-
gnaient comme devant accompagner le duc
d'Angoulême en Espagne, elle allait économiser à
Saint-Lange les sommes nécessaires à l'acquittement
des différences dues par suite de fausses spéculations
faites à la Bourse. Le marquis était un des plus gros

joueurs. Peut-être la terre serait-elle vendue par petits lots. Il y aurait alors de bons coups à faire. Chacun devait songer à compter ses écus, les tirer de leur cachette, énumérer ses ressources, afin d'avoir sa part dans l'abattis [71] de Saint-Lange. Cet avenir parut si beau que chaque notable, impatient de savoir s'il était fondé, pensa aux moyens d'apprendre la vérité par les gens du château ; mais aucun d'eux ne put donner de lumières sur la catastrophe qui amenait leur maîtresse, au commencement de l'hiver, dans son vieux château de Saint-Lange, tandis qu'elle possédait d'autres terres renommées par la gaieté des aspects et par la beauté des jardins. M. le Maire vint pour présenter ses hommages à Madame ; mais il ne fut pas reçu. Après le maire, le régisseur se présenta sans plus de succès.

Mme la marquise ne sortait de sa chambre que pour la laisser arranger, et demeurait, pendant ce temps, dans un petit salon voisin où elle dînait, si l'on peut appeler dîner se mettre à une table, y regarder les mets avec dégoût, et en prendre précisément la dose nécessaire pour ne pas mourir de faim. Puis elle revenait aussitôt à la bergère antique où, dès le matin, elle s'asseyait dans l'embrasure de la seule fenêtre qui éclairât sa chambre. Elle ne voyait sa fille que pendant le peu d'instants employés par son triste repas, et encore paraissait-elle la souffrir avec peine. Ne fallait-il pas des douleurs inouïes pour faire taire, chez une jeune femme, le sentiment maternel ? Aucun de ses gens n'avait accès auprès d'elle. Sa femme de chambre était la seule personne dont les services lui plaisaient. Elle exigea un silence absolu dans le château, sa fille dut aller jouer loin d'elle. Il lui était si difficile de supporter le moindre bruit que toute voix humaine, même celle de son enfant, l'affectait désagréablement. Les gens du pays s'occupèrent beaucoup de ses singularités ; puis, quand toutes les suppositions possibles furent faites, ni les petites villes environnantes, ni les paysans ne songèrent plus à cette femme malade.

La marquise, laissée à elle-même, put donc rester
parfaitement silencieuse au milieu du silence qu'elle
avait établi autour d'elle, et n'eut aucune occasion de
quitter la chambre tendue de tapisseries où mourut sa
grand-mère, et où elle était venue pour y mourir doucement, sans témoins, sans importunités, sans subir
les fausses démonstrations des égoïsmes fardés
d'affection qui, dans les villes, donnent aux mourants
une double agonie. Cette femme avait vingt-six ans. A
cet âge, une âme encore pleine de poétiques illusions
aime à savourer la mort, quand elle lui semble bien-
faisante. Mais la mort a de la coquetterie pour les
jeunes gens ; pour eux, elle s'avance et se retire, se
montre et se cache ; sa lenteur les désenchante d'elle,
et l'incertitude que leur cause son lendemain finit par
les rejeter dans le monde où ils rencontreront la douleur, qui, plus impitoyable que ne l'est la mort, les
frappera sans se laisser attendre. Or, cette femme qui
se refusait à vivre allait éprouver l'amertume de ces
retardements au fond de la solitude, et y faire, dans
une agonie morale que la mort ne terminerait pas, un
terrible apprentissage d'égoïsme qui devait lui déflorer
le cœur et le façonner au monde.

Ce cruel et triste enseignement est toujours le fruit
de nos premières douleurs. La marquise souffrait véritablement pour la première et pour la seule fois de sa
vie peut-être. En effet, ne serait-ce pas une erreur de
croire que les sentiments se reproduisent ? Une fois
éclos, n'existent-ils pas toujours au fond du cœur ? Ils
s'y apaisent et s'y réveillent au gré des accidents de la
vie ; mais ils y restent, et leur séjour modifie nécessairement l'âme. Ainsi, tout sentiment n'aurait qu'un
grand jour, le jour plus ou moins long de sa première
tempête. Ainsi, la douleur, le plus constant de nos
sentiments, ne serait vive qu'à sa première irruption ;
et ses autres atteintes iraient en s'affaiblissant, soit par
notre accoutumance à ses crises, soit par une loi de
notre nature qui, pour se maintenir vivante, oppose à
cette force destructive une force égale mais inerte,
prise dans les calculs de l'égoïsme. Mais, entre toutes

les souffrances, à laquelle appartiendra ce nom de
douleur ? La perte des parents est un chagrin auquel
la nature a préparé les hommes ; le mal physique est
passager, n'embrasse pas l'âme ; et s'il persiste, ce
n'est plus un mal, c'est la mort. Qu'une jeune femme
perde un nouveau-né, l'amour conjugal lui a bientôt
donné un successeur. Cette affliction est passagère
aussi. Enfin, ces peines et beaucoup d'autres semblables sont, en quelque sorte, des coups, des blessures ;
mais aucune n'affecte la vitalité dans son essence, et il
faut qu'elles se succèdent étrangement pour tuer le
sentiment qui nous porte à chercher le bonheur. La
grande, la vraie douleur serait donc un mal assez
meurtrier pour étreindre à la fois le passé, le présent et
l'avenir, ne laisser aucune partie de la vie dans son
intégrité, dénaturer à jamais la pensée, s'inscrire inal-
térablement sur les lèvres et sur le front, briser ou
détendre les ressorts du plaisir, en mettant dans l'âme
un principe de dégoût pour toute chose de ce monde.
Encore, pour être immense, pour ainsi peser sur l'âme
et sur le corps, ce mal devrait arriver en un moment
de la vie où toutes les forces de l'âme et du corps sont
jeunes, et foudroyer un cœur bien vivant. Le mal fait
alors une large plaie ; grande est la souffrance ; et nul
être ne peut sortir de cette maladie sans quelque poétique changement : ou il prend la route du ciel, ou, s'il
demeure ici-bas, il rentre dans le monde pour mentir
au monde, pour y jouer un rôle ; il connaît dès lors la
coulisse où l'on se retire pour calculer, pleurer, plaisanter. Après cette crise solennelle, il n'existe plus de
mystère dans la vie sociale qui dès lors est irrévocable-
ment jugée. Chez les jeunes femmes qui ont l'âge de
la marquise, cette première, cette plus poignante de
toutes les douleurs, est toujours causée par le même
fait. La femme et surtout la jeune femme, aussi grande
par l'âme qu'elle l'est par la beauté, ne manque jamais
à mettre sa vie là où la nature, le sentiment et la
société la poussent à la jeter tout entière. Si cette vie
vient à lui faillir et si elle reste sur terre, elle y exprime
les plus cruelles souffrances, par la raison qui rend le

premier amour le plus beau de tous les sentiments.
Pourquoi ce malheur n'a-t-il jamais eu ni peintre ni
poète ? Mais peut-il se peindre, peut-il se chanter ?
Non, la nature des douleurs qu'il engendre se refuse à
l'analyse et aux couleurs de l'art. D'ailleurs, ces souffrances ne sont jamais confiées : pour en consoler une
femme, il faut savoir les deviner ; car, toujours amèrement embrassées et religieusement ressenties, elles
demeurent dans l'âme comme une avalanche, en tombant dans une vallée, y dégrade tout avant de s'y faire
une place.

La marquise était alors en proie à ces souffrances
qui resteront longtemps inconnues, parce que tout
dans le monde les condamne ; tandis que le sentiment
les caresse, et que la conscience d'une femme vraie les
lui justifie toujours. Il en est de ces douleurs comme
de ces enfants infailliblement repoussés de la vie, et
qui tiennent au cœur des mères par des liens plus forts
que ceux des enfants heureusement doués. Jamais
peut-être cette épouvantable catastrophe qui tue tout
ce qu'il y a de vie en dehors de nous n'avait été aussi
vive, aussi complète, aussi cruellement agrandie par
les circonstances qu'elle venait de l'être pour la marquise. Un homme aimé, jeune et généreux, de qui elle
n'avait jamais exaucé les désirs afin d'obéir aux lois du
monde, était mort pour lui sauver ce que la société
nomme l'*honneur d'une femme*. A qui pouvait-elle dire :
Je souffre ! Ses larmes auraient offensé son mari, cause
première de la catastrophe. Les lois, les mœurs pros-
crivaient ses plaintes ; une amie en eût joui, un
homme en eût spéculé. Non, cette pauvre affligée ne
pouvait pleurer à son aise que dans un désert, y
dévorer sa souffrance ou être dévorée par elle, mourir
ou tuer quelque chose en elle, sa conscience peut-être.
Depuis quelques jours, elle restait les yeux attachés
sur un horizon plat où, comme dans sa vie à venir, il
n'y avait rien à chercher, rien à espérer, où tout se
voyait d'un seul coup d'œil, et où elle rencontrait les
images de la froide désolation qui lui déchirait incessamment le cœur. Les matinées de brouillard, un ciel

d'une clarté faible, des nuées courant près la terre sous un dais grisâtre convenaient aux phases de sa maladie morale. Son cœur ne se serrait pas, n'était pas plus ou moins flétri ; non, sa nature fraîche et fleurie se pétrifiait par la lente action d'une douleur intolérable parce qu'elle était sans but. Elle souffrait par elle et pour elle. Souffrir ainsi n'est-ce pas mettre le pied dans l'égoïsme ? Aussi d'horribles pensées lui traversaient-elles la conscience en la lui blessant. Elle s'interrogeait avec bonne foi et se trouvait double. Il y avait en elle une femme qui raisonnait et une femme qui sentait, une femme qui souffrait et une femme qui ne voulait plus souffrir. Elle se reportait aux joies de son enfance, écoulée sans qu'elle en eût senti le bonheur, et dont les limpides images revenaient en foule comme pour lui accuser les déceptions d'un mariage convenable aux yeux du monde, horrible en réalité. A quoi lui avaient servi les belles pudeurs de sa jeunesse, ses plaisirs réprimés et les sacrifices faits au monde ? Quoique tout en elle exprimât et attendît l'amour, elle se demandait pourquoi maintenant l'harmonie de ses mouvements, son sourire et sa grâce ? Elle n'aimait pas plus à se sentir fraîche et voluptueuse qu'on n'aime un son répété sans but. Sa beauté même lui était insupportable, comme une chose inutile. Elle entrevoyait avec horreur que désormais elle ne pouvait plus être une créature complète. Son moi intérieur n'avait-il pas perdu la faculté de goûter les impressions dans ce neuf délicieux qui prête tant d'allégresse à la vie ? A l'avenir, la plupart de ses sensations seraient souvent aussi tôt effacées que reçues, et beaucoup de celles qui jadis l'auraient émue allaient lui devenir indifférentes. Après l'enfance de la créature vient l'enfance du cœur. Or, son amant avait emporté dans la tombe cette seconde enfance. Jeune encore par ses désirs, elle n'avait plus cette entière jeunesse d'âme qui donne à tout dans la vie sa valeur et sa saveur. Ne garderait-elle pas en elle un principe de tristesse, de défiance, qui ravirait à ses émotions leur subite verdeur, leur entraînement ? car rien ne pouvait plus lui rendre le bonheur qu'elle avait espéré, qu'elle avait rêvé si beau. Ses premières larmes véritables éteignaient ce feu céleste qui éclaire les premières émotions du cœur, elle devait toujours pâtir de n'être pas ce qu'elle aurait pu être. De cette croyance doit procéder le dégoût amer qui porte à détourner la tête quand de nouveau le plaisir se présente. Elle jugeait alors la vie comme un vieillard près de la quitter. Quoiqu'elle se sentît jeune, la masse de ses jours sans jouissances lui tombait sur l'âme, la lui écrasait et la faisait vieille avant le temps. Elle demandait au monde, par un cri de désespoir, ce qu'il lui rendait en échange de l'amour qui l'avait aidée à vivre et qu'elle avait perdu. Elle se demandait si dans ses amours évanouis, si chastes et si purs [72], la pensée n'avait pas été plus criminelle que l'action. Elle se faisait coupable à plaisir pour insulter au monde et pour se consoler de ne pas avoir eu avec celui qu'elle pleurait cette communication parfaite qui, en superposant les âmes l'une à l'autre, amoindrit la douleur de celle qui reste par la certitude d'avoir entièrement joui du bonheur, d'avoir su pleinement le donner, et de garder en soi une empreinte de celle qui n'est plus. Elle était mécontente comme une actrice qui a manqué son rôle, car cette douleur lui attaquait toutes les fibres, le cœur et la tête. Si la nature était froissée dans ses vœux les plus intimes, la vanité n'était pas moins blessée que la bonté qui porte la femme à se sacrifier. Puis, en soulevant toutes les questions, en remuant tous les ressorts des différentes existences que nous donnent les natures sociale, morale et physique, elle relâchait si bien les forces de l'âme, qu'au milieu des réflexions les plus contradictoires elle ne pouvait rien saisir. Aussi parfois, quand le brouillard tombait, ouvrait-elle sa fenêtre, en y restant sans pensée, occupée à respirer machinalement l'odeur humide et terreuse épandue dans les airs, debout, immobile, idiote en apparence, car les bourdonnements de sa douleur la rendaient également sourde aux harmonies de la nature et aux charmes de la pensée.

Un jour, vers midi, moment où le soleil avait éclairci le temps, sa femme de chambre entra sans ordre et lui dit :

— Voici la quatrième fois que monsieur le curé vient pour voir madame la marquise ; et il insiste aujourd'hui si résolument, que nous ne savons plus que lui répondre.

— Il veut sans doute quelque argent pour les pauvres de la commune, prenez vingt-cinq louis et portez-les-lui de ma part.

— Madame, dit la femme de chambre en revenant un moment après, M. le curé refuse de prendre l'argent et désire vous parler.

— Qu'il vienne donc ! répondit la marquise en laissant échapper un geste d'humeur qui pronostiquait une triste réception au prêtre de qui elle voulut sans doute éviter les persécutions par une explication courte et franche.

La marquise avait perdu sa mère en bas âge, et son éducation fut naturellement influencée par le relâchement qui, pendant la Révolution, dénoua les liens religieux en France. La piété est une vertu de femme que les femmes seules se transmettent bien, et la marquise était un enfant du dix-huitième siècle dont les croyances philosophiques furent celles de son père. Elle ne suivait aucune pratique religieuse. Pour elle, un prêtre était un fonctionnaire public [73] dont l'utilité lui paraissait contestable. Dans la situation où elle se trouvait, la voix de la religion ne pouvait qu'envenimer ses maux ; puis, elle ne croyait guère aux curés de village, ni à leurs lumières ; elle résolut donc de mettre le sien à sa place, sans aigreur, et de s'en débarrasser à la manière des riches, par un bienfait. Le curé vint, et son aspect ne changea pas les idées de la marquise. Elle vit un gros petit homme à ventre saillant, à figure rougeaude, mais vieille et ridée, qui affectait de sourire et qui souriait mal ; son crâne chauve et transversalement sillonné de rides nombreuses retombait en quart de cercle sur son visage et le rapetissait ; quelques cheveux blancs garnissaient le

bas de la tête au-dessus de la nuque et revenaient en
avant vers les oreilles. Néanmoins, la physionomie de
ce prêtre avait été celle d'un homme naturellement
gai. Ses grosses lèvres, son nez légèrement retroussé,
son menton, qui disparaissait dans un double pli de
rides, témoignaient d'un heureux caractère. La marquise n'aperçut d'abord que ces traits principaux ;
mais, à la première parole que lui dit le prêtre, elle fut
frappée par la douceur de cette voix ; elle le regarda
plus attentivement, et remarqua sous ses sourcils grisonnants des yeux qui avaient pleuré ; puis le contour
de sa joue, vue de profil, donnait à sa tête une si
auguste expression de douleur, que la marquise trouva
un homme dans ce curé.

— Madame la marquise, les riches ne nous appartiennent que quand ils souffrent ; et les souffrances
d'une femme mariée, jeune, belle, riche, qui n'a perdu
ni enfants, ni parents, se devinent et sont causés par
des blessures dont les élancements ne peuvent être
adoucis que par la religion. Votre âme est en danger,
madame. Je ne vous parle pas en ce moment de l'autre
vie qui nous attend ! Non, je ne suis pas au confes-
sionnal. Mais n'est-il pas de mon devoir de vous
éclairer sur l'avenir de votre existence sociale ? Vous
pardonnerez donc à un vieillard une importunité dont
l'objet est votre bonheur.

— Le bonheur, monsieur, il n'en est plus pour
moi. Je vous appartiendrai bientôt, comme vous le
dites, mais pour toujours.

— Non, madame, vous ne mourrez pas de la douleur qui vous oppresse et se peint dans vos traits. Si
vous aviez dû en mourir, vous ne seriez pas à Saint-
Lange. Nous périssons moins par les effets d'un regret
certain que par ceux des espérances trompées. J'ai
connu de plus intolérables, de plus terribles douleurs
qui n'ont pas donné la mort.

La marquise fit un signe d'incrédulité.

— Madame, je sais un homme dont le malheur fut
si grand, que vos peines vous sembleraient légères si
vous les compariez aux siennes.

Soit que sa longue solitude commençât à lui peser, soit qu'elle fût intéressée par la perspective de pouvoir épancher dans un cœur ami ses pensées douloureuses, elle regarda le curé d'un air interrogatif auquel il était impossible de se méprendre.

— Madame, reprit le prêtre, cet homme était un père qui, d'une famille autrefois nombreuse, n'avait plus que trois enfants. Il avait successivement perdu ses parents, puis une fille et une femme, toutes deux bien aimées. Il restait seul, au fond d'une province, dans un petit domaine où il avait été longtemps heureux. Ses trois fils étaient à l'armée, et chacun d'eux avait un grade proportionné à son temps de service. Dans les Cent-Jours, l'aîné passa dans la Garde, et devint colonel ; le jeune était chef de bataillon dans l'artillerie, et le cadet avait le grade de chef d'escadron dans les dragons. Madame, ces trois enfants aimaient leur père autant qu'ils étaient aimés par lui. Si vous connaissiez bien l'insouciance des jeunes gens qui, emportés par leurs passions, n'ont jamais de temps à donner aux affections de la famille, vous comprendriez par un seul fait la vivacité de leur affection pour un pauvre vieillard isolé qui ne vivait plus que par eux et pour eux. Il ne se passait pas de semaine qu'il ne reçût une lettre de l'un de ses enfants. Mais aussi n'avait-il jamais été pour eux ni faible, ce qui diminue le respect des enfants ; ni injustement sévère, ce qui les froisse ; ni avare de sacrifices, ce qui les détache. Non, il avait été plus qu'un père, il s'était fait leur frère, leur ami. Enfin, il alla leur dire adieu à Paris lors de leur départ pour la Belgique ; il voulait voir s'ils avaient de bons chevaux, si rien ne leur manquait. Les voilà partis, le père revient chez lui. La guerre commence, il reçoit des lettres écrites de Fleurus, de Ligny, tout allait bien. La bataille de Waterloo se livre, vous en connaissez le résultat. La France fut mise en deuil d'un seul coup. Toutes les familles étaient dans la plus profonde anxiété. Lui, vous comprenez, madame, il attendait ; il n'avait ni trêve ni repos ; il lisait les gazettes, il allait tous les jours à la poste lui-

même. Un soir, on lui annonce le domestique de son
fils le colonel. Il voit cet homme monté sur le cheval
de son maître, il n'y eut pas de question à faire : le
colonel était mort, coupé en deux par un boulet. Vers
la fin de la soirée, arrive à pied le domestique du plus
jeune : le plus jeune était mort le lendemain de la
bataille. Enfin, à minuit, un artilleur vint lui annoncer
la mort du dernier enfant sur la tête duquel, en si peu
de temps, ce pauvre père avait placé toute sa vie. Oui,
madame, ils étaient tous tombés ! Après une pause, le
prêtre, ayant vaincu ses émotions, ajouta ces paroles
d'une voix douce : — Et le père est resté vivant,
madame. Il a compris que si Dieu le laissait sur la
terre, il devait continuer d'y souffrir, et il y souffre ;
mais il s'est jeté dans le sein de la religion. Que pouvait-il être ? La marquise leva les yeux sur le visage de
ce curé, devenu sublime de tristesse et de résignation,
et attendit ce mot qui lui arracha des pleurs :
— Prêtre ! madame : il était sacré par les larmes avant
de l'être au pied des autels.

Le silence régna pendant un moment. La marquise
et le curé regardèrent par la fenêtre l'horizon bru-
meux, comme s'ils pouvaient y voir ceux qui n'étaient
plus.

— Non pas prêtre dans une ville, mais simple curé,
reprit-il.

— A Saint-Lange, dit-elle en s'essuyant les yeux.

— Oui, madame.

Jamais la majesté de la douleur ne s'était montrée
plus grande à Julie ; et ce *oui, madame*, lui tombait à
même le cœur comme le poids d'une douleur infinie.
Cette voix qui résonnait doucement à l'oreille trou-
blait les entrailles. Ah ! c'était bien la voix du malheur,
cette voix pleine, grave, et qui semble charrier de
pénétrants fluides.

— Monsieur, dit presque respectueusement la marquise, et si je ne meurs pas, que deviendrai-je donc ?

— Madame, n'avez-vous pas un enfant ?

— Oui, dit-elle froidement.

Le curé jeta sur cette femme un regard semblable à

celui que lance un médecin sur son malade en danger, et résolut de faire tous ses efforts pour la disputer au génie du mal qui étendait déjà la main sur elle.

— Vous le voyez, madame, nous devons vivre avec nos douleurs, et la religion seule nous offre des consolations vraies. Me permettez-vous de revenir vous faire entendre la voix d'un homme qui sait sympathiser avec toutes les peines, et qui, je le crois, n'a rien de bien effrayant ?

— Oui, monsieur, venez. Je vous remercie d'avoir pensé à moi.

— Eh ! bien, madame, à bientôt.

Cette visite détendit pour ainsi dire l'âme de la marquise, dont les forces avaient été trop violemment excitées par le chagrin et par la solitude. Le prêtre lui laissa dans le cœur un parfum balsamique [74] et le salutaire retentissement des paroles religieuses. Puis elle éprouva cette espèce de satisfaction qui réjouit le prisonnier quand, après avoir reconnu la profondeur de sa solitude et la pesanteur de ses chaînes, il rencontre un voisin qui frappe à la muraille en lui faisant rendre un son par lequel s'expriment des pensées communes. Elle avait un confident inespéré. Mais elle retomba bientôt dans ses amères contemplations, et se dit, comme le prisonnier, qu'un compagnon de douleur n'allégerait ni ses liens ni son avenir. Le curé n'avait pas voulu trop effaroucher dans une première visite une douleur tout égoïste ; mais il espéra, grâce à son art, pouvoir faire faire des progrès à la religion dans une seconde entrevue. Le surlendemain, il vint en effet, et l'accueil de la marquise lui prouva que sa visite était désirée.

— Eh ! bien, madame la marquise, dit le vieillard, avez-vous un peu songé à la masse des souffrances humaines ? Avez-vous élevé les yeux vers le ciel ? Y avez-vous vu cette immensité de mondes qui, en diminuant notre importance, en écrasant nos vanités, amoindrit nos douleurs ?...

— Non, monsieur, dit-elle. Les lois sociales me pèsent trop sur le cœur et me le déchirent trop vivement pour que je puisse m'élever dans les cieux. Mais les lois ne sont peut-être pas aussi cruelles que le sont les usages du monde. Oh ! le monde !

— Nous devons, madame, obéir aux uns et aux autres : la loi est la parole, et les usages sont les actions de la société.

— Obéir à la société ?... reprit la marquise en laissant échapper un geste d'horreur. Hé ! monsieur, tous nos maux viennent de là. Dieu n'a pas fait une seule loi de malheur ; mais en se réunissant les hommes ont faussé son œuvre. Nous sommes, nous femmes, plus maltraitées par la civilisation que nous ne le serions par la nature. La nature nous impose des peines physiques que vous n'avez pas adoucies, et la civilisation a développé des sentiments que vous trompez incessamment. La nature étouffe les êtres faibles, vous les condamnez à vivre pour les livrer à un constant malheur. Le mariage, institution sur laquelle s'appuie aujourd'hui la société, nous en fait sentir à nos seules tout le poids : pour l'homme la liberté, pour la femme des devoirs. Nous vous devons toute notre vie, vous ne nous devez de la vôtre que de rares instants. Enfin l'homme fait un choix là où nous nous soumettons aveuglément. Oh ! monsieur, à vous je puis tout dire. Hé ! bien, le mariage, tel qu'il se pratique aujourd'hui, me semble être une prostitution légale. De là sont nées mes souffrances. Mais moi seule parmi les malheureuses créatures si fatalement accouplées je dois garder le silence ! moi seule suis l'auteur du mal, j'ai voulu mon mariage.

Elle s'arrêta, versa des pleurs amers et resta silencieuse.

— Dans cette profonde misère, au milieu de cet océan de douleur, reprit-elle, j'avais trouvé quelques sables où je posais les pieds, où je souffrais à mon aise ; un ouragan a tout emporté. Me voilà seule, sans appui, trop faible contre les orages.

— Nous ne sommes jamais faibles quand Dieu est avec nous, dit le prêtre. D'ailleurs, si vous n'avez pas d'affections à satisfaire ici-bas, n'y avez-vous pas des devoirs à remplir ?

— Toujours des devoirs ! s'écria-t-elle avec une sorte d'impatience. Mais où sont pour moi les sentiments qui nous donnent la force de les accomplir ? Monsieur, rien de rien ou rien pour rien est une des plus justes lois de la nature et morale et physique. Voudriez-vous que ces arbres produisissent leurs feuillages sans la sève qui les fait éclore ! L'âme a sa sève aussi ! Chez moi la sève est tarie dans sa source.

— Je ne vous parlerai pas des sentiments religieux qui engendrent la résignation, dit le curé ; mais la maternité, madame, n'est-elle donc pas ?...

— Arrêtez, monsieur ! dit la marquise. Avec vous je serai vraie. Hélas ! je ne puis l'être désormais avec personne, je suis condamnée à la fausseté ; le monde exige de continuelles grimaces, et sous peine d'opprobre nous ordonne d'obéir à ses conventions. Il existe deux maternités, monsieur. J'ignorais jadis de telles distinctions ; aujourd'hui je les sais. Je ne suis mère qu'à moitié, mieux vaudrait ne pas l'être du tout. Hélène n'est pas de *lui* ! Oh ! ne frémissez pas ! Saint-Lange est un abîme où se sont engloutis bien des sentiments faux, d'où se sont élancées de sinistres lueurs, où se sont écroulés les frêles édifices des lois anti-naturelles. J'ai un enfant, cela suffit ; je suis mère, ainsi le veut la loi. Mais vous, monsieur, qui avez une âme si délicatement compatissante, peut-être comprenez-vous les cris d'une pauvre femme qui n'a laissé pénétrer dans son cœur aucun sentiment factice. Dieu me jugera, mais je ne crois pas manquer à ses lois en cédant aux affections qu'il a mises dans mon âme, et voici ce que j'y ai trouvé. Un enfant, monsieur, n'est-il pas l'image de deux êtres, le fruit de deux sentiments librement confondus ? S'il ne tient pas à toutes les fibres du corps comme à toutes les tendresses du cœur ; s'il ne rappelle pas de délicieuses amours, les temps, les lieux où ces deux êtres furent heureux, et leur langage plein de musiques humaines, et leurs suaves idées, cet enfant est une création man-

quée. Oui, pour eux, il doit être une ravissante miniature où se retrouvent les poèmes de leur double vie
secrète ; il doit leur offrir une source d'émotions
fécondes, être à la fois tout leur passé, tout leur avenir.
Ma pauvre petite Hélène est l'enfant de son père,
l'enfant du devoir et du hasard ; elle ne rencontre en
moi que l'instinct de la femme, la loi qui nous pousse
irrésistiblement à protéger la créature née dans nos
flancs. Je suis irréprochable, socialement parlant. Ne
lui ai-je pas sacrifié ma vie et mon bonheur ? Ses cris
émeuvent mes entrailles ; si elle tombait à l'eau, je m'y
précipiterais pour l'aller reprendre. Mais elle n'est pas
dans mon cœur. Ah ! l'amour m'a fait rêver une
maternité plus grande, plus complète. J'ai caressé dans
un songe évanoui l'enfant que les désirs ont conçu
avant qu'il ne fût engendré, enfin cette délicieuse fleur
née dans l'âme avant de naître au jour. Je suis pour
Hélène ce que, dans l'ordre naturel, une mère doit
être pour sa progéniture. Quand elle n'aura plus
besoin de moi, tout sera dit : la cause éteinte, les effets
cesseront. Si la femme a l'adorable privilège d'étendre
sa maternité sur toute la vie de son enfant, n'est-ce
pas aux rayonnements de sa conception morale qu'il
faut attribuer cette divine persistance du sentiment ?
Quand l'enfant n'a pas eu l'âme de sa mère pour première enveloppe, la maternité cesse donc alors dans
son cœur, comme elle cesse chez les animaux. Cela est
vrai, je le sens : à mesure que ma pauvre petite
grandit, mon cœur se resserre. Les sacrifices que je lui
ai faits m'ont déjà détachée d'elle, tandis que pour un
autre enfant mon cœur aurait été, je le sens, inépuisa-
ble ; pour cet autre, rien n'aurait été sacrifice, tout eût
été plaisir. Ici, monsieur, la raison, la religion, tout en
moi se trouve sans force contre mes sentiments. A
t-elle tort de vouloir mourir la femme qui n'est ni
mère ni épouse, et qui, pour son malheur, a entrevu
l'amour dans ses beautés infinies, la maternité dans
ses joies illimitées ? Que peut-elle devenir ? Je vous
dirai, moi, ce qu'elle éprouve ! Cent fois durant le
jour, cent fois durant la nuit, un frisson ébranle ma

tête, mon cœur et mon corps, quand quelque souvenir trop faiblement combattu m'apporte les images d'un bonheur que je suppose plus grand qu'il n'est. Ces cruelles fantaisies font pâlir mes sentiments, et je me dis : — Qu'aurait donc été ma vie si... ? Elle se cacha le visage dans ses mains et fondit en larmes. — Voilà le fond de mon cœur ! reprit-elle. Un enfant de lui m'aurait fait accepter les plus horribles malheurs ! Le Dieu qui mourut chargé de toutes les fautes de la terre me pardonnera cette pensée mortelle pour moi ; mais, je le sais, le monde est implacable : pour lui, mes paroles sont des blasphèmes ; j'insulte à toutes ses lois. Ah ! je voudrais faire la guerre à ce monde pour en renouveler les lois et les usages, pour les briser ! Ne m'a-t-il pas blessée dans toutes mes idées, dans toutes mes fibres, dans tous mes sentiments, dans tous mes désirs, dans toutes mes espérances, dans l'avenir, dans le présent, dans le passé ? Pour moi, le jour est plein de ténèbres, la pensée est un glaive, mon cœur est une plaie, mon enfant est une négation. Oui, quand Hélène me parle, je lui voudrais une autre voix ; quand elle me regarde, je lui voudrais d'autres yeux. Elle est là pour m'attester tout ce qui devrait être et tout ce qui n'est pas. Elle m'est insupportable ! Je lui souris, je tâche de la dédommager des sentiments que je lui vole. Je souffre ! oh ! monsieur, je souffre trop pour pouvoir vivre. Et je passerai pour être une femme vertueuse ! Et je n'ai pas commis de fautes ! Et l'on m'honorera ! J'ai combattu l'amour involontaire auquel je ne devais pas céder ; mais, si j'ai gardé ma foi physique, ai-je conservé mon cœur ? Ceci, dit-elle, en appuyant la main droite sur son sein, n'a jamais été qu'à une seule créature. Aussi mon enfant ne s'y trompe-t-il pas. Il existe des regards, une voix, des gestes de mère dont la force pétrit l'âme des enfants ; et ma pauvre petite ne sent pas mon bras frémir, ma voix trembler, mes yeux s'amollir quand je la regarde, quand je lui parle ou quand je la prends. Elle me lance des regards accusateurs que je ne soutiens pas ! Parfois je tremble de trouver en elle un tribunal où je

serai condamnée sans être entendue. Fasse le ciel que
la haine ne se mette pas un jour entre nous ! Grand
Dieu ! ouvrez-moi plutôt la tombe, laissez-moi finir à
Saint-Lange ! Je veux aller dans le monde où je retrouverai mon autre âme, où je serai tout à fait mère ! Oh !
pardon, monsieur, je suis folle. Ces paroles m'étouf-
faient, je les ai dites. Ah ! vous pleurez aussi ! vous ne
me mépriserez pas. — Hélène ! Hélène ! ma fille,
viens ! s'écria-t-elle avec une sorte de désespoir, en
entendant son enfant qui revenait de sa promenade.

La petite vint en riant et en criant ; elle apportait un
papillon qu'elle avait pris ; mais, en voyant sa mère en
pleurs, elle se tut, se mit près d'elle et se laissa baiser
au front.

— Elle sera bien belle, dit le prêtre.

— Elle est tout son père, répondit la marquise en
embrassant sa fille avec une chaleureuse expression,
comme pour s'acquitter d'une dette ou pour effacer
un remords.

— Vous avez chaud, maman.

— Va, laisse-nous, mon ange, répondit la marquise.

L'enfant s'en alla sans regret, sans regarder sa mère,
heureuse presque de fuir un visage triste, et comprenant déjà que les sentiments qui s'y exprimaient lui
étaient contraires. Le sourire est l'apanage, la langue,
l'expression de la maternité. La marquise ne pouvait
pas sourire. Elle rougit en regardant le prêtre : elle
avait espéré se montrer mère, mais ni elle ni son
enfant n'avaient su mentir. En effet, les baisers d'une
femme sincère ont un miel divin qui semble mettre
dans cette caresse une âme, un feu subtil par lequel le
cœur est pénétré. Les baisers dénués de cette onction
savoureuse sont âpres et secs. Le prêtre avait senti
cette différence : il put sonder l'abîme qui se trouve
entre la maternité de la chair et la maternité du cœur.
Aussi, après avoir jeté sur cette femme un regard
inquisiteur, il lui dit :

— Vous avez raison, madame, il vaudrait mieux
pour vous être morte...

— Ah ! vous comprenez mes souffrances, je le vois,

répondit-elle, puisque vous, prêtre chrétien, devinez et
approuvez les funestes résolutions qu'elles m'ont ins-
pirées. Oui, j'ai voulu me donner la mort ; mais j'ai
manqué du courage nécessaire pour accomplir mon
dessein. Mon corps a été lâche quand mon âme était
forte, et quand ma main ne tremblait plus, mon âme
vacillait ! J'ignore le secret de ces combats et de ces
alternatives. Je suis sans doute bien tristement femme,
sans persistance dans mes vouloirs, forte seulement
pour aimer. Je me méprise ! Le soir, quand mes gens
dormaient, j'allais à la pièce d'eau courageusement ;
arrivée au bord, ma frêle nature avait horreur de la
destruction. Je vous confesse mes faiblesses. Lorsque
je me retrouvais au lit, j'avais honte de moi, je rede-
venais courageuse. Dans un de ces moments, j'ai pris
du laudanum ; mais j'ai souffert et ne suis pas morte.
J'avais bu boire tout ce que contenait le flacon, et je
m'étais arrêtée à moitié.

— Vous êtes perdue, madame, dit le curé gravement et d'une voix pleine de larmes. Vous rentrerez
dans le monde et vous tromperez le monde ; vous y
chercherez, vous y trouverez ce que vous regardez
comme une compensation à vos maux ; puis vous porterez un jour la peine de vos plaisirs...

— Moi, s'écria-t-elle, j'irai livrer au premier fourbe
qui saura jouer la comédie d'une passion les dernières,
les plus précieuses richesses de mon cœur, et corrompre ma vie pour un moment de douteux plaisir ?
Non ! mon âme sera consumée par une flamme pure.
Monsieur, tous les hommes ont les sens de leur sexe ;
mais celui qui en a l'âme et qui satisfait ainsi à toutes
les exigences de notre nature, dont la mélodieuse harmonie ne s'émeut jamais que sous la pression des sentiments, celui-là ne se rencontre pas deux fois dans
notre existence. Mon avenir est horrible, je le sais : la
femme n'est rien sans l'amour, la beauté n'est rien
sans le plaisir ; mais le monde ne réprouverait-il pas
mon bonheur, s'il se présentait encore à moi ? Je dois
à ma fille une mère honorée. Ah ! je suis jetée dans un
cercle de fer d'où je ne puis sortir sans ignominie. Les

devoirs de famille, accomplis sans récompense,
m'ennuieront ; je maudirai la vie ; mais ma fille aura
du moins un beau semblant de mère. Je lui rendrai des
trésors de vertu, pour remplacer les trésors d'affection
dont je l'aurai frustrée. Je ne désire même pas vivre
pour goûter les jouissances que donne aux mères le
bonheur de leurs enfants. Je ne crois pas au bonheur.
Quel sera le sort d'Hélène ? le mien sans doute. Quels
moyens ont les mères d'assurer à leurs filles que
l'homme auquel elles les livrent sera un époux selon
leur cœur ? Vous honnissez de pauvres créatures qui se
vendent pour quelques écus à un homme qui passe, la
faim et le besoin absolvent ces unions éphémères ;
tandis que la société tolère, encourage l'union immé-
diate, bien autrement horrible, d'une jeune fille candide et d'un homme qu'elle n'a pas vu trois mois
durant ; elle est vendue pour toute sa vie. Il est vrai
que le prix est élevé ! Si, en ne lui permettant aucune
compensation à ses douleurs, vous l'honoriez ; mais
non, le monde calomnie les plus vertueuses d'entre
nous ! Telle est notre destinée, vue sous ses deux
faces : une prostitution publique et la honte, une prostitution secrète et le malheur. Quant aux pauvres filles
sans dot, elles deviennent folles, elles meurent ; pour
elles, aucune pitié ! La beauté, les vertus ne sont pas
des valeurs dans notre bazar humain, et vous nommez
société ce repaire d'égoïsme. Mais exhérédez [75] les
femmes ! au moins accomplirez-vous ainsi une loi de
nature en choisissant vos compagnes, en les épousant
au gré des vœux du cœur.

— Madame, vos discours me prouvent que ni
l'esprit de famille ni l'esprit religieux ne vous tou-
chent. Aussi n'hésiterez-vous pas entre l'égoïsme
social qui vous blesse et l'égoïsme de la créature qui
vous fera souhaiter des jouissances...

— La famille, monsieur, existe-t-elle ? Je nie la
famille dans une société qui, à la mort du père ou de
la mère, partage les biens et dit à chacun d'aller de son
côté. La famille est une association temporaire et for-
tuite que dissout promptement la mort. Nos lois ont

brisé les maisons, les héritages, la pérennité des exemples et des traditions. Je ne vois que décombres autour de moi.

— Madame, vous ne reviendrez à Dieu que quand sa main s'appesantira sur vous, et je souhaite que vous ayez assez de temps pour faire votre paix avec lui. Vous cherchez vos consolations en baissant les yeux sur la terre, au lieu de les lever vers les cieux. Le philosophisme et l'intérêt personnel ont attaqué votre cœur ; vous êtes sourde à la voix de la religion, comme le sont les enfants de ce siècle sans croyance ! Les plaisirs du monde n'engendrent que des souffrances. Vous allez changer de douleurs, voilà tout.

— Je ferai mentir votre prophétie, dit-elle en souriant avec amertume, je serai fidèle à celui qui mourut pour moi.

— La douleur, répondit-il, n'est viable que dans les âmes préparées par la religion.

Il baissa respectueusement les yeux pour ne pas laisser voir les doutes qui pouvaient se peindre dans son regard. L'énergie des plaintes échappées à la marquise l'avait contristé. En reconnaissant le *moi* humain sous ses mille formes, il désespéra de ramollir ce cœur que le mal avait desséché au lieu de l'attendrir, et où le grain du Semeur céleste ne devait pas germer, puisque sa voix douce y était étouffée par la grande et terrible clameur de l'égoïsme. Néanmoins il déploya la constance de l'apôtre, et revint à plusieurs reprises, toujours ramené par l'espoir de tourner à Dieu cette âme si noble et si fière ; mais il perdit courage le jour où il s'aperçut que la marquise n'aimait à causer avec lui que parce qu'elle trouvait de la douceur à parler de celui qui n'était plus. Il ne voulut pas ravaler son ministère en se faisant le complaisant d'une passion ; il cessa ses entretiens, et revint par degrés aux formules et aux lieux communs de la conversation. Le printemps arriva. La marquise trouva des distractions à sa profonde tristesse, et s'occupa par désœuvrement de sa terre, où elle se plut à ordonner quelques travaux. Au mois d'octobre, elle quitta son vieux château

de Saint-Lange, où elle était redevenue fraîche et belle
dans l'oisiveté d'une douleur qui, d'abord violente
comme un disque lancé vigoureusement, avait fini par
s'amortir dans la mélancolie, comme s'arrête le disque
après des oscillations graduellement plus faibles. La
mélancolie se compose d'une suite de semblables
oscillations morales dont la première touche au désespoir et la dernière au plaisir : dans la jeunesse, elle est
le crépuscule du matin ; dans la vieillesse, celui du
soir.

Quand sa calèche passa par le village, la marquise
reçut le salut du curé qui revenait de l'église à son
presbytère ; mais en y répondant, elle baissa les yeux
et détourna la tête pour ne pas le revoir. Le prêtre
avait trop raison contre cette pauvre Artémise
d'Éphèse [76].

III

À TRENTE ANS

Un jeune homme de haute espérance, et qui appartenait à l'une de ces maisons historiques dont les noms seront toujours, en dépit même des lois, intimement liés à la gloire de la France, se trouvait au bal chez Mme Firmiani. Cette dame lui avait donné quelques lettres de recommandation pour deux ou trois de ses amies à Naples. M. Charles de Vandenesse, ainsi se nommait le jeune homme, venait l'en remercier et prendre congé. Après avoir accompli plusieurs missions avec talent, Vandenesse avait été récemment attaché à l'un de nos ministres plénipotentiaires envoyés au congrès de Laybach [77], et voulait profiter de son voyage pour étudier l'Italie. Cette fête était donc une espèce d'adieu aux jouissances de Paris, à cette vie rapide, à ce tourbillon de pensées et de plaisirs que l'on calomnie assez souvent, mais auquel il est si doux de s'abandonner. Habitué depuis trois ans à saluer les capitales européennes, et à les déserter au gré des caprices de sa destinée diplomatique, Charles de Vandenesse avait cependant peu de chose à regretter en quittant Paris. Les femmes ne produisaient plus aucune impression sur lui, soit qu'il regardât une passion vraie comme tenant trop de place dans la vie d'un homme politique, soit que les

mesquines occupations d'une galanterie superficielle
lui parussent trop vides pour une âme forte. Nous
avons tous de grandes prétentions à la force d'âme. En
France, nul homme, fût-il médiocre, ne consent à
passer pour simplement spirituel. Ainsi, Charles,
quoique jeune (à peine avait-il trente ans), s'était déjà
philosophiquement accoutumé à voir des idées, des
résultats, des moyens, là où les hommes de son âge
aperçoivent des sentiments, des plaisirs et des illusions. Il refoulait la chaleur et l'exaltation naturelle
aux jeunes gens dans les profondeurs de son âme que
la nature avait créée généreuse. Il travaillait à se faire
froid calculateur ; à mettre en manières, en formes
aimables, en artifices de séduction, les richesses
morales qu'il tenait du hasard : véritable tâche
d'ambitieux ; rôle triste, entrepris dans le but
d'atteindre à ce que nous nommons aujourd'hui une
belle position. Il jetait un dernier coup d'œil sur les
salons où l'on dansait. Avant de quitter le bal, il voulait sans doute en emporter l'image, comme un spectateur ne sort pas de sa loge à l'Opéra sans regarder le
tableau final. Mais aussi, par une fantaisie facile à
comprendre, M. de Vandenesse étudiait l'action toute
française, l'éclat et les riantes figures de cette fête parisienne, en les rapprochant par la pensée des physio-
nomies nouvelles, des scènes pittoresques qui l'attendaient à Naples, où il se proposait de passer quelques
jours avant de se rendre à son poste. Il semblait comparer la France si changeante et sitôt étudiée à un
pays dont les mœurs et les sites ne lui étaient connus
que par des ouï-dire contradictoires, ou par des livres,
mal faits pour la plupart. Quelques réflexions assez
poétiques, mais devenues aujourd'hui très vulgaires,
lui passèrent alors par la tête, et répondirent, à son
insu peut-être, aux vœux secrets de son cœur, plus
exigeant que blasé, plus inoccupé que flétri.

— Voici, se disait-il, les femmes les plus élégantes,
les plus riches, les plus titrées de Paris. Ici sont les
célébrités du jour, renommées de tribune, renommées
aristocratiques et littéraires : là, des artistes, là, des

hommes de pouvoir. Et cependant, je ne vois que de petites intrigues, des amours mort-nés, des sourires qui ne disent rien, des dédains sans cause, des regards sans flamme, beaucoup d'esprit, mais prodigué sans but. Tous ces visages blancs et roses cherchent moins le plaisir que des distractions. Nulle émotion n'est vraie. Si vous voulez seulement des plumes bien posées, des gazes fraîches, de jolies toilettes, des femmes frêles ; si pour vous la vie n'est qu'une surface à effleurer, voici votre monde. Contentez-vous de ces phrases insignifiantes, de ces ravissantes grimaces, et ne demandez pas un sentiment dans les cœurs. Pour moi, j'ai horreur de ces plates intrigues qui finiront par des mariages, des sous-préfectures, des recettes générales, ou, s'il s'agit d'amour, par des arrangements secrets, tant l'on a honte d'un semblant de passion. Je ne vois pas un seul de ces visages éloquents qui vous annonce une âme abandonnée à une idée comme à un remords. Ici, le regret ou le malheur se cachent honteusement sous des plaisanteries. Je n'aperçois aucune de ces femmes avec lesquelles j'aimerais à lutter, et qui vous entraînent dans un abîme. Où trouver de l'énergie à Paris ? Un poignard est une curiosité que l'on y suspend à un clou doré, que l'on pare d'une jolie gaine. Femmes, idées, sentiments, tout se ressemble. Il n'y existe plus de passions, parce que les individualités ont disparu. Les rangs, les esprits, les fortunes ont été nivelés, et nous avons tous pris l'habit noir comme pour nous mettre en deuil de la France morte. Nous n'aimons pas nos égaux. Entre deux amants, il faut des différences à effacer, des distances à combler. Ce charme de l'amour s'est évanoui en 1789 ! Notre ennemi, nos mœurs fades sont le résultat du système politique. Au moins, en Italie, tout y est tranché. Les femmes y sont encore des animaux malfaisants, des sirènes dangereuses, sans raison, sans logique autre que celle de leurs goûts, de leurs appétits, et desquelles il faut se défier comme on se défie des tigres...

Mme Firmiani vint interrompre ce monologue dont

les mille pensées contradictoires, inachevées, confuses, sont intraduisibles. Le mérite d'une rêverie est tout entier dans son vague, n'est-elle pas une sorte de vapeur intellectuelle ?

— Je veux, lui dit-elle en le prenant par le bras, vous présenter à une femme qui a le plus grand désir de vous connaître d'après ce qu'elle entend dire de vous.

Elle le conduisit dans un salon voisin, où elle lui montra, par un geste, un sourire et un regard véritablement parisiens, une femme assise au coin de la cheminée.

— Qui est-elle ? demanda vivement le comte de Vandenesse.

— Une femme de qui vous vous êtes, certes, entretenu plus d'une fois pour la louer ou pour en médire, une femme qui vit dans la solitude, un vrai mystère.

— Si vous avez jamais été clémente dans votre vie, de grâce, dites-moi son nom ?

— La marquise d'Aiglemont.

— Je vais aller prendre des leçons près d'elle : elle a su faire d'un mari bien médiocre un pair de France, d'un homme nul une capacité politique. Mais, dites-moi, croyez-vous que lord Grenville soit mort pour elle, comme quelques femmes l'ont prétendu ?

— Peut-être. Depuis cette aventure, fausse ou vraie, la pauvre femme est bien changée. Elle n'est pas allée dans le monde. C'est quelque chose, à Paris, qu'une constance de quatre ans. Si vous la voyez ici...

Mme Firmiani s'arrêta ; puis elle ajouta d'un air fin :

— J'oublie que je dois me taire. Allez causer avec elle.

Charles resta pendant un moment immobile, le dos légèrement appuyé sur le chambranle de la porte, et tout occupé à examiner une femme devenue célèbre sans que personne pût rendre compte des motifs sur lesquels se fondait sa renommée. Le monde offre beaucoup de ces anomalies curieuses. La réputation de Mme d'Aiglemont n'était pas, certes, plus extraordinaire que celle de certains hommes toujours en travail d'une œuvre inconnue : statisticiens tenus pour profonds sur la foi de calculs qu'ils se gardent bien de publier ; politiques qui vivent sur un article de journal ; auteurs ou artistes dont l'œuvre reste toujours en portefeuille ; gens savants avec ceux qui ne connaissent rien à la science, comme Sganarelle est latiniste avec ceux qui ne savent pas le latin ; hommes auxquels on accorde une capacité convenue sur un point, soit la direction des arts, soit une mission importante. Cet admirable mot, *c'est une spécialité*, semble avoir été créé pour ces espèces d'acéphales politiques ou littéraires. Charles demeura plus longtemps en contemplation qu'il ne le voulait, et fut mécontent d'être si fortement préoccupé par une femme ; mais aussi la présence de cette femme réfutait les pensées qu'un instant auparavant le jeune diplomate avait conçues à l'aspect du bal.

La marquise, alors âgée de trente ans, était belle quoique frêle de formes et d'une excessive délicatesse. Son plus grand charme venait d'une physionomie dont le calme trahissait une étonnante profondeur dans l'âme. Son œil plein d'éclat, mais qui semblait voilé par une pensée constante, accusait une vie fiévreuse et la résignation la plus étendue. Ses paupières, presque toujours chastement baissées vers la terre, se relevaient rarement. Si elle jetait des regards autour d'elle, c'était par un mouvement triste, et vous eussiez dit qu'elle réservait le feu de ses yeux pour d'occultes contemplations. Aussi tout homme supérieur se sentait-il curieusement attiré vers cette femme douce et silencieuse. Si l'esprit cherchait à deviner les mystères de la perpétuelle réaction qui se faisait en elle du présent vers le passé, du monde à sa solitude, l'âme n'était pas moins intéressée à s'initier aux secrets d'un cœur en quelque sorte orgueilleux de ses souffrances. En elle, rien d'ailleurs ne démentait les idées qu'elle inspirait tout d'abord. Comme presque toutes les femmes qui ont de très longs cheveux, elle était pâle et parfaitement blanche. Sa peau, d'une finesse prodi-

gieuse, symptôme rarement trompeur, annonçait une
vraie sensibilité, justifiée par la nature de ses traits qui
avaient ce fini merveilleux que les peintres chinois
répandent sur leurs figures fantastiques. Son cou était
un peu long peut-être ; mais ces sortes de cous sont
les plus gracieux, et donnent aux têtes de femmes de
vagues affinités avec les magnétiques ondulations du
serpent. S'il n'existait pas un seul des mille indices par
lesquels les caractères les plus dissimulés se révèlent à
l'observateur, il lui suffirait d'examiner attentivement
les gestes de la tête et les torsions du cou, si variées, si
expressives, pour juger une femme. Chez Mme
d'Aiglemont, la mise était en harmonie avec la pensée
qui dominait sa personne. Les nattes de sa chevelure
largement tressée formaient au-dessus de sa tête une
haute couronne à laquelle ne se mêlait aucun ornement, car elle semblait avoir dit adieu pour toujours
aux recherches de la toilette. Aussi ne surprenait-on
jamais en elle ces petits calculs de coquetterie qui
gâtent beaucoup de femmes. Seulement, quelque
modeste que fût son corsage, il ne cachait pas entièrement l'élégance de sa taille. Puis le luxe de sa longue
robe consistait dans une coupe extrêmement distinguée ; et, s'il est permis de chercher des idées dans
l'arrangement d'une étoffe, on pourrait dire que les
plis nombreux et simples de sa robe lui communi-
quaient une grande noblesse. Néanmoins, peut-être
trahissait-elle les indélébiles faiblesses de la femme par
les soins minutieux qu'elle prenait de sa main et de
son pied ; mais si elle les montrait avec quelque
plaisir, il eût été difficile à la plus malicieuse rivale de
trouver ses gestes affectés, tant ils paraissaient involontaires, ou dus à d'enfantines habitudes. Ce reste de
coquetterie se faisait même excuser par une gracieuse
nonchalance. Cette masse de traits, cet ensemble de
petites choses qui font une femme laide ou jolie,
attrayante ou désagréable, ne peuvent être qu'indiqués, surtout lorsque, comme chez Mme d'Aiglemont, l'âme est le lien de tous les détails, et leur
imprime une délicieuse unité. Aussi son maintien

s'accordait-il parfaitement avec le caractère de sa figure et de sa mise. A un certain âge seulement, certaines femmes choisies savent seules donner un langage à leur attitude. Est-ce le chagrin, est-ce le bonheur qui prête à la femme de trente ans, à la femme heureuse ou malheureuse, le secret de cette contenance éloquente ? Ce sera toujours une vivante énigme que chacun interprète au gré de ses désirs, de ses espérances ou de son système. La manière dont la marquise tenait ses deux coudes appuyés sur les bras de son fauteuil, et joignait les extrémités des doigts de chaque main en ayant l'air de jouer ; la courbure de son cou, le laissez-aller de son corps fatigué mais souple, qui paraissait élégamment brisé dans le fauteuil, l'abandon de ses jambes, l'insouciance de sa pose, ses mouvements pleins de lassitude, tout révélait une femme sans intérêt dans la vie, qui n'a point connu les plaisirs de l'amour, mais qui les a rêvés, et qui se courbe sous les fardeaux dont l'accable sa mémoire ; une femme qui depuis longtemps a désespéré de l'avenir ou d'elle-même ; une femme inoccupée qui prend le vide pour le néant. Charles de Vandenesse admira ce magnifique tableau, mais comme le produit d'un *faire* plus habile que ne l'est celui des femmes ordinaires. Il connaissait d'Aiglemont. Au premier regard jeté sur cette femme, qu'il n'avait pas encore vue, le jeune diplomate reconnut alors des disproportions, des incompatibilités, employons le mot légal, trop fortes entre ces deux personnes pour qu'il fût possible à la marquise d'aimer son mari. Cependant Mme d'Aiglemont tenait une conduite irréprochable et sa vertu donnait encore un plus haut prix à tous les mystères qu'un observateur pouvait pressentir en elle. Lorsque son premier mouvement de surprise fut passé, Vandenesse chercha la meilleure manière d'aborder Mme d'Aiglemont, et, par une ruse de diplomatie assez vulgaire, il se proposa de l'embarrasser pour savoir comment elle accueillerait une sottise.

— Madame, dit-il en s'asseyant près d'elle, une

heureuse indiscrétion m'a fait savoir que j'ai, je ne sais
à quel titre, le bonheur d'être distingué par vous. Je
vous dois d'autant plus de remerciements que je n'ai
jamais été l'objet d'une semblable faveur. Aussi serez-
vous comptable d'un de mes défauts. Désormais, je ne
veux plus être modeste...

— Vous avez tort, monsieur, dit-elle en riant, il faut
laisser la vanité à ceux qui n'ont pas autre chose à
mettre en avant.

Une conversation s'établit alors entre la marquise et
le jeune homme, qui, suivant l'usage, abordèrent en
un moment une multitude de sujets : la peinture, la
musique, la littérature, la politique, les hommes, les
événements et les choses. Puis ils arrivèrent par une
pente insensible au sujet éternel des causeries françaises et étrangères, à l'amour, aux sentiments et aux
femmes.

— Nous sommes esclaves.

— Vous êtes reines.

Les phrases plus ou moins spirituelles dites par
Charles et la marquise pouvaient se réduire à cette
simple expression de tous les discours présents et à
venir tenus sur cette matière. Ces deux phrases ne
voudront-elles pas toujours dire dans un temps
donné : — Aimez-moi. — Je vous aimerai.

— Madame, s'écria doucement Charles de Vandenesse, vous me faites bien vivement regretter de
quitter Paris. Je ne retrouverai certes pas en Italie des
heures aussi spirituelles que l'a été celle-ci.

— Vous rencontrerez peut-être le bonheur, monsieur, et il vaut mieux que toutes les pensées brillantes
vraies ou fausses, qui se disent chaque soir à Paris.

Avant de saluer la marquise, Charles obtint la permission d'aller lui faire ses adieux. Il s'estima très heureux d'avoir donné à sa requête les formes de la sin-
cérité, lorsque le soir, en se couchant, et le lendemain,
pendant toute la journée, il lui fut impossible de
chasser le souvenir de cette femme. Tantôt il se
demandait pourquoi la marquise l'avait distingué ;
quelles pouvaient être ses intentions en demandant à

le revoir ; et il fit d'intarissables commentaires. Tantôt
il croyait trouver les motifs de cette curiosité, il s'eni-
vrait alors d'espérance, ou se refroidissait, suivant les
interprétations par lesquelles il s'expliquait ce souhait
poli, si vulgaire à Paris. Tantôt c'était tout, tantôt ce
n'était rien. Enfin, il voulut résister au penchant qui
l'entraînait vers Mme d'Aiglemont ; mais il alla chez
elle. Il existe des pensées auxquelles nous obéissons
sans les connaître : elles sont en nous à notre insu.
Quoique cette réflexion puisse paraître plus paradoxale que vraie, chaque personne de bonne foi en
trouvera mille preuves dans sa vie. En se rendant chez
la marquise, Charles obéissait à l'un de ces textes
préexistants dont notre expérience et les conquêtes de
notre esprit ne sont, plus tard, que les développements
sensibles. Une femme de trente ans a d'irrésistibles
attraits pour un jeune homme ; et rien de plus naturel,
de plus fortement tissu, de mieux préétabli que les
attachements profonds dont tant d'exemples nous
sont offerts dans le monde entre une femme comme la
marquise et un jeune homme tel que Vandenesse. En
effet, une jeune fille a trop d'illusions, trop d'inexpé-
rience, et le sexe est trop complice de son amour, pour
qu'un jeune homme puisse en être flatté ; tandis
qu'une femme connaît toute l'étendue des sacrifices à
faire. Là, où l'une est entraînée par la curiosité, par
des séductions étrangères à celles de l'amour, l'autre
obéit à un sentiment consciencieux. L'une cède,
l'autre choisit. Ce choix n'est-il pas déjà une immense
flatterie ? Armée d'un savoir presque toujours chère-
ment payé par des malheurs, en se donnant, la femme
expérimentée semble donner plus qu'elle-même ;
tandis que la jeune fille, ignorante et crédule, ne
sachant rien, ne peut rien comparer, rien apprécier ;
elle accepte l'amour et l'étudie. L'une nous instruit,
nous conseille à un âge où l'on aime à se laisser
guider, où l'obéissance est un plaisir ; l'autre veut tout
apprendre et se montre naïve là où l'autre est tendre.
Celle-là ne vous présente qu'un seul triomphe, celle-ci
vous oblige à des combats perpétuels. La première n'a

que des larmes et des plaisirs, la seconde a des
voluptés et des remords. Pour qu'une jeune fille soit la
maîtresse, elle doit être trop corrompue, et on l'abandonne alors avec horreur ; tandis qu'une femme a
mille moyens de conserver tout à la fois son pouvoir et
sa dignité. L'une, trop soumise, vous offre les tristes
sécurités du repos ; l'autre perd trop pour ne pas
demander à l'amour ses mille métamorphoses. L'une
se déshonore toute seule, l'autre tue à votre profit une
famille entière. La jeune fille n'a qu'une coquetterie,
et croit avoir tout dit quand elle a quitté son vêtement ; mais la femme en a d'innombrables et se cache
sous mille voiles ; enfin elle caresse toutes les vanités,
et la novice n'en flatte qu'une. Il s'émeut d'ailleurs des
indécisions, des terreurs, des craintes, des troubles et
des orages, chez la femme de trente ans, qui ne se
rencontrent jamais dans l'amour d'une jeune fille.
Arrivée à cet âge, la femme demande à un jeune
homme de lui restituer l'estime qu'elle lui a sacrifiée ;
elle ne vit que pour lui, s'occupe de son avenir, lui
veut une belle vie, la lui ordonne glorieuse ; elle obéit,
elle prie et commande, s'abaisse et s'élève, et sait
consoler en mille occasions, où la jeune fille ne sait
que gémir. Enfin, outre tous les avantages de sa position, la femme de trente ans peut se faire jeune fille,
jouer tous les rôles, être pudique, et s'embellir même
d'un malheur. Entre elles deux se trouve l'incommen-
surable différence du prévu à l'imprévu, de la force à
la faiblesse. La femme de trente ans satisfait tout, et la
jeune fille, sous peine de ne pas être, doit ne rien
satisfaire. Ces idées se développent au cœur d'un
jeune homme, et composent chez lui la plus forte des
passions, car elle réunit les sentiments factices créés
par les mœurs, aux sentiments réels de la nature.

La démarche la plus capitale et la plus décisive dans
la vie des femmes est précisément celle qu'une femme
regarde toujours comme la plus insignifiante. Mariée,
elle ne s'appartient plus, elle est la reine et l'esclave du
foyer domestique. La sainteté des femmes est incon-
ciliable avec les devoirs et les libertés du monde.

Emanciper les femmes, c'est les corrompre. En accordant à un étranger le droit d'entrer dans le sanctuaire du ménage, n'est-ce pas se mettre à sa merci ? mais qu'une femme l'y attire, n'est-ce pas une faute, ou pour être exact, le commencement d'une faute ? Il faut accepter cette théorie dans toute sa rigueur, ou absoudre les passions. Jusqu'à présent, en France, la Société a su prendre un *mezzo termine* : elle se moque des malheurs. Comme les Spartiates qui ne punissaient que la maladresse, elle semble admettre le vol. Mais peut-être ce système est-il très sage. Le mépris général constitue le plus affreux de tous les châtiments, en ce qu'il atteint la femme au cœur. Les femmes tiennent et doivent toutes tenir à être honorées, car sans l'estime elles n'existent plus. Aussi est-ce le premier sentiment qu'elles demandent à l'amour. La plus corrompue d'entre elle exige, même avant tout, une absolution pour le passé, en vendant son avenir, et tâche de faire comprendre à son amant qu'elle échange, contre d'irrésistibles félicités, les honneurs que le monde lui refusera. Il n'est pas de femme qui, en recevant chez elle, pour la première fois, un jeune homme, et en se trouvant seule avec lui, ne conçoive quelques-unes de ces réflexions ; surtout si, comme Charles de Vandenesse, il est bien fait ou spirituel. Pareillement, peu de jeunes gens manquent de fonder quelques vœux secrets sur une des mille idées qui justifient leur amour inné pour les femmes belles, spirituelles et malheureuses comme l'était Mme d'Aiglemont. Aussi la marquise, en entendant annoncer M. de Vandenesse, fut-elle troublée ; et lui, fut-il presque honteux, malgré l'assurance qui, chez les diplomates, est en quelque sorte de costume [78]. Mais la marquise prit bientôt cet air affectueux, sous lequel les femmes s'abritent contre les interprétations de la vanité. Cette contenance exclut toute arrière-pensée et fait pour ainsi dire la part au sentiment en le tempérant par les formes de la politesse. Les femmes se tiennent alors aussi longtemps qu'elles le veulent dans cette position équivoque, comme dans un carre-

four qui mène également au respect, à l'indifférence, à
l'étonnement ou à la passion. A trente ans seulement
une femme peut connaître les ressources de cette
situation. Elle y sait rire, plaisanter, s'attendrir sans se
compromettre. Elle possède alors le tact nécessaire
pour attaquer chez un homme toutes les cordes sensibles, et pour étudier les sons qu'elle en tire. Son
silence est aussi dangereux que sa parole. Vous ne
devinez jamais si, à cet âge, elle est franche ou fausse,
si elle se moque ou si elle est de bonne foi dans ses
aveux. Après vous avoir donné le droit de lutter avec
elle, tout à coup, par un mot, par un regard, par un de
ces gestes dont la puissance leur est connue, elles fer-
ment le combat, vous abandonnent, et restent maîtresses de votre secret, libres de vous immoler par une
plaisanterie, libres de s'occuper de vous, également
protégées par leur faiblesse et par votre force.
Quoique la marquise se plaçât, pendant cette première
visite, sur ce terrain neutre, elle sut y conserver une
haute dignité de femme. Ses douleurs secrètes planè-
rent toujours sur sa gaieté factice comme un léger
nuage qui dérobe imparfaitement le soleil. Vandenesse
sortit après avoir éprouvé dans cette conversation des
délices inconnues ; mais il demeura convaincu que la
marquise était de ces femmes dont la conquête coûte
trop cher pour qu'on puisse entreprendre de les aimer.

— Ce serait, dit-il en s'en allant, du sentiment à
perte de vue, une correspondance à fatiguer un sous-
chef ambitieux ! Cependant, si je voulais bien... Ce
fatal — *Si je voulais bien !* a constamment perdu les
entêtés. En France l'amour-propre mène à la passion.
Charles revint chez Mme d'Aiglemont et crut s'apercevoir qu'elle prenait plaisir à sa conversation. Au lieu
de se livrer avec naïveté au bonheur d'aimer, il voulut
alors jouer un double rôle. Il essaya de paraître passionné, puis d'analyser froidement la marche de cette
intrigue, d'être amant et diplomate ; mais il était généreux et jeune, cet examen devait le conduire à un
amour sans bornes ; car, artificieuse ou naturelle, la
marquise était toujours plus forte que lui. Chaque fois

qu'il sortait de chez Mme d'Aiglemont, Charles persistait dans sa méfiance et soumettait les situations progressives par lesquelles passait son âme à une sévère analyse, qui tuait ses propres émotions.

— Aujourd'hui, se disait-il à la troisième visite, elle m'a fait comprendre qu'elle était très malheureuse et seule dans la vie, que sans sa fille elle désirerait ardemment la mort. Elle a été d'une résignation parfaite. Or, je ne suis ni son frère ni son confesseur, pourquoi m'a-t-elle confié ses chagrins ? Elle m'aime.

Deux jours après, en s'en allant, il apostrophait les mœurs modernes.

— L'amour prend la couleur de chaque siècle. En 1822 il est doctrinaire [79]. Au lieu de se prouver, comme jadis, par des faits, on le discute, on le disserte, on le met en discours de tribune. Les femmes en sont réduites à trois moyens : d'abord elles mettent en question notre passion, nous refusent le pouvoir d'aimer autant qu'elles aiment. Coquetterie ! véritable défi que la marquise m'a porté ce soir. Puis elles se font très malheureuses pour exciter nos générosités naturelles ou notre amour-propre. Un jeune homme n'est-il pas flatté de consoler une grande infortune ? Enfin elles ont la manie de la virginité ! Elle a dû penser que je la croyais toute neuve. Ma bonne foi peut devenir une excellente spéculation.

Mais un jour, après avoir épuisé ses pensées de défiance, il se demanda si la marquise était sincère, si tant de souffrances pouvaient être jouées, pourquoi feindre de la résignation ? elle vivait dans une solitude profonde, et dévorait en silence des chagrins qu'elle laissait à peine deviner par l'accent plus ou moins contraint d'une interjection. Dès ce moment Charles prit un vif intérêt à Mme d'Aiglemont. Cependant, en venant à un rendez-vous habituel qui leur était devenu nécessaire à l'un et à l'autre, heure réservée par un mutuel instinct, Vandenesse trouvait encore sa maîtresse plus habile que vraie, et son dernier mot était :

— Décidément, cette femme est très adroite. Il entra, vit la marquise dans son attitude favorite, attitude

pleine de mélancolie ; elle leva les yeux sur lui sans
faire un mouvement, et lui jeta un de ces regards
pleins qui ressemblent à un sourire. Mme d'Aiglemont
exprimait une confiance, une amitié vraie, mais point
d'amour. Charles s'assit et ne put rien dire. Il était
ému par une de ces sensations pour lesquelles il
manque un langage.

— Qu'avez-vous ? lui dit-elle d'un son de voix
attendrie.

— Rien. Si, reprit-il, je songe à une chose qui ne
vous a point encore occupée.

— Qu'est-ce ?

— Mais... le congrès est fini.

— Eh ! bien, dit-elle, vous deviez donc aller au
congrès ?

Une réponse directe était la plus éloquente et la
plus délicate des déclarations ; mais Charles ne la fit
pas. La physionomie de Mme d'Aiglemont attestait
une candeur d'amitié qui détruisait tous les calculs de
la vanité, toutes les espérances de l'amour, toutes les
défiance du diplomate ; elle ignorait ou paraissait
ignorer complètement qu'elle fût aimée ; et, lorsque
Charles, tout confus, se replia sur lui-même, il fut
forcé de s'avouer qu'il n'avait rien fait ni rien dit qui
autorisât cette femme à le penser. M. de Vandenesse
trouva pendant cette soirée la marquise ce qu'elle était
toujours : simple et affectueuse, vraie dans sa douleur,
heureuse d'avoir un ami, fière de rencontrer une âme
qui sût entendre la sienne ; elle n'allait pas au-delà, et
ne supposait pas qu'une femme pût se laisser deux fois
séduire ; mais elle avait connu l'amour et le gardait
encore saignant au fond de son cœur ; elle n'imaginait
pas que le bonheur pût apporter deux fois à une
femme ses enivrements, car elle ne croyait pas seulement à l'esprit, mais à l'âme ; et, pour elle, l'amour
n'était pas une séduction, il comportait toutes les
séductions nobles. En ce moment Charles redevint
jeune homme, il fut subjugué par l'éclat d'un si grand
caractère, et voulut être initié dans tous les secrets de
cette existence flétrie par le hasard plus que par une

faute. Mme d'Aiglemont ne jeta qu'un regard à son ami en l'entendant demander compte du surcroît de chagrin qui communiquait à sa beauté toutes les harmonies de la tristesse ; mais ce regard profond fut comme le sceau d'un contrat solennel.

— Ne me faites plus de questions semblables, dit-elle. Il y a trois ans [80], à pareil jour, celui qui m'aimait, le seul homme au bonheur de qui j'eusse sacrifié jusqu'à ma propre estime, est mort, et mort pour me sauver l'honneur. Cet amour a cessé jeune, pur, plein d'illusions. Avant de me livrer à une passion vers laquelle une fatalité sans exemple me poussa, j'avais été séduite par ce qui perd tant de jeunes filles, par un homme nul, mais de formes agréables. Le mariage effeuilla mes espérances une à une. Aujourd'hui j'ai perdu le bonheur légitime et ce bonheur que l'on nomme criminel, sans avoir connu le bonheur. Il ne me reste rien. Si je n'ai pas su mourir, je dois être au moins fidèle à mes souvenirs.

A ces mots, elle ne pleura pas, elle baissa les yeux et se tordit légèrement les doigts, qu'elle avait croisés par son geste habituel. Cela fut dit simplement, mais l'accent de sa voix était l'accent d'un désespoir aussi profond que paraissait l'être son amour, et ne laissait aucune espérance à Charles. Cette affreuse existence traduite en trois phrases et commentée par une torsion de main, cette forte douleur dans une femme frêle, cet abîme dans une jolie tête, enfin les mélancolies, les larmes d'un deuil de trois ans fascinèrent Vandenesse, qui resta silencieux et petit devant cette grande et noble femme : il n'en voyait plus les beautés matérielles si exquises, si achevées, mais l'âme éminemment sensible. Il rencontrait enfin cet être idéal si fantastiquement rêvé, si vigoureusement appelé par tous ceux qui mettent la vie dans une passion, la cherchent avec ardeur, et souvent meurent sans avoir pu jouir de tous ses trésors rêvés.

En entendant ce langage et devant cette beauté sublime, Charles trouva ses idées étroites. Dans l'impuissance où il était de mesurer ses paroles à la

hauteur de cette scène, tout à la fois si simple et si
élevée, il répondit par des lieux communs sur la destinée des femmes.

— Madame, il faut savoir oublier ses douleurs, ou
se creuser une tombe, dit-il.

Mais la raison est toujours mesquine auprès du sentiment ; l'une est naturellement bornée, comme tout
ce qui est positif, et l'autre est infini. Raisonner là où
il faut sentir est le propre des âmes sans portée. Vandenesse garda donc le silence, contempla longtemps
Mme d'Aiglemont et sortit. En proie à des idées nouvelles qui lui grandissaient la femme, il ressemblait à
un peintre qui, après avoir pris pour types les vulgaires
modèles de son atelier, rencontrerait tout à coup la
Mnémosyne du Musée [81], la plus belle et la moins
appréciée des statues antiques. Charles fut profondément épris. Il aima Mme d'Aiglemont avec cette
bonne foi de la jeunesse, avec cette ferveur qui communique aux premières passions une grâce ineffable,
une candeur que l'homme ne retrouve plus qu'en
ruines lorsque plus tard il aime encore : délicieuses
passions, presque toujours délicieusement savourées
par les femmes qui les font naître, parce qu'à ce bel
âge de trente ans, sommité poétique de la vie des
femmes, elles peuvent en embrasser tout le cours et
voir aussi bien dans le passé que dans l'avenir. Les
femmes connaissent alors tout le prix de l'amour et en
jouissent avec la crainte de le perdre : alors leur âme
est encore belle de la jeunesse qui les abandonne, et
leur passion va se renforçant d'un avenir qui les
effraie.

— J'aime, disait cette fois Vandenesse en quittant
la marquise, et pour mon malheur je trouve une
femme attachée à des souvenirs. La lutte est difficile
contre un mort qui n'est plus là, qui ne peut pas faire
de sottises, ne déplaît jamais, et de qui l'on ne voit
que les belles qualités. N'est-ce pas vouloir détrôner la
perfection que d'essayer à tuer les charmes de la
mémoire et les espérances qui survivent à un amant
perdu, précisément parce qu'il n'a réveillé que des

désirs, tout ce que l'amour a de plus beau, de plus séduisant ?

Cette triste réflexion, due au découragement et à la crainte de ne pas réussir, par lesquels commencent toutes les passions vraies, fut le dernier calcul de sa diplomatie expirante. Dès lors il n'eut plus d'arrière-pensées, devint le jouet de son amour, et se perdit dans les riens de ce bonheur inexplicable qui se repaît d'un mot, d'un silence, d'un vague espoir. Il voulut aimer platoniquement, vint tous les jours respirer l'air que respirait Mme d'Aiglemont, s'incrusta presque dans sa maison et l'accompagna partout avec la tyrannie d'une passion qui mêle son égoïsme au dévouement le plus absolu. L'amour a son instinct, il sait trouver le chemin du cœur comme le plus faible insecte marche à sa fleur avec une irrésistible volonté qui ne s'épouvante de rien. Aussi, quand un sentiment est vrai, sa destinée n'est-elle pas douteuse. N'y a-t-il pas de quoi jeter une femme dans toutes les angoisses de la terreur, si elle vient à penser que sa vie dépend du plus ou du moins de vérité, de force, de persistance que son amant mettra dans ses désirs ! Or, il est impossible à une femme, à une épouse, à une mère, de se préserver contre l'amour d'un jeune homme ; la seule chose qui soit en sa puissance est de ne pas continuer à le voir au moment où elle devine ce secret du cœur qu'une femme devine toujours. Mais ce parti semble trop décisif pour qu'une femme puisse le prendre à un âge où le mariage pèse, ennuie et lasse, où l'affection conjugale est plus que tiède, si déjà même son mari ne l'a pas abandonnée. Laides, les femmes sont flattées par un amour qui les fait belles ; jeunes et charmantes, la séduction doit être à la hauteur de leurs séductions, elle est immense ; vertueuses, un sentiment terrestrement sublime les porte à trouver je ne sais quelle absolution dans la grandeur même des sacrifices qu'elles font à leur amant et de la gloire dans cette lutte difficile. Tout est piège. Aussi nulle leçon n'est-elle trop forte pour de si fortes tentations. La réclusion ordonnée autrefois à la femme en Grèce, en Orient, et qui devient de mode en Angleterre, est la seule sauvegarde de la morale domestique ; mais sous l'empire de ce système, les agréments du monde périssent : ni la société, ni la politesse, ni l'élégance des mœurs ne sont alors possibles. Les nations devront choisir.

Ainsi, quelques mois après sa première rencontre, Mme d'Aiglemont trouva sa vie étroitement liée à celle de Vandenesse, elle s'étonna sans trop de confusion, et presque avec un certain plaisir, d'en partager les goûts et les pensées. Avait-elle pris les idées de Vandenesse, ou Vandenesse avait-il épousé ses moindres caprices ? elle n'examina rien. Déjà saisie par le courant de la passion, cette adorable femme se dit avec la fausse bonne foi de la peur :

— Oh ! non ! je serai fidèle à celui qui mourut pour moi.

Pascal a dit : « Douter de Dieu, c'est y croire. » De même, une femme ne se débat que quand elle est prise. Le jour où la marquise s'avoua qu'elle était aimée, il lui arriva de flotter entre mille sentiments contraires. Les superstitions de l'expérience parlèrent leur langage. Serait-elle heureuse ? pourrait-elle trouver le bonheur en dehors des lois dont la Société fait, à tort ou à raison, sa morale ? Jusqu'alors la vie ne lui avait versé que de l'amertume. Y avait-il un heureux dénouement possible aux liens qui unissent deux êtres séparés par des convenances sociales ? Mais aussi le bonheur se paie-t-il jamais trop cher ? Puis ce bonheur si ardemment voulu, et qu'il est si naturel de chercher, peut-être le rencontrerait-elle enfin ! La curiosité plaide toujours la cause des amants. Au milieu de cette discussion secrète, Vandenesse arriva. Sa présence fit évanouir le fantôme métaphysique de la raison. Si telles sont les transformations successives par lesquelles passe un sentiment même rapide chez un jeune homme et chez une femme de trente ans, il est un moment où les raisonnements s'abolissent en un seul, en une dernière réflexion qui se confond dans un désir et qui le corrobore. Plus la résistance a été longue, plus puissante alors est la voix de l'amour. Ici donc s'arrête cette leçon ou plutôt cette étude faite sur l'*écorché*, s'il est permis d'emprunter à la peinture une de ses expressions les plus pittoresques : car cette histoire explique les dangers et le mécanisme de l'amour plus qu'elle ne le peint. Mais dès ce moment, chaque jour ajouta des couleurs à ce squelette, le revêtit des grâces de la jeunesse, en raviva les chairs, en vivifia les mouvements, lui rendit l'éclat, la beauté, les séductions du sentiment et les attraits de la vie. Charles trouva Mme d'Aiglemont pensive ; et, lorsqu'il eut dit de ce ton pénétré que les douces magies du cœur rendirent persuasif : — Qu'avez-vous ? elle se garda bien de répondre. Cette délicieuse demande accusait une parfaite entente d'âme ; et, avec l'instinct merveilleux de la femme, la marquise comprit que des plaintes ou l'expression de son malheur intime seraient en quelque sorte des avances. Si déjà chacune de ces paroles avait une signification entendue par tous deux, dans quel abîme n'allait-elle pas mettre les pieds ? Elle lut en elle-même par un regard lucide et clair, se tut et son silence fut imité par Vandenesse.

— Je suis souffrante, dit-elle enfin effrayée de la haute portée d'un moment où le langage des yeux suppléa complètement à l'impuissance des discours.

— Madame, répondit Charles d'une voix affectueuse mais violemment émue, âme et corps, tout se tient. Si vous étiez heureuse, vous seriez jeune et fraîche. Pourquoi refusez-vous de demander à l'amour tout ce dont l'amour vous a privée ? Vous croyez la vie terminée au moment où, pour vous, elle commence. Confiez-vous aux soins d'un ami. Il est si doux d'être aimé !

— Je suis déjà vieille, dit-elle, rien ne m'excuserait donc de ne pas continuer à souffrir comme par le passé. D'ailleurs il faut aimer, dites-vous ? Eh ! bien, je ne le dois ni ne le puis. Hors vous, dont l'amitié jette quelques douceurs sur ma vie, personne ne me plaît, personne ne saurait effacer mes souvenirs. J'accepte un ami, je fuirais un amant. Puis serait-il

bien généreux à moi d'échanger un cœur flétri contre
un jeune cœur, d'accueillir des illusions que je ne puis
plus partager, de causer un bonheur auquel je ne croi-
rais point, ou que je tremblerais de perdre ? Je répon-
drais peut-être par de l'égoïsme à son dévouement, et
calculerais quand il sentirait ; ma mémoire offenserait
la vivacité de ses plaisirs. Non, voyez-vous, un premier
amour ne se remplace jamais. Enfin, quel homme
voudrait à ce prix de mon cœur ?

Ces paroles, empreintes d'une horrible coquetterie,
étaient le dernier effort de la sagesse. — S'il se décou-
rage, eh ! bien, je resterai seule et fidèle. Cette pensée
vint au cœur de cette femme, et fut pour elle ce qu'est
la branche de saule trop faible que saisit un nageur
avant d'être emporté par le courant. En entendant cet
arrêt, Vandenesse laissa échapper un tressaillement
involontaire qui fut plus puissant sur le cœur de la
marquise que ne l'avaient été toutes ses assiduités passées. Ce qui touche le plus les femmes, n'est-ce pas de
rencontrer en nous des délicatesses gracieuses, des
sentiments exquis autant que le sont les leurs ; car
chez elles la grâce et la délicatesse sont les indices du
vrai. Le geste de Charles révélait un véritable amour.
Mme d'Aiglemont connut la force de l'affection de
Vandenesse à la force de sa douleur. Le jeune homme
dit froidement : — Vous avez peut-être raison.
Nouvel amour, chagrin nouveau. Puis, il changea de
conversation, et s'entretint de choses indifférentes,
mais il était visiblement ému, regardait Mme d'Aiglemont avec une attention concentrée, comme s'il l'eût
vue pour la dernière fois. Enfin, il la quitta, en lui
disant avec émotion : — Adieu, Madame.

— Au revoir, dit-elle, avec cette coquetterie fine
dont le secret n'appartient qu'aux femmes d'élite. Il
ne répondit pas, et sortit.

Quand Charles ne fut plus là, que sa chaise vide
parla pour lui, elle eut mille regrets, et se trouva des
torts. La passion fait un progrès énorme chez une
femme au moment où elle croit avoir agi peu généreu-
sement, ou avoir blessé quelque âme noble. Jamais il

ne faut se défier des sentiments mauvais en amour, ils sont très salutaires ; les femmes ne succombent que sous le coup d'une vertu. *L'enfer est pavé de bonnes intentions*, n'est pas un paradoxe de prédicateur. Vandenesse resta pendant quelques jours sans venir. Pendant chaque soirée, à l'heure du rendez-vous habituel, la marquise l'attendit avec une impatience pleine de remords. Ecrire était un aveu ; d'ailleurs, son instinct lui disait qu'il reviendrait. Le sixième jour, son valet de chambre le lui annonça. Jamais elle n'entendit ce nom avec plus de plaisir. Sa joie l'effraya.

— Vous m'avez bien punie ! lui dit-elle.

Vandenesse la regarda d'un air hébété.

— Punie ! répéta-t-il. Et de quoi ?

Charles comprenait bien la marquise ; mais il voulait se venger des souffrances auxquelles il avait été en proie, du moment où elle les soupçonnait.

— Pourquoi n'êtes-vous pas venu me voir ? demanda-t-elle en souriant.

— Vous n'avez donc vu personne ? dit-il pour ne pas faire une réponse directe.

— Monsieur de Ronquerolles et monsieur de Marsay, le petit d'Esgrignon, sont restés ici, l'un hier, l'autre ce matin, près de deux heures. J'ai vu, je crois, aussi Mme Firmiani et votre sœur, Mme de Listomère.

Autre souffrance ! Douleur incompréhensible pour ceux qui n'aiment pas avec ce despotisme envahisseur et féroce dont le moindre effet est une jalousie monstrueuse, un perpétuel désir de dérober l'être aimé à toute influence étrangère à l'amour.

— Quoi ! se dit en lui-même Vandenesse, elle a reçu, elle a vu des êtres contents, elle leur a parlé, tandis que je restais solitaire, malheureux !

Il ensevelit son chagrin et jeta son amour au fond de son cœur, comme un cercueil à la mer. Ses pensées étaient de celles que l'on n'exprime pas ; elles ont la rapidité de ces acides qui tuent en s'évaporant. Cependant son front se couvrit de nuages, et Mme d'Aiglemont obéit à l'instinct de la femme en

partageant cette tristesse sans la concevoir. Elle n'était
pas complice du mal qu'elle faisait, et Vandenesse s'en
aperçut. Il parla de sa situation et de sa jalousie,
comme si c'eût été l'une de ces hypothèses que les
amants se plaisent à discuter. La marquise comprit
tout, et fut alors si vivement touchée qu'elle ne put
retenir ses larmes. Dès ce moment, ils entrèrent dans
les cieux de l'amour. Le ciel et l'enfer sont deux
grands poèmes qui formulent les deux seuls points sur
lesquels tourne notre existence : la joie ou la douleur.
Le ciel n'est-il pas, ne sera-t-il pas toujours une image
de l'infini de nos sentiments qui ne sera jamais peint
que dans ses détails, parce que le bonheur est un ; et
l'enfer ne représente-t-il pas les tortures infinies de
nos douleurs dont nous pouvons faire œuvre de
poésie, parce qu'elles sont toutes dissemblables ?

Un soir, les deux amants étaient seuls, assis l'un
près de l'autre, en silence, et occupés à contempler
une des plus belles phases du firmament, un de ces
ciels purs dans lesquels les derniers rayons du soleil
jettent de faibles teintes d'or et de pourpre. En ce
moment de la journée, les lentes dégradations de la
lumière semblent réveiller les sentiments doux ; nos
passions vibrent mollement, et nous savourons les
troubles de je ne sais quelle violence au milieu du
calme. En nous montrant le bonheur par de vagues
images, la nature nous invite à en jouir quand il est
près de nous, ou nous le fait regretter quand il a fui.
Dans ces instants fertiles en enchantements, sous le
dais de cette lueur dont les tendres harmonies s'unissent à des séductions intimes, il est difficile de résister
aux vœux du cœur qui ont alors tant de magie ! alors
le chagrin s'émousse, la joie enivre, et la douleur
accable. Les pompes du soir sont le signal des aveux
et les encouragent. Le silence devient plus dangereux
que la parole, en communiquant aux yeux toute la
puissance de l'infini des cieux qu'ils reflètent. Si l'on
parle, le moindre mot possède une irrésistible puissance. N'y a-t-il pas alors de la lumière dans la voix,
de la pourpre dans le regard ? Le ciel n'est-il pas

comme en nous, ou ne nous semble-t-il pas être dans le ciel ? Cependant Vandenesse et Juliette, car depuis quelques jours elle se laissait appeler ainsi familièrement par celui qu'elle se plaisait à nommer Charles ; donc tous deux parlaient, mais le sujet primitif de leur conversation était bien loin d'eux ; et, s'ils ne savaient plus le sens de leurs paroles, ils écoutaient avec délices les pensées secrètes qu'elles couvraient. La main de la marquise était dans celle de Vandenesse, et elle la lui abandonnait sans croire que ce fût une faveur.

Ils se penchèrent ensemble pour voir un de ces majestueux paysages pleins de neige, de glaciers, d'ombres grises qui teignent les flancs de montagnes fantastiques ; un de ces tableaux remplis de brusques oppositions entre les flammes rouges et les tons noirs qui décorent les cieux avec une inimitable et fugace poésie ; magnifiques langes dans lesquels renaît le soleil, beau linceul où il expire. En ce moment, les cheveux de Juliette effleurèrent les joues de Vandenesse ; elle sentit ce contact léger, elle en frissonna violemment, et lui plus encore ; car tous deux étaient graduellement arrivés à une de ces inexplicables crises où le calme communique aux sens une perception si fine, que le plus faible choc fait verser des larmes et déborder la tristesse si le cœur est perdu dans ces mélancolies, ou lui donne d'ineffables plaisirs s'il est perdu dans les vertiges de l'amour. Juliette pressa presque involontairement la main de son ami. Cette pression persuasive donna du courage à la timidité de l'amant. Les joies de ce moment et les espérances de l'avenir, tout se fondit dans une émotion, celle d'une première caresse, du chaste et modeste baiser que Mme d'Aiglemont laissa prendre sur sa joue. Plus faible était la faveur, plus puissante, plus dangereuse elle fut. Pour leur malheur à tous deux, il n'y avait ni semblants ni fausseté. Ce fut l'entente de deux belles âmes, séparées par tout ce qui est loi, réunies par tout ce qui est séduction dans la nature. En ce moment le général d'Aiglemont entra.

— Le ministère est changé, dit-il. Votre oncle fait

partie du nouveau cabinet. Ainsi, vous avez de bien belles chances pour être ambassadeur, Vandenesse.

Charles et Julie se regardèrent en rougissant. Cette pudeur mutuelle fut encore un lien. Tous deux, ils eurent la même pensée, le même remords ; lien terrible et tout aussi fort entre deux brigands qui viennent d'assassiner un homme qu'entre deux amants coupables d'un baiser. Il fallait une réponse au marquis.

— Je ne veux plus quitter Paris, dit Charles Vandenesse.

— Nous savons pourquoi, répliqua le général en affectant la finesse d'un homme qui découvre un secret. Vous ne voulez pas abandonner votre oncle, pour vous faire déclarer l'héritier de sa pairie.

La marquise s'enfuit dans sa chambre en se disant sur son mari cet effroyable mot : — Il est aussi par trop bête !

IV

LE DOIGT DE DIEU

Entre la barrière d'Italie et celle de la Santé, sur le
boulevard intérieur qui mène au Jardin-des-Plantes [82],
il existe une perspective digne de ravir l'artiste ou le
voyageur le plus blasé sur les jouissances de la vue. Si
vous atteignez une légère éminence à partir de laquelle
le boulevard, ombragé par de grands arbres touffus,
tourne avec la grâce d'une allée forestière verte et
silencieuse, vous voyez devant vous, à vos pieds, une
vallée profonde, peuplée de fabriques [83] à demi villa-
geoises, clairsemée de verdure, arrosée par les eaux
brunes de la Bièvre ou des Gobelins. Sur le versant
opposé, quelques milliers de toits, pressée comme les
têtes d'une foule, recèlent les misères du faubourg
Saint-Marceau. La magnifique coupole du Panthéon,
le dôme terne et mélancolique du Val-de-Grâce domi-
nent orgueilleusement toute une ville en amphithéâtre
dont les gradins sont bizarrement dessinés par des
rues tortueuses. De là, les proportions des deux
monuments semblent gigantesques ; elles écrasent et
les demeures frêles et les plus hauts peupliers du
vallon. A gauche, l'Observatoire, à travers les fenêtres
et les galeries duquel le jour passe en produisant
d'inexplicables fantaisies, apparaît comme un spectre
noir et décharné. Puis, dans le lointain, l'élégante lan-

terne des Invalides flamboie entre les masses bleuâtres du Luxembourg et les tours grises de Saint-Sulpice. Vues de là, ces lignes architecturales sont mêlées à des feuillages, à ces ombres, sont soumises aux caprices d'un ciel qui change incessamment de couleur, de lumière ou d'aspect. Loin de vous, les édifices meublent les airs ; autour de vous, serpentent des arbres ondoyants, des sentiers campagnards. Sur la droite, par une large découpure de ce singulier paysage, vous apercevez la longue nappe blanche du canal Saint-Martin, encadré de pierres rougeâtres, paré de ses tilleuls, bordé par les constructions vraiment romaines des Greniers d'abondance [84]. Là, sur le dernier plan, les vaporeuses collines de Belleville, chargées de maisons et de moulins, confondent leurs accidents avec ceux des nuages. Cependant il existe une ville que vous ne voyez pas, entre la rangée de toits qui borde le vallon et cet horizon aussi vague qu'un souvenir d'enfance ; immense cité, perdue comme dans un précipice entre les cimes de la Pitié et le faîte du cimetière de l'Est, entre la souffrance et la mort. Elle fait entendre un bruissement sourd semblable à celui de l'Océan qui gronde derrière une falaise comme pour dire : — Je suis là. Si le soleil jette ses flots de lumière sur cette face de Paris, s'il en épure, s'il en fluidifie les lignes ; s'il y allume quelques vitres, s'il en égaie les tuiles, embrase les croix dorées, blanchit les murs et transforme l'atmosphère en un voile de gaze ; s'il crée de riches contrastes avec les ombres fantastiques ; si le ciel est d'azur et la terre frémissante, si les cloches parlent, alors de là vous admirerez une de ces féeries éloquentes que l'imagination n'oublie jamais, dont vous serez idolâtre, affolé comme d'un merveilleux aspect de Naples, de Stamboul ou des Florides. Nulle harmonie ne manque à ce concert. Là, murmurent le bruit du monde et la poétique paix de la solitude, la voix d'un million d'êtres et la voix de Dieu. Là, gît une capitale couchée sous les paisibles cyprès du Père-Lachaise.

Par une matinée de printemps, au moment où le

LE DOIGT DE DIEU   173

soleil faisait briller toutes les beautés de ce paysage, je
les admirais, appuyé sur un gros orme qui livrait au
vent ses fleurs jaunes. Puis, à l'aspect de ces riches et
sublimes tableaux, je pensais amèrement au mépris
que nous professons, jusque dans nos livres, pour
notre pays d'aujourd'hui. Je maudissais ces pauvres
riches qui, dégoûtés de notre belle France, vont
acheter à prix d'or le droit de dédaigner leur patrie en
visitant au galop, en examinant à travers un lorgnon
les sites de cette Italie devenue si vulgaire. Je contem-
plais avec amour le Paris moderne, je rêvais, lorsque
tout à coup le bruit d'un baiser troubla ma solitude et
fit enfuir la philosophie. Dans la contre-allée qui couronne la pente rapide au bas de laquelle frissonnent
les eaux, et en regardant au-delà du pont des Gobelins, je découvris une femme qui me parut encore
assez jeune, mise avec la simplicité la plus élégante, et
dont la physionomie douce semblait refléter le gai
bonheur du paysage. Un beau jeune homme posait à
terre le plus joli garçon qu'il fût possible de voir, en
sorte que je n'ai jamais su si le baiser avait retenti sur
les joues de la mère ou sur celles de l'enfant. Une
même pensée, tendre et vive, éclatait dans les yeux,
dans les gestes, dans le sourire des deux jeunes gens.
Ils entrelacèrent leurs bras avec une si joyeuse promptitude, et se rapprochèrent avec une si merveilleuse
entente de mouvement, que, tout à eux-mêmes, ils ne
s'aperçurent point de ma présence. Mais un autre
enfant, mécontent, boudeur, et qui leur tournait le
dos, me jeta des regards empreints d'une expression
saisissante. Laissant son frère courir seul, tantôt en
arrière, tantôt en avant de sa mère et du jeune
homme, cet enfant, vêtu comme l'autre, aussi gracieux, mais plus doux de formes, resta muet, immobile, et dans l'attitude d'un serpent engourdi. C'était
une petite fille. La promenade de la jolie femme et de
son compagnon avait je ne sais quoi de machinal. Se
contentant, par distraction peut-être, de parcourir le
faible espace qui se trouvait entre le petit pont et une
voiture arrêtée au détour du boulevard, ils recommen-

çaient constamment leur courte carrière, en s'arrêtant, se regardant, riant au gré des caprices d'une conversation tour à tour animée, languissante, folle ou grave.

Caché par le gros orme, j'admirais cette scène délicieuse, et j'en aurais sans doute respecté les mystères si je n'avais surpris sur le visage de la petite fille rêveuse et taciturne les traces d'une pensée plus profonde que ne le comportait son âge. Quand sa mère et le jeune homme se retournaient après être venus près d'elle, souvent elle penchait sournoisement la tête, et lançait sur eux comme sur son frère un regard furtif vraiment extraordinaire. Mais rien ne saurait rendre la perçante finesse, la malicieuse naïveté, la sauvage attention qui animait ce visage enfantin aux yeux légèrement cernés, quand la jolie femme ou son compagnon caressaient les boucles blondes, pressaient gentiment le cou frais, la blanche collerette du petit garçon, au moment où, par enfantillage, il essayait de marcher avec eux. Il y avait certes une passion d'homme sur la physionomie grêle de cette petite fille bizarre. Elle souffrait ou pensait. Or, qui prophétise plus sûrement la mort chez ces créatures en fleur ? est-ce la souffrance logée au corps, ou la pensée hâtive dévorant leurs âmes, à peine germées ? Une mère sait cela peut-être. Pour moi, je ne connais maintenant rien de plus horrible qu'une pensée de vieillard sur un front d'enfant ; le blasphème aux lèvres d'une vierge est moins monstrueux encore. Aussi l'attitude presque stupide de cette fille déjà pensive, la rareté de ses gestes, tout m'intéressa-t-il. Je l'examinai curieusement. Par une fantaisie naturelle aux observateurs, je la comparais à son frère, en cherchant à surprendre les rapports et les différences qui se trouvaient entre eux. L'aînée avait des cheveux bruns, des yeux noirs et une puissance précoce qui formaient une riche opposition avec la blonde chevelure, les yeux verts de mer et la gracieuse faiblesse du plus jeune. L'aînée pouvait avoir environ sept à huit ans, l'autre six à peine. Ils étaient habillés de la même manière. Cependant, en les regardant avec attention, je remarquai dans les col-

lerettes de leurs chemises une différence assez frivole,
mais qui plus tard me révéla tout un roman dans le
passé, tout un drame dans l'avenir. Et c'était bien peu
de chose. Un simple ourlet bordait la collerette de la
petite fille brune tandis que de jolies broderies
ornaient celle du cadet, et trahissaient un secret de
cœur, une prédilection tacite que les enfants lisent
dans l'âme de leurs mères, comme si l'esprit de Dieu
était en eux. Insouciant et gai, le blond ressemblait à
une petite fille, tant sa peau blanche avait de fraîcheur, ses mouvements de grâce, sa physionomie de
douceur ; tandis que l'aînée, malgré sa force, malgré la
beauté de ses traits et l'éclat de son teint, ressemblait
à un petit garçon maladif. Ses yeux vifs, dénués de
cette humide vapeur qui donne tant de charme aux
regards des enfants, semblaient avoir été comme ceux
des courtisans, séchés par un feu intérieur. Enfin, sa
blancheur avait je ne sais quelle nuance mate, olivâtre,
symptôme d'un vigoureux caractère. A deux reprises
son jeune frère était venu lui offrir, avec une grâce
touchante, avec un joli regard, avec une mine expres-
sive qui eût ravi Charlet [85], le petit cor de chasse dans
lequel il soufflait par instant ; mais, chaque fois, elle
n'avait répondu que par un farouche regard à cette
phrase : — Tiens, Hélène, le veux-tu ? dite d'une voix
caressante. Et, sombre et terrible sous sa mine insouciante en apparence, la petite fille tressaillait et rougissait même assez vivement lorsque son frère approchait ; mais le cadet ne paraissait pas s'apercevoir de
l'humeur noire de sa sœur, et son insouciance, mêlée
d'intérêt, achevait de faire contraster le véritable
caractère de l'enfance avec la science soucieuse de
l'homme, inscrite déjà sur la figure de la petite fille, et
qui déjà l'obscurcissait de ses sombres nuages.

— Maman, Hélène ne veut pas jouer, s'écria le
petit qui saisit pour se plaindre un moment où sa mère
et le jeune homme étaient restés silencieux sur le pont
des Gobelins.

— Laisse-la, Charles. Tu sais bien qu'elle est toujours grognon.

Ces paroles, prononcées au hasard par la mère, qui ensuite se retourna brusquement avec le jeune homme, arrachèrent des larmes à Hélène. Elle les dévora silencieusement, lança sur son frère un de ces regards profonds qui me semblaient inexplicables, et contempla d'abord avec une sinistre intelligence le talus sur le faîte duquel il était, puis la rivière de Bièvre, le pont, le paysage et moi.

Je craignis d'être aperçu par le couple joyeux, de qui j'aurais sans doute troublé l'entretien ; je me retirai doucement, et j'allai me réfugier derrière une haie de sureau dont le feuillage me déroba complètement à tous les regards. Je m'assis tranquillement sur le haut du talus, en regardant en silence et tour à tour, soit les beautés changeantes du site, soit la petite fille sauvage qu'il m'était encore possible d'entrevoir à travers les interstices de la haie et le pied des sureaux sur lesquels ma tête reposait, presque au niveau du boulevard. En ne me voyant plus, Hélène parut inquiète ; ses yeux noirs me cherchèrent dans le lointain de l'allée, derrière les arbres, avec une indéfinissable curiosité. Qu'étais-je donc pour elle ? En ce moment, les rires naïfs de Charles retentirent dans le silence comme un chant d'oiseau. Le beau jeune homme, blond comme lui, le faisait danser dans ses bras, et l'embrassait en lui prodiguant ces petits mots sans suite et détournés de leur sens véritable que nous adressons amicalement aux enfants. La mère souriait à ces jeux, et, de temps à autre, disait, sans doute à voix basse, des paroles sorties du cœur ; car son compagnon s'arrêtait, tout heureux, et le regardait d'un œil bleu plein de feu, plein d'idolâtrie. Leurs voix mêlées à celle de l'enfant avaient je ne sais quoi de caressant. Ils étaient charmants tous trois. Cette scène délicieuse, au milieu de ce magnifique paysage, y répandait une incroyable suavité. Une femme, belle, blanche, rieuse, un enfant d'amour [86], un homme ravissant de jeunesse, un ciel pur, enfin toutes les harmonies de la nature s'accordaient pour réjouir l'âme. Je me surpris à sourire, comme si ce bonheur était le mien. Le beau jeune

homme entendit sonner neuf heures. Après avoir tendrement embrassé sa compagne, devenue sérieuse et
presque triste, il revint alors vers son tilbury qui
s'avançait lentement conduit par un vieux domestique. Le babil de l'enfant chéri se mêla aux derniers
baisers que lui donna le jeune homme. Puis, quand
celui-ci fut monté dans sa voiture, que la femme
immobile écouta le tilbury roulant, en suivant la trace
marquée par la poussière nuageuse, dans la verte allée
du boulevard, Charles accourut à sa sœur près du
pont, et j'entendis qu'il lui disait d'une voix argen-
tine : — Pourquoi donc que tu n'es pas venue dire
adieu à mon bon ami ?

En voyant son frère sur le penchant du talus,
Hélène lui lança le plus horrible regard qui jamais ait
allumé les yeux d'un enfant, et le poussa par un mouvement de rage. Charles glissa sur le versant rapide, y
rencontra des racines qui le rejetèrent violemment sur
les pierres coupantes du mur ; il s'y fracassa le front,
puis, tout sanglant, alla tomber dans les eaux
boueuses de la rivière. L'onde s'écarta en mille jets
bruns sous sa jolie tête blonde. J'entendis les cris aigus
du pauvre petit ; mais bientôt ses accents se perdirent
étouffés dans la vase, où il disparut en rendant un son
lourd comme celui d'une pierre qui s'engouffre.
L'éclair n'est pas plus prompt que ne le fut cette
chute. Je me levai soudain et descendis par un sentier.
Hélène stupéfaite poussa des cris perçants :

— Maman ! maman !

La mère était là, près de moi. Elle avait volé comme
un oiseau. Mais ni les yeux de la mère ni les miens ne
pouvaient reconnaître la place précise où l'enfant était
enseveli. L'eau noire bouillonnait sur un espace
immense. Le lit de la Bièvre a, dans cet endroit, dix
pieds de boue. L'enfant devait y mourir, il était
impossible de le secourir. A cette heure, un dimanche,
tout était en repos. La Bièvre n'a ni bateaux ni
pêcheurs. Je ne vis ni perches pour sonder le ruisseau
puant, ni personne dans le lointain. Pourquoi donc
aurais-je parlé de ce sinistre accident, ou dit le secret

de ce malheur ? Hélène avait peut-être vengé son père.
Sa jalousie était sans doute le glaive de Dieu. Cependant je frissonnai en contemplant la mère. Quel épouvantable interrogatoire son mari, son juge éternel,
n'allait-il pas lui faire subir ? Et elle traînait avec elle
un témoin incorruptible. L'enfance a le front transparent, le teint diaphane ; et le mensonge est, chez elle,
comme une lumière qui lui rougit même le regard. La
malheureuse femme ne pensait pas encore au supplice
qui l'attendait au logis. Elle regardait la Bièvre.

Un semblable événement devait produire d'affreux
retentissements dans la vie d'une femme, et voici l'un
des échos les plus terribles qui de temps en temps
troublèrent les amours de Juliette.

Deux ou trois ans après, un soir, après dîner, chez
le marquis de Vandenesse alors en deuil de son père,
et qui avait une succession à régler, se trouvait un
notaire. Ce notaire n'était pas le petit notaire de
Sterne [87], mais un gros et gras notaire de Paris, un de
ces hommes estimables qui font une sottise avec
mesure, mettent lourdement le pied sur une plaie
inconnue, et demandent pourquoi l'on se plaint. Si,
par hasard, ils apprennent le pourquoi de leur bêtise
assassine, ils disent : — Ma foi, je n'en savais rien !
Enfin, c'était un notaire honnêtement niais, qui ne
voyait que des *actes* dans la vie. Le diplomate avait
près de lui Mme d'Aiglemont. Le général s'en était
allé poliment avant la fin du dîner pour conduire ses
deux enfants au spectacle, sur les boulevards, à
l'Ambigu-Comique ou à la Gaieté. Quoique les mélo-
drames surexcitent les sentiments, ils passent à Paris
pour être à la portée de l'enfance, et sans danger,
parce que l'innocence y triomphe toujours. Le père
était parti sans attendre le dessert, tant sa fille et son
fils l'avaient tourmenté pour arriver au spectacle avant
le lever du rideau.

Le notaire, l'imperturbable notaire, incapable de se
demander pourquoi Mme d'Aiglemont envoyait au
spectacle ses enfants et son mari sans les y accompagner était, depuis le dîner, comme vissé sur sa chaise.

Une discussion avait fait traîner le dessert en lon-
gueur, et les gens tardaient à servir le café. Ces incidents, qui dévoraient un temps sans doute précieux,
arrachaient des mouvements d'impatience à la jolie
femme : on aurait pu la comparer à un cheval de race
piaffant avant la course. Le notaire, qui ne se connaissait ni en chevaux ni en femmes, trouvait tout bonne-
ment la marquise une vive et sémillante femme.
Enchanté d'être dans la compagnie d'une femme à la
mode et d'un homme politique célèbre, ce notaire faisait de l'esprit ; il prenait pour une approbation le faux
sourire de la marquise, qu'il impatientait considéra-
blement, et il allait son train. Déjà le maître de la
maison, de concert avec sa compagne, s'était permis
de garder à plusieurs reprises le silence là où le notaire
attendait une réponse élogieuse ; mais, pendant ces
repos significatifs, ce diable d'homme regardait le feu
en cherchant des anecdotes. Puis le diplomate avait eu
recours à sa montre. Enfin, la jolie femme s'était
recoiffée de son chapeau pour sortir, et ne sortait pas.
Le notaire ne voyait, n'entendait rien ; il était ravi de
lui-même, et sûr d'intéresser assez la marquise pour la
clouer là. — J'aurai bien certainement cette femme-là
pour cliente, se disait-il.

La marquise se tenait debout, mettait ses gants, se
tordait les doigts et regardait alternativement le marquis de Vandenesse qui partageait son impatience, ou
le notaire qui plombait chacun de ses traits d'esprit. A
chaque pause que faisait ce digne homme, le joli
couple respirait en se disant par un signe : — Enfin, il
va donc s'en aller ! Mais point. C'était un cauchemar
moral qui devait finir par irriter les deux personnes
passionnées sur lesquelles le notaire agissait comme
un serpent sur des oiseaux, et les obliger à quelque
brusquerie. Au beau milieu du récit des ignobles
moyens par lesquels du Tillet, un homme d'affaires
alors en faveur, avait fait sa fortune, et dont les infa-
mies étaient scrupuleusement détaillées par le spirituel
notaire, le diplomate entendit sonner neuf heures à la
pendule ; il vit que son notaire était bien décidément

un imbécile qu'il fallait tout uniment congédier, et il
l'arrêta résolument par un geste.

— Vous voulez les pincettes, monsieur le marquis ?
dit le notaire en les présentant à son client.

— Non, monsieur, je suis forcé de vous renvoyer.
Madame veut aller rejoindre ses enfants, et je vais
avoir l'honneur de l'accompagner.

— Déjà neuf heures ! le temps passe comme
l'ombre dans la compagnie de gens aimables, dit le
notaire qui parlait tout seul depuis une heure.

Il chercha son chapeau, puis il vint se planter
devant la cheminée, retint difficilement un hoquet, et
dit à son client, sans voir les regards foudroyants que
lui lançait la marquise :

— Résumons-nous, monsieur le marquis. Les
affaires passent avant tout. Demain donc nous lance-
rons une assignation à monsieur votre frère pour le
mettre en demeure ; nous procéderons à l'inventaire,
et après, ma foi...

Le notaire avait si mal compris les intentions de son
client, qu'il en prenait l'affaire en sens inverse des
instructions que celui-ci venait de lui donner. Cet
incident était trop délicat pour que Vandenesse ne
rectifiât pas involontairement les idées du balourd
notaire, et il s'ensuivit une discussion qui prit un certain temps.

— Ecoutez, dit enfin le diplomate sur un signe que
lui fit la jeune femme, vous me cassez la tête, revenez
demain à neuf heures avec mon avoué.

— Mais j'aurai l'honneur de vous faire observer,
monsieur le marquis, que nous ne sommes pas certains de rencontrer demain M. Desroches, et si la mise
en demeure n'est pas lancée avant midi, le délai
expire, et...

En ce moment une voiture entra dans la cour ; et au
bruit qu'elle fit, la pauvre femme se retourna vivement
pour cacher des pleurs qui lui vinrent aux yeux. Le
marquis sonna pour faire dire qu'il était sorti ; mais le
général, revenu comme à l'improviste de la Gaieté,
précéda le valet de chambre, et parut en tenant d'une

main sa fille dont les yeux étaient rouges, et de l'autre
son petit garçon tout grimaud et fâché.

— Que vous est-il donc arrivé ? demanda la femme
à son mari.

— Je vous dirai cela plus tard, répondit le général
en se dirigeant vers un boudoir voisin dont la porte
était ouverte et où il aperçut les journaux.

La marquise impatientée se jeta désespérément sur
un canapé.

Le notaire, qui se crut obligé de faire le gentil avec
les enfants, prit un ton mignard pour dire au garçon :

— Hé bien, mon petit, que donnait-on à la comédie ?

— *La Vallée du torrent* [88], répondit Gustave en gro-
gnant.

— Foi d'homme d'honneur, dit le notaire, les
auteurs de nos jours sont à moitié fous ! *La Vallée du
torrent* ! Pourquoi pas *Le Torrent de la vallée* ? il est
possible qu'une vallée n'ait pas de torrent, et en disant
Le Torrent de la vallée, les auteurs auraient accusé
quelque chose de net, de précis, de caractérisé, de
compréhensible. Mais laissons cela. Maintenant comment peut-il se rencontrer un drame dans un torrent
et dans la vallée ? Vous me répondrez qu'aujourd'hui
le principal attrait de ces sortes de spectacle gît dans
les décorations, et ce titre en indique de fort belles.
Vous êtes-vous bien amusé, mon petit compère ? ajouta-t-il en s'asseyant devant l'enfant.

Au moment où le notaire demanda quel drame
pouvait se rencontrer au fond d'un torrent, la fille de
la marquise se retourna lentement et pleura. La mère
était si violemment contrariée qu'elle n'aperçut pas le
mouvement de sa fille.

— Oh ! oui, monsieur, je m'amusais bien, répondit
l'enfant. Il y avait dans la pièce un petit garçon bien
gentil qui était seul au monde, parce que son papa
n'avait pas pu être son père. Voilà que, quand il arrive
en haut du pont qui est sur le torrent, un grand vilain
barbu, vêtu tout en noir, le jette dans l'eau. Hélène
s'est mise alors à pleurer, à sangloter ; toute la salle a

crié après nous, et mon père nous a bien vite, bien vite
emmenés...

M. de Vandenesse et la marquise restèrent tous
deux stupéfaits, et comme saisis par un mal qui leur
ôta la force de penser et d'agir.

— Gustave, taisez-vous donc, cria le général. Je
vous ai défendu de parler sur ce qui s'est passé au
spectacle, et vous oubliez déjà mes recommandations.

— Que Votre Seigneurie l'excuse, monsieur le marquis, dit le notaire, j'ai eu tort de l'interroger, mais
j'ignorais la gravité de...

— Il devait ne pas répondre, dit le père en regardant son fils avec froideur.

La cause du brusque retour des enfants et de leur
père parut alors être bien connue du diplomate et de
la marquise. La mère regarda sa fille, la vit en pleurs,
et se leva pour aller à elle, mais alors son visage se
contracta violemment et offrit les signes d'une sévérité
que rien ne tempérait.

— Assez, Hélène, lui dit-elle, allez sécher vos
larmes dans le boudoir.

— Qu'a-t-elle donc fait, cette pauvre petite ? dit le
notaire, qui voulut calmer à la fois la colère de la mère
et les pleurs de la fille. Elle est si jolie que ce doit être
la plus sage créature du monde ; je suis bien sûr,
madame, qu'elle ne vous donne que des jouissances.
Pas vrai, ma petite ?

Hélène regarda sa mère en tremblant, essuya ses
larmes, tâcha de se composer un visage calme, et
s'enfuit dans le boudoir.

— Et certes, disait le notaire en continuant toujours, madame, vous êtes trop bonne mère pour ne
pas aimer également tous vos enfants. Vous êtes
d'ailleurs trop vertueuse pour avoir de ces tristes pré-
férences dont les funestes effets se révèlent plus particulièrement à nous autres notaires. La société nous
passe par les mains ; aussi en voyons-nous les passions
sous leur forme la plus hideuse, *l'intérêt*. Ici, une mère
veut déshériter les enfants de son mari au profit des
enfants qu'elle leur préfère ; tandis que, de son côté, le

mari veut quelquefois réserver sa fortune à l'enfant qui
a mérité la haine de la mère. Et c'est alors des combats, des craintes, des actes, des contre-lettres, des
ventes simulées, des *fidéicommis* [89] ; enfin, un gâchis
pitoyable, ma parole d'honneur, pitoyable ! Là, des
pères passent leur vie à déshériter leurs enfants en
volant le bien de leurs femmes... Oui, *volant* est le
mot. Nous parlions de drame ; ah ! je vous assure que
si nous pouvions dire le secret de certaines donations,
nos auteurs pourraient en faire de terribles tragédies
bourgeoises. Je ne sais pas de quel pouvoir usent les
femmes pour faire ce qu'elles veulent ; car, malgré les
apparences et leur faiblesse, c'est toujours elles qui
l'emportent. Ah ! par exemple, elles ne m'attrapent
pas moi. Je devine toujours la raison de ces prédilections que dans le monde on qualifie poliment d'indé-
finissables ! Mais les maris ne la devinent jamais, c'est
une justice à leur rendre. Vous me répondrez à cela
qu'il y a des grâces d'ét...

Hélène, revenue avec son père du boudoir dans le
salon, écoutait attentivement le notaire, et le comprenait si bien, qu'elle jeta sur sa mère un coup d'œil
craintif en pressentant avec tout l'instinct du jeune
âge que cette circonstance allait redoubler la sévérité
qui grondait sur elle. La marquise pâlit en montrant
au comte, par un geste de terreur, son mari, qui
regardait pensivement les fleurs du tapis. En ce
moment, malgré son savoir-vivre, le diplomate ne se
contint plus, et lança sur le notaire un regard fou-
droyant.

— Venez par ici, monsieur, lui dit-il en se dirigeant
vivement vers la pièce qui précédait le salon.

Le notaire l'y suivit en tremblant et sans achever sa
phrase.

— Monsieur, lui dit alors avec une rage concentrée
le marquis de Vandenesse, qui ferma violemment la
porte du salon où il laissait la femme et le mari, depuis
le dîner vous n'avez fait ici que des sottises et dit que
des bêtises. Pour Dieu ! allez-vous-en ; vous finiriez
par causer les plus grands malheurs. Si vous êtes un

excellent notaire, restez dans votre étude ; mais si, par hasard, vous vous trouvez dans le monde, tâchez d'y être plus circonspect...

Puis il rentra dans le salon, en quittant le notaire sans le saluer. Celui-ci resta pendant un moment tout ébaubi, perclus, sans savoir où il en était. Quand les bourdonnements qui lui tintaient aux oreilles cessèrent, il crut entendre des gémissements, des allées et venues dans le salon, où les sonnettes furent violemment tirées. Il eut peur de revoir le marquis, et retrouva l'usage de ses jambes pour déguerpir et gagner l'escalier ; mais à la porte des appartements, il se heurta dans les valets qui s'empressaient de venir prendre les ordres de leur maître.

— Voilà comme sont tous ces grands seigneurs, se dit-il enfin quand il fut dans la rue à la recherche d'un cabriolet, ils vous engagent à parler, vous y invitent par des compliments ; vous croyez les amuser, point du tout ! Ils vous font des impertinences, vous mettent à distance et vous jettent même à la porte sans se gêner. Enfin, j'étais fort spirituel ; je n'ai rien dit qui ne fût sensé, posé, convenable. Ma foi, il me recommande d'avoir plus de circonspection, je n'en manque pas. Hé ! diantre, je suis notaire et membre de ma chambre. Bah ! c'est une boutade d'ambassadeur, rien n'est sacré pour ces gens-là. Demain il m'expliquera comment je n'ai fait chez lui que des bêtises et dit que des sottises. Je lui demanderai raison ; c'est-à-dire je lui en demanderai la raison. Au total, j'ai tort, peut-être... Ma foi, je suis bien bon de me casser la tête ! Qu'est-ce que cela me fait ?

Le notaire revint chez lui, et soumit l'énigme à sa notaresse [90] en lui racontant de point en point les événements de la soirée.

— Mon cher Crottat, Son Excellence a eu parfaitement raison en te disant que tu n'avais fait que des sottises et dit que des bêtises.

— Pourquoi ?

— Mon cher, je te le dirais, que cela ne t'empêcherait pas de recommencer ailleurs demain. Seulement, je te recommande encore de ne jamais parler que d'affaires en société.

— Si tu ne veux pas me le dire, je le demanderai demain à...

— Mon Dieu, les gens les plus niais s'étudient à cacher ces choses-là, et tu crois qu'un ambassadeur ira te le dire ! Mais, Crottat, je ne t'ai jamais vu si dénué de sens.

— Merci, ma chère !

V

LES DEUX RENCONTRES

Un officier d'ordonnance de Napoléon, que nous appellerons seulement le marquis ou le général, et qui sous la Restauration fit une haute fortune, était venu passer les beaux jours à Versailles, où il habitait une maison de campagne située entre l'église et la barrière de Montreuil, sur le chemin qui conduit à l'avenue de Saint-Cloud. Son service à la cour ne lui permettait pas de s'éloigner de Paris.

Elevé jadis pour servir d'asile aux passagères amours de quelque grand seigneur, ce pavillon avait de très vastes dépendances. Les jardins au milieu desquels il était placé l'éloignaient également à droite et à gauche des premières maisons de Montreuil et des chaumières construites aux environs de la barrière ; ainsi, sans être par trop isolés, les maîtres de cette propriété jouissaient, à deux pas d'une ville, de tous les plaisirs de la solitude. Par une étrange contradiction, la façade et la porte d'entrée de la maison donnaient immédiatement sur le chemin, qui, peut-être autrefois, était peu fréquenté. Cette hypothèse paraît vraisemblable si l'on vient à songer qu'il aboutit au délicieux pavillon bâti par Louis XV pour Mlle de Romans, et qu'avant d'y arriver, les curieux reconnaissent, çà et là, plus d'un *casino* [91] dont l'intérieur et le

décor trahissent les spirituelles débauche
aïeux, qui, dans la licence dont on les acc..
chaient néanmoins l'ombre et le mystère.

Par une soirée d'hiver, le marquis, sa femme et ses
enfants se trouvèrent seuls dans cette maison déserte.
Leurs gens avaient obtenu la permission d'aller célé-
brer à Versailles la noce de l'un d'entre eux ; et, pré-
sumant que la solennité de Noël, jointe à cette circonstance, leur offrirait une valable excuse auprès de
leurs maîtres, ils ne faisaient pas scrupule de consacrer
à la fête un peu plus de temps que ne leur en avait
octroyé l'ordonnance domestique. Cependant, comme
le général était connu pour un homme qui n'avait
jamais manqué d'accomplir sa parole avec une
inflexible probité, les réfractaires ne dansèrent pas
sans quelques remords quand le moment du retour fut
expiré. Onze heures venaient de sonner, et pas un
domestique n'était arrivé. Le profond silence qui
régnait sur la campagne permettait d'entendre, par
intervalles, la bise sifflant à travers les branches noires
des arbres, mugissant autour de la maison, ou
s'engouffrant dans les longs corridors. La gelée avait si
bien purifié l'air, durci la terre et saisi les pavés, que
tout avait cette sonorité sèche dont les phénomènes
nous surprennent toujours. La lourde démarche d'un
buveur attardé, ou le bruit d'un fiacre retournant à
Paris, retentissaient plus vivement et se faisaient
écouter plus loin que de coutume. Les feuilles mortes,
mises en danse par quelques tourbillons soudains, fris-
sonnaient sur les pierres de la cour de manière à
donner une voix à la nuit, quand elle voulait devenir
muette. C'était enfin une de ces âpres soirées qui arra-
chent à notre égoïsme une plainte stérile en faveur du
pauvre ou du voyageur, et nous rendent le coin du feu
si voluptueux. En ce moment, la famille réunie au
salon ne s'inquiétait ni de l'absence des domestiques,
ni des gens sans foyer, ni de la poésie dont étincelle
une veillée d'hiver. Sans philosopher hors de propos,
et confiants en la protection d'un vieux soldat,
femmes et enfants se livraient aux délices qu'engendre

la vie intérieure quand les sentiments n'y sont pas
gênés, quand l'affection et la franchise animent les
discours, les regards et les jeux.

Le général était assis, ou, pour mieux dire, enseveli
dans une haute et spacieuse bergère, au coin de la
cheminée, où brillait un feu nourri qui répandait cette
chaleur piquante, symptôme d'un froid excessif au-
dehors. Appuyée sur le dos du siège et légèrement
inclinée, la tête de ce brave père restait dans une pose
dont l'indolence peignait un calme parfait, un doux
épanouissement de joie. Ses bras, à moitié endormis,
mollement jetés hors de la bergère, achevaient
d'exprimer une pensée de bonheur. Il contemplait le
plus petit de ses enfants, un garçon à peine âgé de
cinq ans qui, demi-nu, se refusait à se laisser déshabiller par sa mère. Le bambin fuyait la chemise ou le
bonnet de nuit avec lequel la marquise le menaçait
parfois ; il gardait sa collerette brodée, riait à sa mère
quand elle l'appelait, en s'apercevant qu'elle riait elle-
même de cette rébellion enfantine ; il se remettait
alors à jouer avec sa sœur, aussi naïve, mais plus malicieuse, et qui parlait déjà plus distinctement que lui,
dont les vagues paroles et les idées confuses étaient à
peine intelligibles pour ses parents. Le petite Moïna,
son aînée de deux ans, provoquait par des agaceries
déjà féminines d'interminables rires, qui partaient
comme des fusées et semblaient ne pas avoir de
cause ; mais à les voir tous deux se roulant devant le
feu, montrant sans honte leurs jolis corps potelés,
leurs formes blanches et délicates, confondant les boucles de leurs chevelures noire et blonde, heurtant leurs
visages roses, où la joie traçait des fossettes ingénues,
certes un père et surtout une mère comprenaient ces
petites âmes, pour eux déjà caractérisées, pour eux
déjà passionnées. Ces deux anges faisaient pâlir par les
vives couleurs de leurs yeux humides, de leurs joues
brillantes, de leur teint blanc, les fleurs du tapis moelleux, ce théâtre de leurs ébats, sur lequel ils tombaient, se renversaient, se combattaient, se roulaient
sans danger. Assise sur une causeuse à l'autre coin de

la cheminée, en face de son mari, la mère était
entourée de vêtements épars et restait, un soulier
rouge à la main, dans une attitude pleine de laisser-
aller. Son indécise sévérité mourait dans un doux sourire gravé sur ses lèvres. Agée d'environ trente-six
ans [92], elle conservait encore une beauté due à la rare
perfection des lignes de son visage, auquel la chaleur,
la lumière et le bonheur prêtaient en ce moment un
éclat surnaturel. Souvent elle cessait de regarder ses
enfants pour reporter ses yeux caressants sur la grave
figure de son mari ; et parfois, en se rencontrant, les
yeux des deux époux échangeaient de muettes jouissances et de profondes réflexions. Le général avait un
visage fortement basané. Son front large et pur était
sillonné par quelques mèches de cheveux grisonnants.
Les mâles éclairs de ses yeux bleus, la bravoure inscrite dans les rides de ses joues flétries, annonçaient
qu'il avait acheté par de rudes travaux le ruban rouge
qui fleurissait la boutonnière de son habit. En ce
moment les innocentes joies exprimées par ses deux
enfants se reflétaient sur sa physionomie vigoureuse et
ferme où perçaient une bonhomie, une candeur indi-
cibles. Ce vieux capitaine était redevenu petit sans
beaucoup d'efforts. N'y a-t-il pas toujours un peu
d'amour pour l'enfance chez les soldats qui ont assez
expérimenté les malheurs de la vie pour avoir su
reconnaître les misères de la force et les privilèges de
la faiblesse ? Plus loin, devant une table ronde éclairée
par des lampes astrales [93] dont les vives lumières luttaient avec les lueurs pâles des bougies placées sur la
cheminée, était un jeune garçon de treize ans qui tournait rapidement les pages d'un gros livre. Les cris de
son frère ou de sa sœur ne lui causaient aucune distraction, et sa figure accusait la curiosité de la jeunesse. Cette profonde préoccupation était justifiée par
les attachantes merveilles des *Mille et Une Nuits* et par
un uniforme de lycéen. Il restait immobile, dans une
attitude méditative, un coude sur la table et la tête
appuyée sur l'une de ses mains, dont les doigts blancs
tranchaient au milieu d'une chevelure brune. La clarté

tombant d'aplomb sur son visage, et le reste du corps
étant dans l'obscurité, il ressemblait ainsi à ces portraits noirs où Raphaël s'est représenté lui-même
attentif, penché, songeant à l'avenir. Entre cette table
et la marquise, une grande et belle jeune fille travaillait, assise devant un métier à tapisserie sur lequel
se penchait et d'où s'éloignait alternativement sa tête,
dont les cheveux d'ébène artistement lissés, réfléchissaient la lumière. A elle seule Hélène était un spectacle. Sa beauté se distinguait par un rare caractère de
force et d'élégance. Quoique relevée de manière à dessiner des traits vifs autour de la tête, la chevelure était
si abondante que, rebelle aux dents du peigne, elle se
frisait énergiquement à la naissance du cou. Ses sourcils, très fournis et régulièrement plantés, tranchaient
avec la blancheur de son front pur. Elle avait même
sur la lèvre supérieure quelques signes de courage qui
figuraient une légère teinte de bistre sous un nez grec
dont les contours étaient d'une exquise perfection.
Mais la captivante rondeur des formes, la candide
expression des autres traits, la transparence d'une car-
nation délicate, la voluptueuse mollesse des lèvres, le
fini de l'ovale décrit par le visage, et surtout la sainteté
de son regard vierge, imprimaient à cette beauté
vigoureuse la suavité féminine, la modestie enchanteresse que nous demandons à ces anges de paix et
d'amour. Seulement il n'y avait rien de frêle dans
cette jeune fille, et son cœur devait être aussi doux,
son âme aussi forte que ses proportions étaient magnifiques et que sa figure était attrayante. Elle imitait le
silence de son frère le lycéen, et paraissait en proie à
l'une de ces fatales méditations de jeune fille, souvent
impénétrables à l'observation d'un père ou même à la
sagacité des mères : en sorte qu'il était impossible de
savoir s'il fallait attribuer au jeu de la lumière ou à des
peines secrètes les ombres capricieuses qui passaient
sur son visage comme de faibles nuées sur un ciel pur.

Les deux aînés étaient en ce moment complètement
oubliés par le mari et par la femme. Cependant plusieurs fois le coup d'œil interrogateur du général avait

embrassé la scène muette qui, sur le second plan, offrait une gracieuse réalisation des espérances écrites dans les tumultes enfantins placés sur le devant de ce tableau domestique. En expliquant la vie humaine par d'insensibles gradations, ces figures composaient une sorte de poème vivant. Le luxe des accessoires qui décoraient le salon, la diversité des attitudes, les oppositions dues à des vêtements tous divers de couleur, les contrastes de ces visages si caractérisés par les différents âges et par les contours que les lumières mettaient en saillie, répandaient sur ces pages humaines toutes les richesses demandées à la sculpture, aux peintres, aux écrivains. Enfin, le silence et l'hiver, la solitude et la nuit prêtaient leur majesté à cette sublime et naïve composition, délicieux effet de nature. La vie conjugale est pleine de ces heures sacrées dont le charme indéfinissable est dû peut-être à quelque souvenance d'un monde meilleur. Des rayons célestes jaillissent sans doute sur ces sortes de scènes, destinées à payer à l'homme une partie de ses chagrins, à lui faire accepter l'existence. Il semble que l'univers soit là, devant nous, sous une forme enchanteresse, qu'il déroule ses grandes idées d'ordre, que la vie sociale plaide pour ses lois en parlant de l'avenir.

Cependant, malgré le regard d'attendrissement jeté par Hélène sur Abel et Moïna quand éclatait une de leurs joies ; malgré le bonheur peint sur sa lucide figure lorsqu'elle contemplait furtivement son père, un sentiment de profonde mélancolie était empreint dans ses gestes, dans son attitude, et surtout dans ses yeux voilés par de longues paupières. Ses blanches et puissantes mains, à travers lesquelles la lumière passait en leur communiquant une rougeur diaphane et presque fluide, eh ! bien, ses mains tremblaient. Une seule fois, sans se défier mutuellement, ses yeux et ceux de la marquise se heurtèrent. Ces deux femmes se comprirent alors par un regard terne, froid, respectueux chez Hélène, sombre et menaçant chez la mère. Hélène baissa promptement sa vue sur le métier, tira l'aiguille avec prestesse, et de longtemps ne releva sa tête, qui semblait lui être devenue trop lourde à porter. La mère était-elle trop sévère pour sa fille, et jugeait-elle cette sévérité nécessaire ? Etait-elle jalouse de la beauté d'Hélène, avec qui elle pouvait rivaliser encore, mais en déployant tous les prestiges de la toilette ? Ou la fille avait-elle surpris, comme beaucoup de filles quand elles deviennent clairvoyantes, des secrets que cette femme, en apparence si religieusement fidèle à ses devoirs, croyait avoir ensevelis dans son cœur aussi profondément que dans une tombe ?

Hélène était arrivée à un âge où la pureté de l'âme porte à des rigidités qui dépassent la juste mesure dans laquelle doivent rester les sentiments. Dans certains esprits, les fautes prennent les proportions du crime ; l'imagination réagit alors sur la conscience ; souvent alors les jeunes filles exagèrent la punition en raison de l'étendue qu'elles donnent aux forfaits. Hélène paraissait ne se croire digne de personne. Un secret de sa vie antérieure, un accident peut-être, incompris d'abord, mais développé par les susceptibilités de son intelligence sur laquelle influaient les idées religieuses, semblait l'avoir depuis peu comme dégradée romanesquement à ses propres yeux. Ce changement dans sa conduite avait commencé le jour où elle avait lu, dans la récente traduction des théâtres étrangers, la belle tragédie de *Guillaume Tell*, par Schiller. Après avoir grondé sa fille de laisser tomber le volume, la mère avait remarqué que le ravage causé par cette lecture dans l'âme d'Hélène venait de la scène où le poète établit une sorte de fraternité entre Guillaume Tell, qui verse le sang d'un homme pour sauver tout un peuple, et Jean-le-Parricide [94]. Devenue humble, pieuse et recueillie, Hélène ne souhaitait plus aller au bal. Jamais elle n'avait été si caressante pour son père, surtout quand la marquise n'était pas témoin de ses cajoleries de jeune fille. Néanmoins, s'il existait du refroidissement dans l'affection d'Hélène pour sa mère, il était si finement exprimé, que le général ne devait pas s'en apercevoir, quelque jaloux qu'il pût être de l'union qui régnait dans sa

famille. Nul homme n'aurait eu l'œil assez perspicace
pour sonder la profondeur de ces deux cœurs féminins : l'un jeune et généreux, l'autre sensible et fier ; le
premier, trésor d'indulgence ; le second, plein de
finesse et d'amour. Si la mère contristait sa fille par un
adroit despotisme de femme, il n'était sensible qu'aux
yeux de la victime. Au reste, l'événement seulement fit
naître ces conjectures toutes insolubles. Jusqu'à cette
nuit, aucune lumière accusatrice ne s'était échappée
de ces deux âmes ; mais entre elles et Dieu certainement il s'élevait quelque sinistre mystère.

— Allons, Abel, s'écria la marquise en saisissant un
moment où silencieux et fatigués Moïna et son frère
restaient immobiles ; allons, venez, mon fils, il faut
vous coucher...

Et, lui lançant un regard impérieux, elle le prit vivement sur ses genoux.

— Comment, dit le général, il est dix heures et
demie, et pas un de nos domestiques n'est rentré ?
Ah ! les compères ! Gustave, ajouta-t-il en se tournant
vers son fils, je ne t'ai donné ce livre qu'à la condition
de le quitter à dix heures ; tu aurais dû le fermer toi-
même à l'heure dite et t'aller coucher comme tu me
l'avais promis. Si tu veux être un homme remarquable, il faut faire de ta parole une seconde religion,
et y tenir comme à ton honneur. Fox, un des plus
grands orateurs de l'Angleterre, était surtout remarquable par la beauté de son caractère. La fidélité aux
engagements pris est la principale de ses qualités.
Dans son enfance, son père, un Anglais de vieille
roche, lui avait donné une leçon assez vigoureuse pour
faire une éternelle impression sur l'esprit d'un jeune
enfant. A ton âge, Fox venait, pendant les vacances,
chez son père, qui avait, comme tous les riches
Anglais, un parc assez considérable autour de son château. Il se trouvait dans ce parc un vieux kiosque qui
devait être abattu et reconstruit dans un endroit où le
point de vue était magnifique. Les enfants aiment
beaucoup à voir démolir. Le petit Fox voulait avoir
quelques jours de vacances de plus pour assister à la

chute du pavillon ; mais son père exigeait qu'il rentrât
au collège au jour fixé pour l'ouverture des classes ; de
là brouille entre le père et le fils. La mère, comme
toutes les mamans, appuya le petit Fox. Le père
promit alors solennellement à son fils qu'il attendrait
aux vacances prochaines pour démolir le kiosque. Fox
retourne au collège. Le père crut qu'un petit garçon
distrait par ses études oublierait cette circonstance, il
fit abattre le kiosque et le reconstruisit à l'autre
endroit. L'entêté garçon ne songeait qu'à ce kiosque.
Quand il vint chez son père, son premier soin fut
d'aller voir le vieux bâtiment ; mais il revint tout triste
au moment du déjeuner, et dit à son père : — Vous
m'avez trompé.

Le vieux gentilhomme anglais dit avec une confusion pleine de dignité : — C'est vrai, mon fils, mais je
réparerai ma faute. Il faut tenir à sa parole plus qu'à sa
fortune, car tenir à sa parole donne la fortune, et
toutes les fortunes n'effacent pas la tache faite à la
conscience par un manque de parole. Le père fit
reconstruire le vieux pavillon comme il était ; puis,
après l'avoir reconstruit, il ordonna qu'on l'abattît
sous les yeux de son fils. Que ceci, Gustave, te serve
de leçon.

Gustave, qui avait attentivement écouté son père,
ferma le livre à l'instant. Il se fit un moment de silence
pendant lequel le général s'empara de Moïna, qui se
débattait contre le sommeil, et la posa doucement sur
lui. La petite laissa rouler sa tête chancelante sur la
poitrine du père et s'y endormit alors tout à fait, enveloppée dans les rouleaux dorés de sa jolie chevelure.
En cet instant, des pas rapides retentirent dans la rue,
sur la terre ; et, soudain, trois coups, frappés à la
porte, réveillèrent les échos de la maison. Ces coups
prolongés eurent un accent aussi facile à comprendre
que le cri d'un homme en danger de mourir. Le chien
de garde aboya d'un ton de fureur. Hélène, Gustave,
le général et sa femme tressaillirent vivement ; mais
Abel, que sa mère achevait de coiffer, et Moïna ne
s'éveillèrent pas.

— Il est pressé, celui-là, s'écria le militaire en déposant sa fille sur la bergère.

Il sortit brusquement du salon sans avoir entendu la prière de sa femme :

— Mon ami, n'y va pas...

Le marquis passa dans sa chambre à coucher, y prit une paire de pistolets, alluma sa lanterne sourde, s'élança vers l'escalier, descendit avec la rapidité de l'éclair, et se trouva bientôt à la porte de la maison où son fils le suivit intrépidement.

— Qui est là ? demanda-t-il.

— Ouvrez, répondit une voix presque suffoquée par des respirations haletantes.

— Etes-vous ami ?

— Oui, ami.

— Etes-vous seul ?

— Oui, mais ouvrez, car *ils* viennent !

Un homme se glissa sous le porche avec la fantastique vélocité d'une ombre aussitôt que le général eut entrebâillé la porte ; et, sans qu'il pût s'y opposer, l'inconnu l'obligea de la lâcher en la repoussant par un vigoureux coup de pied, et s'y appuya résolument comme pour empêcher de la rouvrir. Le général, qui leva soudain son pistolet et sa lanterne sur la poitrine de l'étranger afin de le tenir en respect, vit un homme de moyenne taille enveloppé dans une pelisse fourrée, vêtement de vieillard, ample et traînant, qui semblait ne pas avoir été fait pour lui. Soit prudence ou hasard, le fugitif avait le front entièrement couvert par un chapeau qui lui tombait sous les yeux.

— Monsieur, dit-il au général, abaissez le canon de votre pistolet. Je ne prétends pas rester chez vous sans votre consentement ; mais si je sors, la mort m'attend à la barrière. Et quelle mort ! vous en répondriez à Dieu. Je vous demande l'hospitalité pour deux heures. Songez-y bien, monsieur, quelque suppliant que je sois, je dois commander avec le despotisme de la nécessité. Je veux l'hospitalité de l'Arabie [95]. Que je vous sois sacré ; sinon, ouvrez, j'irai mourir. Il me faut

le secret, un asile et de l'eau. Oh ! de l'eau ! répéta-t-il
d'une voix qui râlait.

— Qui êtes-vous ? demanda le général, surpris de la
volubilité fiévreuse avec laquelle parlait l'inconnu.

— Ah ! qui je suis ? Eh ! bien, ouvrez, je m'éloigne,
répondit l'homme avec l'accent d'une infernale ironie.

Malgré l'adresse avec laquelle le marquis promenait
les rayons de sa lanterne, il ne pouvait voir que le bas
de ce visage, et rien n'y plaidait en faveur d'une hospitalité si singulièrement réclamée : les joues étaient
tremblantes, livides, et les traits horriblement
contractés. Dans l'ombre projetée par le bord du chapeau, les yeux se dessinaient comme deux lueurs qui
firent presque pâlir la faible lumière de la bougie.
Cependant il fallait une réponse.

— Monsieur, dit le général, votre langage est si
extraordinaire, qu'à ma place vous...

— Vous disposez de ma vie, s'écria l'étranger d'un
son de voix terrible en interrompant son hôte.

— Deux heures, dit le marquis irrésolu.

— Deux heures, répéta l'homme.

Mais tout à coup il repoussa son chapeau par un
geste de désespoir, se découvrit le front et lança,
comme s'il voulait faire une dernière tentative, un
regard dont la vive clarté pénétra l'âme du général. Ce
jet d'intelligence et de volonté ressemblait à un éclair,
et fut écrasant comme la foudre ; car il est des
moments où les hommes sont investis d'un pouvoir
inexplicable.

— Allez, qui que vous puissiez être, vous serez en
sûreté sous mon toit, reprit gravement le maître du
logis qui crut obéir à l'un de ces mouvements instinc-
tifs que l'homme ne sait pas toujours expliquer.

— Dieu vous le rende, ajouta l'inconnu en laissant
échapper un profond soupir.

— Etes-vous armé ? demanda le général.

Pour toute réponse, l'étranger lui donnant à peine
le temps de jeter un coup d'œil sur sa pelisse, l'ouvrit
et la replia lestement. Il était sans armes apparentes et
dans le costume d'un jeune homme qui sort du bal.

Quelque rapide que fût l'examen du soupçonneux militaire, il en vit assez pour s'écrier :

— Où diable avez-vous pu vous éclabousser ainsi par un temps si sec ?

— Encore des questions ! répondit-il avec un air de hauteur.

En ce moment le marquis aperçut son fils et se souvint de la leçon qu'il venait de lui faire sur la stricte exécution de la parole donnée ; il fut si vivement contrarié de cette circonstance, qu'il lui dit, non sans un ton de colère :

— Comment, petit drôle, te trouves-tu là au lieu d'être dans ton lit ?

— Parce que j'ai cru pouvoir vous être utile dans le danger, répondit Gustave.

— Allons, monte à ta chambre, dit le père adouci par la réponse de son fils. Et vous, dit-il en s'adressant à l'inconnu, suivez-moi.

Ils devinrent silencieux comme deux joueurs qui se défient l'un de l'autre. Le général commença même à concevoir de sinistres pressentiments. L'inconnu lui pesait déjà sur le cœur comme un cauchemar ; mais, dominé par la foi du serment, il le conduisit à travers les corridors, les escaliers de sa maison, et le fit entrer dans une grande chambre située au second étage, précisément au-dessus du salon. Cette pièce inhabitée servait de séchoir en hiver, ne communiquait à aucun appartement, et n'avait d'autre décoration, sur ses quatre murs jaunis, qu'un méchant miroir laissé sur la cheminée par le précédent propriétaire, et une grande glace qui, s'étant trouvée sans emploi lors de l'emménagement du marquis, fut provisoirement mise en face de la cheminée. Le plancher de cette vaste mansarde n'avait jamais été balayé, l'air y était glacial, et deux vieilles chaises dépaillées en composaient tout le mobilier. Après avoir posé sa lanterne sur l'appui de la cheminée, le général dit à l'inconnu :

— Votre sécurité veut que cette misérable mansarde vous serve d'asile. Et, comme vous avez ma

parole pour le secret, vous me permettrez de vous y
enfermer.

L'homme baissa la tête en signe d'adhésion.

— Je n'ai demandé qu'un asile, le secret et de l'eau,
ajouta-t-il.

— Je vais vous en apporter, répondit le marquis qui
ferma la porte avec soin et descendit à tâtons dans le
salon pour y venir prendre un flambeau afin d'aller
chercher lui-même une carafe dans l'office.

— Hé ! bien, monsieur, qu'y a-t-il ? demanda vivement la marquise à son mari.

— Rien, ma chère, répondit-il d'un air froid.

— Mais nous avons cependant bien écouté, vous
venez de conduire quelqu'un là-haut...

— Hélène, reprit le général en regardant sa fille qui
leva la tête vers lui, songez que l'honneur de votre
père repose sur votre discrétion. Vous devez n'avoir
rien entendu.

La jeune fille répondit par un mouvement de tête
significatif. La marquise demeura tout interdite et
piquée intérieurement de la manière dont s'y prenait
son mari pour lui imposer silence. Le général alla
prendre une carafe, un verre, et remonta dans la
chambre où était son prisonnier : il le trouva debout,
appuyé contre le mur, près de la cheminée, la tête
nue ; il avait jeté son chapeau sur une des deux
chaises. L'étranger ne s'attendait sans doute pas à se
voir si vivement éclairé. Son front se plissa et sa figure
devint soucieuse quand ses yeux rencontrèrent les
yeux perçants du général ; mais il s'adoucit et prit une
physionomie gracieuse pour remercier son protecteur.
Lorsque ce dernier eut placé le verre et la carafe sur
l'appui de la cheminée, l'inconnu, après lui avoir
encore jeté son regard flamboyant, rompit le silence.

— Monsieur, dit-il d'une voix douce qui n'eut plus
de convulsions gutturales comme précédemment,
mais qui néanmoins accusait encore un tremblement
intérieur, je vais vous paraître bizarre. Excusez des
caprices nécessaires. Si vous restez là, je vous prierai
de ne pas me regarder quand je boirai.

Contrarié de toujours obéir à un homme qui lui déplaisait, le général se tourna brusquement. L'étranger tira de sa poche un mouchoir blanc, s'en enveloppa la main droite ; puis il saisit la carafe, et but d'un trait l'eau qu'elle contenait. Sans penser à enfreindre son serment tacite, le marquis regarda machinalement dans la glace ; mais alors la correspondance des deux miroirs permettant à ses yeux de parfaitement embrasser l'inconnu, il vit le mouchoir se rougir soudain par le contact des mains qui étaient pleines de sang.

— Ah ! vous m'avez regardé, s'écria l'homme quand après avoir bu et s'être enveloppé dans son manteau il examina le général d'un air soupçonneux. Je suis perdu. *Ils* viennent, les voici !

— Je n'entends rien, dit le marquis.

— Vous n'êtes pas intéressé [96], comme je le suis, à écouter dans l'espace.

— Vous vous êtes donc battu en duel, pour être ainsi couvert de sang ? demanda le général assez ému en distinguant la couleur des larges taches dont les vêtements de son hôte étaient imbibés.

— Oui, un duel, vous l'avez dit, répéta l'étranger en laissant errer sur ses lèvres un sourire amer.

En ce moment, le son des pas de plusieurs chevaux au grand galop retentit dans le lointain ; mais ce bruit était faible comme les premières lueurs du matin. L'oreille exercée du général reconnut la marche des chevaux disciplinés par le régime de l'escadron.

— C'est la gendarmerie, dit-il.

Il jeta sur son prisonnier un regard de nature à dissiper les doutes qu'il avait pu lui suggérer par son indiscrétion involontaire, remporta la lumière et revint au salon. A peine posait-il la clef de la chambre haute sur la cheminée que le bruit produit par la cavalerie grossit et s'approcha du pavillon avec une rapidité qui le fit tressaillir. En effet, les chevaux s'arrêtèrent à la porte de la maison. Après avoir échangé quelques paroles avec ses camarades, un cavalier descendit, frappa rudement, et obligea le général d'aller ouvrir.

Ce dernier ne fut pas maître d'une émotion secrète à l'aspect de six gendarmes dont les chapeaux bordés d'argent brillaient à la clarté de la lune.

— Monseigneur, lui dit un brigadier, n'avez-vous pas entendu tout à l'heure un homme courant vers la barrière ?

— Vers la barrière ? Non.

— Vous n'avez ouvert votre porte à personne ?

— Ai-je donc l'habitude d'ouvrir moi-même ma porte ?...

— Mais, pardon, mon général, en ce moment, il me semble que...

— Ah ! çà, s'écria le marquis avec un accent de colère, allez-vous me plaisanter ? avez-vous le droit...

— Rien, rien, monseigneur, reprit doucement le brigadier. Vous excuserez notre zèle. Nous savons bien qu'un pair de France ne s'expose pas à recevoir un assassin à cette heure de la nuit ; mais le désir d'avoir quelques renseignements...

— Un assassin ! s'écria le général. Et qui donc a été...

— M. le baron de Mauny vient d'être tué d'un coup de hache, reprit le gendarme. Mais l'assassin est vivement poursuivi. Nous sommes certains qu'il est dans les environs, et nous allons le traquer. Excusez, mon général.

Le gendarme parlait en remontant à cheval, en sorte qu'il ne lui fut heureusement pas possible de voir la figure du général. Habitué à tout supposer, le brigadier aurait peut-être conçu des soupçons à l'aspect de cette physionomie ouverte où se peignaient si fidèlement les mouvements de l'âme.

— Sait-on le nom du meurtrier ? demanda le général.

— Non, répondit le cavalier. Il a laissé le secrétaire plein d'or et de billets de banque, sans y toucher.

— C'est une vengeance, dit le marquis.

— Ah ! bah ! sur un vieillard ?... Non, non, ce gaillard n'aura pas eu le temps de faire son coup.

Et le gendarme rejoignit ses compagnons, qui galopaient déjà dans le lointain. Le général resta pendant un moment en proie à des perplexités faciles à comprendre. Bientôt il entendit ses domestiques qui revenaient en se disputant avec une sorte de chaleur, et dont les voix retentissaient dans le carrefour de Montreuil. Quand ils arrivèrent, sa colère, à laquelle un prétexte pour s'exhaler, tomba sur eux avec l'éclat de la foudre. Sa voix fit trembler les échos de la maison. Puis il s'apaisa tout à coup, lorsque le plus hardi, le plus adroit d'entre eux, son valet de chambre, excusa leur retard en lui disant qu'ils avaient été arrêtés à l'entrée de Montreuil par des gendarmes et des agents de police en quête d'un assassin. Le général se tut soudain. Puis, rappelé par ce mot aux devoirs de sa singulière position, il ordonna sèchement à tous ses gens d'aller se coucher aussitôt, en les laissant étonnés de la facilité avec laquelle il admettait le mensonge du valet de chambre.

Mais pendant que ces événements se passaient dans la cour, un incident assez léger en apparence avait changé la situation des autres personnages qui figurent dans cette histoire. A peine le marquis était-il sorti que sa femme, jetant alternativement les yeux sur la clef de la mansarde et sur Hélène, finit par dire à voix basse en se penchant vers sa fille :

— Hélène, votre père a laissé la clef sur la cheminée.

La jeune fille étonnée leva la tête, et regarda timidement sa mère, dont les yeux pétillaient de curiosité.

— Hé ! bien maman ? répondit-elle d'une voix troublée.

— Je voudrais bien savoir ce qui se passe là-haut. S'il y a une personne, elle n'a pas encore bougé. Vas-y donc...

— Moi ? dit la jeune fille avec une sorte d'effroi.

— As-tu peur ?

— Non, madame, mais je crois avoir distingué le pas d'un homme.

— Si je pouvais y aller moi-même, je ne vous aurais pas priée de monter, Hélène, reprit sa mère avec un

ton de dignité froide. Si votre père rentrait et ne me
trouvait pas, il me chercherait peut-être, tandis qu'il
ne s'apercevra pas de votre absence.

— Madame, répondit Hélène, si vous me le com-
mandez, j'irai ; mais je perdrai l'estime de mon père...

— Comment ! dit la marquise avec un accent
d'ironie. Mais puisque vous prenez au sérieux ce qui
n'était qu'une plaisanterie, maintenant je vous
ordonne d'aller voir qui est là-haut. Voici la clef, ma
fille ! Votre père, en vous recommandant le silence sur
ce qui se passe en ce moment chez lui, ne vous a point
interdit de monter à cette chambre. Allez, et sachez
qu'une mère ne doit jamais être jugée par sa fille...

Après avoir prononcé ces dernières paroles avec
toute la sévérité d'une mère offensée, la marquise prit
la clef et la remit à Hélène, qui se leva sans dire un
mot, et quitta le salon.

— Ma mère saura toujours bien obtenir son pardon ; mais moi je serai perdue dans l'esprit de mon
père. Veut-elle donc me priver de la tendresse qu'il a
pour moi, me chasser de sa maison ?

Ces idées fermentèrent soudain dans son imagination pendant qu'elle marchait sans lumière le long du
corridor, au fond duquel était la porte de la chambre
mystérieuse. Quand elle y arriva, le désordre de ses
pensées eut quelque chose de fatal. Cette espèce de
méditation confuse servit à faire déborder mille sentiments contenus jusque-là dans son cœur. Ne croyant
peut-être déjà plus à un heureux avenir, elle acheva,
dans ce moment affreux, de désespérer de sa vie. Elle
trembla convulsivement en approchant la clef de la
serrure, et son émotion devint même si forte qu'elle
s'arrêta pendant un instant pour mettre la main sur
son cœur, comme si elle avait le pouvoir d'en calmer
les battements profonds et sonores. Enfin elle ouvrit la
porte. Le cri des gonds avait sans doute vainement
frappé l'oreille du meurtrier. Quoique son ouïe fût très
fine, il resta presque collé sur le mur, immobile et
comme perdu dans ses pensées. Le cercle de lumière
projeté par la lanterne l'éclairait faiblement, et il res-

semblait, dans cette zone de clair-obscur, à ces sombres statues de chevaliers, toujours debout à l'encoignure de quelque tombe noire sous les chapelles gothiques. Des gouttes de sueur froide sillonnaient son front jaune et large. Une audace incroyable brillait sur ce visage fortement contracté. Ses yeux de feu, fixes et secs, semblaient contempler un combat dans l'obscurité qui était devant lui. Des pensées tumultueuses passaient rapidement sur cette face, dont l'expression ferme et précise indiquait une âme supérieure. Son corps, son attitude, ses proportions, s'accordaient avec son génie sauvage. Cet homme était tout force et tout puissance, et il envisageait les ténèbres comme une visible image de son avenir. Habitué à voir les figures énergiques des géants qui se pressaient autour de Napoléon, et préoccupé par une curiosité morale, le général n'avait pas fait attention aux singularités physiques de cet homme extraordinaire ; mais, sujette, comme toutes les femmes, aux impressions extérieures, Hélène fut saisie par le mélange de lumière et d'ombre, de grandiose et de passion, par un poétique chaos qui donnait à l'inconnu l'apparence de Lucifer se relevant de sa chute. Tout à coup la tempête peinte sur ce visage s'apaisa comme par magie, et l'indéfinissable empire dont l'étranger était, à son insu peut-être, le principe et l'effet, se répandit autour de lui avec la progressive rapidité d'une inondation. Un torrent de pensées découla de son front au moment où ses traits reprirent leurs formes naturelles. *Charmée* [97], soit par l'étrangeté de cette entrevue, soit par le mystère dans lequel elle pénétrait, la jeune fille put alors admirer une physionomie douce et pleine d'intérêt. Elle resta pendant quelque temps dans un prestigieux [98] silence et en proie à des troubles jusqu'alors inconnus à sa jeune âme. Mais bientôt, soit qu'Hélène eût laissé échapper une exclamation, eût fait un mouvement ; soit que l'assassin, revenant du monde idéal au monde réel, entendit une autre respiration que la sienne, il tourna la tête vers la fille de son hôte, et aperçut indistincte-

ment dans l'ombre la figure sublime et les formes
majestueuses d'une créature qu'il dut prendre pour un
ange, à la voir immobile et vague comme une apparition.

— Monsieur ! dit-elle d'une voix palpitante.

Le meurtrier tressaillit.

— Une femme ! s'écria-t-il doucement. Est-ce possible. Eloignez-vous, reprit-il. Je ne reconnais à personne le droit de me plaindre, de m'absoudre ou de
me condamner. Je dois vivre seul. Allez, mon enfant,
ajouta-t-il avec un geste de souverain, je reconnaîtrais
mal le service que me rend le maître de cette maison,
si je laissais une seule des personnes qui l'habitent
respirer le même air que moi. Il faut me soumettre
aux lois du monde.

Cette dernière phrase fut prononcée à voix basse.
En achevant d'embrasser par sa profonde intuition les
misères que réveilla cette idée mélancolique, il jeta sur
Hélène un regard de serpent, et remua dans le cœur
de cette singulière jeune fille un monde de pensées
encore endormi chez elle. Ce fut comme une lumière
qui lui aurait éclairé des pays inconnus. Son âme fut
terrassée, subjuguée, sans qu'elle trouvât la force de se
défendre contre le pouvoir magnétique de ce regard,
quelque involontairement lancé qu'il fût. Honteuse et
tremblante, elle sortit et ne revint au salon qu'un instant avant le retour de son père, en sorte qu'elle ne
put rien dire à sa mère.

Le général, tout préoccupé, se promena silencieusement, les bras croisés, allant d'un pas uniforme des
fenêtres qui donnaient sur la rue aux fenêtres du
jardin. Sa femme gardait Abel endormi. Moïna, posée
sur la bergère comme un oiseau dans son nid, sommeillait insouciante. La sœur aînée tenait une pelote
de soie dans une main, dans l'autre une aiguille, et
contemplait le feu. Le profond silence qui régnait au
salon, au dehors et dans la maison, n'était interrompu
que par les pas traînants des domestiques, qui allèrent
se coucher un à un ; par quelques rires étouffés, dernier écho de leur joie et de la fête nuptiale ; puis

encore par les portes de leurs chambres respectives, au moment où ils les ouvrirent en se parlant les uns aux autres, et quand ils les fermèrent. Quelques bruits sourds retentirent encore auprès des lits. Une chaise tomba. La toux d'un vieux cocher résonna faiblement et se tut. Mais bientôt la sombre majesté qui éclate dans la nature endormie à minuit domina partout. Les étoiles seules brillaient. Le froid avait saisi la terre. Pas un être ne parla, ne remua. Seulement le feu bruissait, comme pour faire comprendre la profondeur du silence. L'horloge de Montreuil sonna une heure. En ce moment des pas extrêmement légers retentirent faiblement dans l'étage supérieur. Le marquis et la fille, certains d'avoir enfermé l'assassin de M. de Mauny, attribuèrent ces mouvements à une des femmes, et ne furent pas étonnés d'entendre ouvrir les portes de la pièce qui précédait le salon. Tout à coup le meurtrier apparut au milieu d'eux. La stupeur dans laquelle le marquis était plongé, la vive curiosité de la mère et l'étonnement de la fille lui ayant permis d'avancer presque au milieu du salon, il dit au général d'une voix singulièrement calme et mélodieuse :

— Monseigneur, les deux heures vont expirer.

— Vous ici ! s'écria le général. Par quelle puissance ?

Et, d'un regard terrible, il interrogea sa femme et ses enfants. Hélène devint rouge comme le feu.

— Vous, reprit le militaire d'un ton pénétré, vous au milieu de nous ! Un assassin couvert de sang ici ! Vous souillez ce tableau ! Sortez ! sortez ! ajouta-t-il avec un accent de fureur.

Au mot d'assassin, la marquise jeta un cri. Quant à Hélène, ce mot sembla décider de sa vie, son visage n'accusa pas le moindre étonnement. Elle semblait avoir attendu cet homme. Ses pensées si vastes eurent un sens. La punition que le ciel réservait à ses fautes éclatait. Se croyant aussi criminelle que l'était cet homme, la jeune fille le regarda d'un œil serein : elle était sa compagne, sa sœur. Pour elle, un commandement de Dieu se manifestait dans cette circonstance.

Quelques années plus tard, la raison aurait fait justice de ses remords, mais en ce moment ils la rendaient insensée. L'étranger resta immobile et froid. Un sourire de dédain se peignit dans ses traits et sur ses larges lèvres rouges.

— Vous reconnaissez bien mal la noblesse de mes procédés envers vous, dit-il lentement. Je n'ai pas voulu toucher de mes mains le verre dans lequel vous m'avez donné de l'eau pour apaiser ma soif. Je n'ai pas même pensé à laver mes mains sanglantes sous votre toit, et j'en sors n'y ayant laissé de *mon crime* (à ces mots ses lèvres se comprimèrent) que l'idée, en essayant de passer ici sans laisser de trace. Enfin je n'ai pas même permis à votre fille de...

— Ma fille ! s'écria le général en jetant sur Hélène un coup d'œil d'horreur. Ah ! malheureux, sors ou je te tue.

– Les deux heures ne sont pas expirées. Vous ne pouvez ni me tuer ni me livrer sans perdre votre propre estime et — la mienne.

A ce dernier mot, le militaire stupéfait essaya de contempler le criminel ; mais il fut obligé de baisser les yeux, il se sentait hors d'état de soutenir l'insupportable éclat d'un regard qui pour la seconde fois lui désorganisait l'âme. Il craignit de mollir encore en reconnaissant que sa volonté s'affaiblissait déjà.

— Assassiner un vieillard ! Vous n'avez donc jamais vu de famille ? dit-il alors en lui montrant par un geste paternel sa femme et ses enfants.

— Oui, un vieillard, répéta l'inconnu dont le front se contracta légèrement.

—Fuyez, s'écria le général sans oser regarder son hôte. Notre pacte est rompu. Je ne vous tuerai pas. Non ! je ne me ferai jamais le pourvoyeur de l'échafaud. Mais sortez, vous nous faites horreur.

— Je le sais, répondit le criminel avec résignation. Il n'y a pas de terre en France où je puisse poser mes pieds avec sécurité ; mais, si la justice savait, comme Dieu, juger les spécialités [99] ; si elle daignait s'enquérir qui, de l'assassin ou de la victime, est le monstre, je resterais fièrement parmi les hommes. Ne devinez-vous pas des crimes antérieurs chez un homme qu'on vient de hacher ? Je me suis fait juge et bourreau, j'ai remplacé la justice humaine impuissante. Voilà mon crime. Adieu, monsieur. Malgré l'amertume que vous avez jetée dans votre hospitalité, j'en garderai le souvenir. J'aurai encore dans l'âme un sentiment de reconnaissance pour un homme dans le monde, cet homme est vous... Mais je vous aurais voulu plus généreux.

Il alla vers la porte. En ce moment la jeune fille se pencha vers sa mère et lui dit un mot à l'oreille.

— Ah !...

Ce cri échappé à sa femme fit tressaillir le général, comme s'il eût vu Moïna morte. Hélène était debout, et le meurtrier s'était instinctivement retourné, montrant sur sa figure une sorte d'inquiétude pour cette famille.

— Qu'avez-vous, ma chère ? demanda le marquis.

— Hélène veut le suivre, dit-elle.

Le meurtrier rougit.

— Puisque ma mère traduit si mal une exclamation presque involontaire, dit Hélène à voix basse, je réaliserai ses vœux.

Après avoir jeté un regard de fierté presque sauvage autour d'elle, la jeune fille baissa les yeux et resta dans une admirable attitude de modestie.

— Hélène, dit le général, vous êtes allée là-haut dans la chambre où j'avais mis... ?

— Oui, mon père.

— Hélène, demanda-t-il d'une voix altérée par un tremblement convulsif, est-ce la première fois que vous avez vu cet homme ?

— Oui, mon père.

— Il n'est pas alors naturel que vous ayez le dessein de...

— Si cela n'est pas naturel, au moins cela est vrai, mon père.

— Ah ! ma fille ?... dit la marquise à voix basse, mais de manière que son mari l'entendît. Hélène, vous

mentez à tous les principes d'honneur, de modestie,
de vertu, que j'ai tâché de développer dans votre
cœur. Si vous n'avez été que mensonge jusqu'à cette
heure fatale, alors vous n'êtes point regrettable. Est-ce
la perfection morale de cet inconnu qui vous tente ?
serait-ce l'espèce de puissance nécessaire aux gens qui
commettent un crime ?... Je vous estime trop pour
supposer...

— Oh ! supposez tout, madame, répondit Hélène
d'un ton froid.

Mais, malgré la force de caractère dont elle faisait
preuve en ce moment, le feu de ses yeux absorba difficilement les larmes qui roulèrent dans ses yeux.
L'étranger devina le langage de la mère par les pleurs
de la jeune fille, et lança son coup d'œil d'aigle sur la
marquise, qui fut obligée, par un irrésistible pouvoir,
de regarder ce terrible séducteur. Or, quand les yeux
de cette femme rencontrèrent les yeux clairs et lui-
sants de cet homme, elle éprouva dans l'âme un
frisson semblable à la commotion qui nous saisit à
l'aspect d'un reptile, ou lorsque nous touchons à une
bouteille de Leyde [100].

— Mon ami, cria-t-elle à son mari, c'est le démon !
Il devine tout...

Le général se leva pour saisir un cordon de sonnette.

— Il vous perd, dit Hélène au meurtrier.

L'inconnu sourit, fit un pas, arrêta le bras du marquis, le força de supporter un regard qui versait la
stupeur, et le dépouilla de son énergie.

— Je vais vous payer votre hospitalité, dit-il, et
nous serons quittes. Je vous épargnerai un déshonneur
en me livrant moi-même. Après tout, que ferais-je
maintenant dans la vie ?

— Vous pouvez vous repentir, répondit Hélène en
lui adressant une de ces espérances qui ne brillent que
dans les yeux d'une jeune fille.

— Je ne me repentirai jamais, dit le meurtrier d'une
voix sonore et en levant fièrement la tête.

— Ses mains sont teintes de sang, dit le père à sa
fille.

— Je les essuierai, répondit-elle.

— Mais, reprit le général, sans se hasarder à lui montrer l'inconnu, savez-vous s'il veut de vous seulement ?

Le meurtrier s'avança vers Hélène, dont la beauté, quelque chaste et recueillie qu'elle fût, était comme éclairée par une lumière intérieure, dont les reflets coloraient et mettaient, pour ainsi dire, en relief les moindres traits et les lignes les plus délicates ; puis, après avoir jeté sur cette ravissante créature un doux regard, dont la flamme était encore terrible, il dit en trahissant une vive émotion :

— N'est-ce pas vous aimer pour vous-même et m'acquitter des deux heures d'existence que m'a vendues votre père, que de me refuser à votre dévouement ?

— Et vous aussi vous me repoussez ! s'écria Hélène avec un accent qui déchira les cœurs. Adieu donc à tous, je vais aller mourir !

— Qu'est-ce que cela signifie ? lui dirent ensemble son père et sa mère.

Elle resta silencieuse et baissa les yeux après avoir interrogé la marquise par un coup d'œil éloquent. Depuis le moment où le général et sa femme avaient essayé de combattre par la parole ou par l'action l'étrange privilège que l'inconnu s'arrogeait en restant au milieu d'eux, et que ce dernier leur avait lancé l'étourdissante lumière qui jaillissait de ses yeux, ils étaient soumis à une torpeur inexplicable : et leur raison engourdie les aidait mal à repousser la puissance surnaturelle sous laquelle ils succombaient. Pour eux l'air était devenu lourd, et ils respiraient difficilement, sans pouvoir accuser celui qui les opprimait ainsi, quoiqu'une voix intérieure ne leur laissât pas ignorer que cet homme magique était le principe de leur impuissance. Au milieu de cette agonie morale, le général devina que ses efforts devaient avoir pour objet d'influencer la raison chancelante de sa fille : il la saisit par la taille, et la transporta dans l'embrasure d'une croisée, loin du meurtrier.

— Mon enfant chérie, lui dit-il à voix basse, si quelque amour étrange était né tout à coup dans ton cœur, ta vie pleine d'innocence, ton âme pure et pieuse m'ont donné trop de preuves de caractère, pour ne pas te supposer l'énergie nécessaire à dompter un mouvement de folie. Ta conduite cache donc un mystère. Eh! bien, mon cœur est un cœur plein d'indulgence, tu peux tout lui confier ; quand même tu le déchirerais, je saurais, mon enfant, taire mes souffrances et garder à ta confession un silence fidèle. Voyons, es-tu jalouse de notre affection pour tes frères ou ta jeune sœur ? As-tu dans l'âme un chagrin d'amour ? Es-tu malheureuse ici ? Parle, explique-moi les raisons qui te poussent à laisser ta famille, à l'abandonner, à la priver de son plus grand charme, à quitter ta mère, tes frères, ta petite sœur.

— Mon père, répondit-elle, je ne suis ni jalouse, ni amoureuse de personne, pas même de votre ami le diplomate, M. de Vandenesse.

La marquise pâlit, et sa fille, qui l'observait, s'arrêta.

— Ne dois-je pas tôt ou tard aller vivre sous la protection d'un homme ?

— Cela est vrai.

— Savons-nous jamais, dit-elle en continuant, à quel être nous lions nos destinées ? Moi, je crois en cet homme.

— Enfant, dit le général en élevant la voix, tu ne songes pas à toutes les souffrances qui vont t'assaillir.

— Je pense aux siennes...

— Quelle vie ! dit le père.

— Une vie de femme, répondit la fille en murmurant.

— Vous êtes bien savante, s'écria la marquise en retrouvant la parole.

— Madame, les demandes me dictent les réponses mais, si vous le désirez, je parlerai plus clairement.

— Dites tout, ma fille, je suis mère.

Ici la fille regarda la mère, et ce regard fit faire une pause à la marquise.

— Hélène, je subirai vos reproches si vous en avez à me faire, plutôt que de vous voir suivre un homme que tout le monde fuit avec horreur.

— Vous voyez bien, madame, que sans moi il serait seul.

— Assez, madame, s'écria le général, nous n'avons qu'une fille !

Et il regarda Moïna, qui dormait toujours.

— Je vous enfermerai dans un couvent, ajouta-t-il en se tournant vers Hélène.

— Soit ! mon père, répondit-elle avec un calme désespérant, j'y mourrai. Vous n'êtes comptable de ma vie et de *son* âme qu'à Dieu.

Un profond silence succéda soudain à ces paroles. Les spectateurs de cette scène, où tout froissait les sentiments vulgaires de la vie sociale, n'osaient se regarder. Tout à coup le marquis aperçut ses pistolets en saisit un, l'arma lestement et le dirigea sur l'étranger. Au bruit que fit la batterie [101], cet homme se retourna, jeta son regard calme et perçant sur le général dont le bras, détendu par une invincible mollesse, retomba lourdement, et le pistolet coula sur le tapis...

— Ma fille, dit alors le père abattu par cette lutte effroyable, vous êtes libre. Embrassez votre mère si elle y consent. Quant à moi, je ne veux plus ni vous voir ni vous entendre...

— Hélène, dit la mère à la jeune fille, pensez donc que vous serez dans la misère.

Une espèce de râle, parti de la large poitrine du meurtrier, attira les regards sur lui. Une expression dédaigneuse était peinte sur sa figure.

— L'hospitalité que je vous ai donnée me coûte cher ! s'écria le général en se levant. Vous n'avez tué, tout à l'heure, qu'un vieillard ; ici, vous assassinez toute une famille. Quoi qu'il arrive, il y aura du malheur dans cette maison.

— Et si votre fille est heureuse ? demanda le meurtrier en regardant fixement le militaire.

— Si elle est heureuse avec vous, répondit le père

en faisant un incroyable effort, je ne la regretterai
pas.

Hélène s'agenouilla timidement devant son père, et
lui dit d'une voix caressante :

— O mon père, je vous aime et vous vénère, que vous
me prodiguiez les trésors de votre bonté ou les rigueurs
de la disgrâce... Mais, je vous en supplie, que vos dernières paroles ne soient pas des paroles de colère.

Le général n'osa pas contempler sa fille. En ce
moment l'étranger s'avança, et jetant sur Hélène un
sourire où il y avait à la fois quelque chose d'infernal
et de céleste :

— Vous qu'un meurtrier n'épouvante pas, ange de
miséricorde, dit-il, venez, puisque vous persistez à me
confier votre destinée.

— Inconcevable ! s'écria le père.

La marquise lança sur sa fille un regard extraordinaire, et lui ouvrit les bras. Hélène s'y précipita en
pleurant.

— Adieu, dit-elle, adieu, ma mère !

Hélène fit hardiment un signe à l'étranger, qui tressaillit. Après avoir baisé la main de son père, embrassé
précipitamment, mais sans plaisir, Moïna et le petit
Abel, elle disparut avec le meurtrier.

— Par où vont-ils ? s'écria le général en écoutant
les pas des deux fugitifs. — Madame, reprit-il en
s'adressant à sa femme, je crois rêver : cette aventure
me cache un mystère. Vous devez le savoir.

La marquise frissonna.

— Depuis quelque temps, répondit-elle, votre fille
était devenue extraordinairement romanesque et singulièrement exaltée. Malgré mes soins à combattre
cette tendance de son caractère...

— Cela n'est pas clair...

Mais, s'imaginant entendre dans le jardin les pas de
sa fille et de l'étranger, le général s'interrompit pour
ouvrir précipitamment la croisée.

— Hélène, cria-t-il.

Cette voix se perdit dans la nuit comme une vaine
prophétie. En prononçant ce nom, auquel rien ne

répondait plus dans le monde, le général rompit, comme par enchantement, le charme auquel une puissance diabolique l'avait soumis. Une sorte d'esprit lui passa sur la face. Il vit clairement la scène qui venait de se passer, et maudit sa faiblesse qu'il ne comprenant pas. Un frisson chaud alla de son cœur à sa tête, à ses pieds, il redevint lui-même, terrible, affamé de vengeance, et poussa un effroyable cri.

— Au secours ! au secours !...

Il courut aux cordons des sonnettes, les tira de manière à les briser, après avoir fait retentir des tintements étranges. Tous ses gens s'éveillèrent en sursaut. Pour lui, criant toujours, il ouvrit les fenêtres de la rue, appela les gendarmes, trouva ses pistolets, les tira pour accélérer la marche des cavaliers, le lever de ses gens et la venue des voisins. Les chiens reconnurent alors la voix de leur maître et aboyèrent, les chevaux hennirent et piaffèrent. Ce fut un tumulte affreux au milieu de cette nuit calme. En descendant par les escaliers pour courir après sa fille, le général vit ses gens épouvantés qui arrivaient de toutes parts.

— Ma fille ? Hélène est enlevée. Allez dans le jardin ! Gardez la rue ! Ouvrez à la gendarmerie ! A l'assassin !

Aussitôt il brisa par un effort de rage la chaîne qui retenait le gros chien de garde.

— Hélène ! Hélène ! lui dit-il.

Le chien bondit comme un lion, aboya furieusement et s'élança dans le jardin si rapidement, que le général ne put le suivre. En ce moment le galop des chevaux retentit dans la rue, et le général s'empressa d'ouvrir lui-même.

— Brigadier, s'écria-t-il, allez couper la retraite à l'assassin de M. de Mauny. Ils s'en vont par mes jardins. Vite, cernez les chemins de la butte de Picardie, je vais faire une battue dans toutes les terres, les parcs, les maisons. — Vous autres, dit-il à ses gens, veillez sur la rue et tenez la ligne depuis la barrière jusqu'à Versailles. En avant, tous !

Il se saisit d'un fusil que lui apporta son valet de

chambre, et s'élança dans les jardins en criant au chien :

— Cherche !

D'affreux aboiements lui répondirent dans le lointain, et il se dirigea dans la direction d'où les râlements du chien semblaient venir.

A sept heures du matin, les recherches de la gendarmerie, du général, de ses gens et des voisins avaient été inutiles. Le chien n'était pas revenu. Harassé de fatigue, et déjà vieilli par le chagrin, le marquis rentra dans son salon, désert pour lui, quoique ses trois autres enfants y fussent.

— Vous avez été bien froide pour votre fille, dit-il en regardant sa femme. — Voilà donc ce qui nous reste d'elle ! ajouta-t-il en montrant le métier où il voyait une fleur commencée. Elle était là tout à l'heure, et maintenant perdue, perdue !

Il pleura, se cacha la tête dans ses mains, et resta un moment silencieux, n'osant plus contempler ce salon, qui naguère lui offrait le tableau le plus suave du bonheur domestique.

Les lueurs de l'aurore luttaient avec les lampes expirantes ; les bougies brûlaient leurs festons de papier, tout s'accordait avec le désespoir de ce père.

— Il faudra détruire ceci, dit-il après un moment de silence et en montrant le métier. Je ne pourrais plus rien voir de ce qui nous la rappelle...

La terrible nuit de Noël, pendant laquelle le marquis et sa femme eurent le malheur de perdre leur fille aînée sans avoir pu s'opposer à l'étrange domination exercée par son ravisseur involontaire, fut comme un avis que leur donna la fortune. La faillite d'un agent de change ruina le marquis. Il hypothéqua les biens de sa femme pour tenter une spéculation dont les bénéfices devaient restituer à sa famille toute sa première fortune mais cette entreprise acheva de le ruiner. Poussé par son désespoir à tout tenter, le général s'expatria. Six ans s'étaient écoulés depuis son départ. Quoique sa famille eût rarement reçu de ses nouvelles, quelques jours avant la reconnaissance de l'indépendance des républiques américaines par l'Espagne, il avait annoncé son retour.

Donc par une belle matinée, quelques négociants français, impatients de revenir dans leur patrie avec des richesses acquises au prix de longs travaux et de périlleux voyages entrepris, soit au Mexique, soit dans la Colombie, se trouvaient à quelques lieues de Bordeaux, sur un brick espagnol. Un homme, vieilli par les fatigues ou par le chagrin plus que ne le comportaient ses années, était appuyé sur le bastingage et paraissait insensible au spectacle qui s'offrait aux regards des passagers groupés sur le tillac. Echappés aux dangers de la navigation et conviés par la beauté du jour, tous étaient montés sur le pont comme pour saluer la terre natale. La plupart d'entre eux voulaient absolument voir, dans le lointain, les phares, les édifices de la Gascogne, la tour de Cordouan [102], mêlés aux créations fantastiques de quelques nuages blancs qui s'élevaient à l'horizon. Sans la frange argentée qui badinait devant le brick, sans le long sillon rapidement effacé qu'il traçait derrière lui, les voyageurs auraient pu se croire immobiles au milieu de l'Océan, tant la mer y était calme. Le ciel avait une pureté ravissante. La teinte foncée de sa voûte arrivait, par d'insensibles dégradations, à se confondre avec la couleur des eaux bleuâtres, en marquant le point de sa réunion par une ligne dont la clarté scintillait aussi vivement que celle des étoiles. Le soleil faisait étinceler des millions de facettes dans l'immense étendue de la mer, en sorte que les vastes plaines de l'eau étaient plus lumineuses peut-être que les campagnes du firmament. Le brick avait toutes ses voiles gonflées par un vent d'une merveilleuse douceur, et ces nappes aussi blanches que la neige, ces pavillons jaunes [103] flottants, ce dédale de cordages se dessinaient avec une précision rigoureuse sur le fond brillant de l'air, du ciel et de l'Océan, sans recevoir d'autres teintes que celles des ombres projetées par les toiles vaporeuses. Un beau jour, un vent frais, la vue de la patrie, une mer tranquille, un bruissement mélancolique, un joli brick solitaire, glissant sur l'Océan comme une femme qui vole à un rendez-vous, c'était un tableau plein d'harmonies, une scène d'où l'âme humaine pouvait embrasser d'immuables espaces, en partant d'un point où tout était mouvement. Il y avait une étonnante opposition de solitude et de vie, de silence et de bruit, sans qu'on pût savoir où était le bruit et la vie, le néant et le silence ; aussi pas une voix humaine ne rompait-elle ce charme céleste. Le capitaine espagnol, ses matelots, les Français restaient assis ou debout, tous plongés dans une extase religieuse pleine de souvenirs. Il y avait de la paresse dans l'air. Les figures épanouies accusaient un oubli complet des maux passés, et ces hommes se balançaient sur ce doux navire comme dans un songe d'or. Cependant, de temps en temps, le vieux passager, appuyé sur le bastingage, regardait l'horizon avec une sorte d'inquiétude. Il y avait une défiance du sort écrite dans tous ses traits, et il semblait craindre de ne jamais toucher assez vite la terre de France. Cet homme était le marquis. La fortune n'avait pas été sourde aux cris et aux efforts de son désespoir. Après cinq ans de tentatives et de travaux pénibles, il s'était vu possesseur d'une fortune considérable. Dans son impatience de revoir son pays et d'apporter le bonheur à sa famille, il avait suivi l'exemple de quelques négociants français de La Havane, en s'embarquant avec eux sur un vaisseau espagnol en charge pour Bordeaux. Néanmoins son imagination, lassée de prévoir le mal, lui traçait les images les plus délicieuses de son bonheur passé. En voyant de loin la ligne brune décrite par la terre, il croyait contempler sa femme et ses enfants. Il était à sa place, au foyer, et s'y sentait pressé, caressé. Il se figurait Moïna, belle, grandie, imposante comme une jeune fille. Quand ce tableau fantastique eut pris une sorte de réalité, des larmes roulèrent dans ses yeux ; alors, comme pour cacher son trouble, il regarda l'horizon humide, opposé à la ligne brumeuse qui annonçait la terre.

— C'est lui, dit-il, il nous suit.

— Qu'est-ce ? s'écria le capitaine espagnol.

— Un vaisseau, reprit à voix basse le général.

— Je l'ai déjà vu hier, répondit le capitaine Gomez.

Il contempla le Français comme pour l'interroger.

— Il nous a toujours donné la chasse, dit-il alors à l'oreille du général.

— Et je ne sais pas pourquoi il ne nous a jamais rejoints, reprit le vieux militaire, car il est meilleur voilier que votre damné *Saint-Ferdinand*.

— Il aura eu des avaries, une voie d'eau.

— Il nous gagne, s'écria le Français.

— C'est un corsaire colombien, lui dit à l'oreille le capitaine. Nous sommes encore à six lieues de terre, et le vent faiblit.

— Il ne marche pas, il vole, comme s'il savait que dans deux heures sa proie lui aura échappé. Quelle hardiesse !

— Lui ? s'écria le capitaine. Ah ! il ne s'appelle pas l'*Othello* sans raison. Il a dernièrement coulé bas une frégate espagnole, et n'a cependant pas plus de trente canons ! Je n'avais peur que de lui, car je n'ignorais pas qu'il croisait dans les Antilles... — Ah ! ah ! reprit-il après une pause pendant laquelle il regarda les voiles de son vaisseau, le vent s'élève, nous arriverons. Il le faut, le Parisien serait impitoyable.

— Lui aussi arrive ! répondit le marquis.

L'*Othello* n'était plus guère qu'à trois lieues. Quoique l'équipage n'eût pas entendu la conversation du marquis et du capitaine Gomez, l'apparition de cette voile avait amené la plupart des matelots et des passagers vers l'endroit où étaient les deux interlocuteurs ; mais presque tous, prenant le brick pour un bâtiment de commerce, le voyaient venir avec intérêt, quand tout à coup un matelot s'écria, dans un langage énergique :

— Par saint Jacques ! nous sommes flambés, voici le capitaine parisien.

A ce nom terrible, l'épouvante se répandit dans le brick, et ce fut une confusion que rien ne saurait exprimer. Le capitaine espagnol imprima par sa parole une énergie momentanée à ses matelots ; et dans ce

danger, voulant gagner la terre à quelque prix que ce
fût, il essaya de faire mettre promptement toutes ses
bonnettes [104] hautes et basses, tribord et bâbord,
pour présenter au vent l'entière surface de toile qui
garnissait ses vergues. Mais ce ne fut pas sans de
grandes difficultés que les manœuvres s'accompli-
rent ; elles manquèrent naturellement de cet
ensemble admirable qui séduit tant dans un vaisseau
de guerre. Quoique l'*Othello* volât comme une hiron-
delle, grâce à l'orientement de ses voiles, il gagnait
cependant si peu en apparence, que les malheureux
Français se firent une douce illusion. Tout à coup,
au moment où, après des efforts inouïs, le *Saint-
Ferdinand* prenait un nouvel essor par suite des
habiles manœuvres auxquelles Gomez avait aidé lui-
même du geste et de la voix, par un faux coup de
barre, volontaire sans doute, le timonier mit le brick
en travers. Les voiles, frappées de côté par le vent,
fazéièrent [105] alors si brusquement, qu'il vint à *masquer* en grand ; les bouts-dehors se rompirent, et il fut
complètement *démané*. Une rage inexprimable rendit
le capitaine plus blanc que ses voiles. D'un seul bond
il sauta sur le timonier, et l'atteignit si furieusement
de son poignard, qu'il le manqua, mais il le précipita
dans la mer ; puis il saisit la barre, et tâcha de remé-
dier au désordre épouvantable qui révolutionnait son
brave et courageux navire. Des larmes de désespoir
roulaient dans ses yeux ; car nous éprouvons plus de
chagrin d'une trahison qui trompe un résultat dû à
notre talent, que d'une mort imminente. Mais plus
le capitaine jura, moins la besogne se fit. Il tira lui-
même le canon d'alarme, espérant être entendu de la
côte. En ce moment, le corsaire qui arrivait avec une
vitesse désespérante, répondit par un coup de canon
dont le boulet vint expirer à dix toises du *Saint-
Ferdinand*.

— Tonnerre ! s'écria le général, comme c'est
pointé ! Ils ont des caronades faites exprès.

— Oh ! celui-là, voyez-vous, quand il parle, il faut

se taire, répondit un matelot. Le Parisien ne craindrait
pas un vaisseau anglais...

— Tout est dit, s'écria dans un accent de désespoir
le capitaine, qui, ayant braqué sa longue-vue, ne distingua rien du côté de la terre... Nous sommes encore
plus loin de la France que je ne le croyais.

— Pourquoi vous désoler ? reprit le général. Tous
vos passagers sont Français, ils ont frété votre bâtiment. Ce corsaire est un Parisien, dites-vous ; hé !
bien, hissez pavillon blanc, et...

— Et il nous coulera, répondit le capitaine. N'est-il
pas, suivant les circonstances, tout ce qu'il faut être
quand il veut s'emparer d'une riche proie [106] ?

— Ah ! si c'est un pirate !

— Pirate ! dit le matelot d'un air farouche. Ah ! il
est toujours en règle [107], ou sait s'y mettre.

— Eh ! bien, s'écria le général en levant les yeux au
ciel, résignons-nous.

Et il eut encore assez de force pour retenir ses
larmes.

Comme il achevait ces mots, un second coup de
canon, mieux adressé, envoya dans la coque du *Saint-
Ferdinand* un boulet qui la traversa.

— Mettez en panne, dit le capitaine d'un air triste.

Et le matelot qui avait défendu l'honnêteté du Parisien aida fort intelligemment à cette manœuvre désespérée. L'équipage attendit pendant une mortelle
demi-heure en proie à la consternation la plus profonde. Le *Saint-Ferdinand* portait en piastres quatre
millions, qui composaient la fortune de cinq passagers, et celle du général était de onze cent mille francs.
Enfin, l'*Othello*, qui se trouvait alors à dix portées de
fusil, montra distinctement les gueules menaçantes de
douze canons prêts à faire feu. Il semblait emporté par
un vent que le diable soufflait exprès pour lui ; mais
l'œil du marin habile devinait facilement le secret de
cette vitesse. Il suffisait de contempler pendant un
moment l'élancement du brick, sa forme allongée, son
étroitesse, la hauteur de sa mâture, la coupe de sa
toile, l'admirable légèreté de son gréement, et

l'aisance avec laquelle son monde de matelots, unis comme un seul homme, ménageaient le parfait orientement de la surface blanche présentée par ses voiles. Tout annonçait une incroyable sécurité de puissance dans cette svelte créature de bois, aussi rapide, aussi intelligente que l'est un coursier ou quelque oiseau de proie. L'équipage du corsaire était silencieux et prêt, en cas de résistance, à dévorer le pauvre bâtiment marchand, qui, heureusement pour lui, se tint coi, semblable à un écolier pris en faute par son maître.

— Nous avons des canons ! s'écria le général en serrant la main du capitaine espagnol.

Ce dernier lança au vieux militaire un regard plein de courage et de désespoir, en lui disant :

— Et des hommes ?

Le marquis regarda l'équipage du *Saint-Ferdinand* et frissonna. Les quatre négociants étaient pâles, tremblants ; tandis que les matelots, groupés autour d'un des leurs, semblaient se concerter pour prendre parti sur l'*Othello*, ils regardaient le corsaire avec une curiosité cupide. Le contre-maître, le capitaine et le marquis échangeaient seuls, en s'examinant de l'œil, des pensées généreuses.

— Ah ! capitaine Gomez, j'ai dit autrefois adieu à mon pays et à ma famille, le cœur mort d'amertume ; faudra-t-il encore les quitter au moment où j'apporte la joie et le bonheur à mes enfants ?

Le général se tourna pour jeter à la mer une larme de rage, et y aperçut le timonier nageant vers le corsaire.

— Cette fois, répondit le capitaine, vous lui direz sans doute adieu pour toujours.

Le Français épouvanta l'Espagnol par le coup d'œil stupide qu'il lui adressa. En ce moment les deux vaisseaux étaient presque bord à bord ; et à l'aspect de l'équipage ennemi le général crut à la fatale prophétie de Gomez. Trois hommes se tenaient autour de chaque pièce. A voir leur posture athlétique, leurs traits anguleux, leurs bras nus et nerveux, on les eût pris pour des statues de bronze. La mort les aurait

tués sans les renverser. Les matelots, bien armés,
actifs, lestes et vigoureux, restaient immobiles. Toutes
ces figures énergiques étaient fortement basanées par
le soleil, durcies par les travaux. Leurs yeux brillaient
comme autant de pointes de feu, et annonçaient des
intelligences énergiques, des joies infernales. Le profond silence régnant sur ce tillac, noir d'hommes et de
chapeaux, accusait l'implacable discipline sous
laquelle une puissante volonté courbait ces démons
humains. Le chef était au pied du grand mât, debout,
les bras croisés, sans armes ; seulement une hache se
trouvait à ses pieds. Il avait sur la tête, pour se garantir
du soleil, un chapeau de feutre à grands bords, dont
l'ombre lui cachait le visage. Semblables à des chiens
couchés devant leurs maîtres, canonniers, soldats et
matelots tournaient alternativement les yeux sur leur
capitaine et sur le navire marchand. Quand les deux
bricks se touchèrent, la secousse tira le corsaire de sa
rêverie, et il dit deux mots à l'oreille d'un jeune officier qui se tenait à deux pas de lui.

— Les grappins d'abordage ! s'écria le lieutenant.

Et le *Saint-Ferdinand* fut accroché par l'*Othello* avec
une promptitude miraculeuse. Suivant les ordres
donnés à voix basse par le corsaire, et répétés par le
lieutenant, les hommes désignés pour chaque service
allèrent, comme des séminaristes marchant à la messe,
sur le tillac de la prise lier les mains aux matelots, aux
passagers, et s'emparer des trésors. En un moment les
tonnes pleines de piastres, les vivres et l'équipage du
Saint-Ferdinand furent transportés sur le pont de
l'*Othello*. Le général se croyait sous la puissance d'un
songe, quand il se trouva les mains liées et jeté sur un
ballot comme s'il eût été lui-même une marchandise.
Une conférence avait lieu entre le corsaire, son lieutenant et l'un des matelots qui paraissait remplir les
fonctions de contre-maître [108]. Quand la discussion,
qui dura peu, fut terminée, le matelot siffla ses hommes ; sur un ordre qu'il leur donna, ils sautèrent tous
sur le *Saint-Ferdinand*, grimpèrent dans les cordages,
et se mirent à le dépouiller de ses vergues, de ses

voiles, de ses agrès, avec autant de prestesse qu'un
soldat déshabille sur le champ de bataille un camarade
mort dont les souliers et la capote étaient l'objet de sa
convoitise.

— Nous sommes perdus, dit froidement au marquis le capitaine espagnol qui avait épié de l'œil les
gestes des trois chefs pendant la délibération et les
mouvements des matelots qui procédaient au pillage
régulier de son brick.

— Comment ? demanda froidement le général.

— Que voulez-vous qu'ils fassent de nous ?
répondit l'Espagnol. Ils viennent sans doute de reconnaître qu'ils vendraient difficilement le *Saint-
Ferdinand* dans les ports de France ou d'Espagne, et
ils vont le couler pour ne pas s'en embarrasser. Quant
à nous, croyez-vous qu'ils puissent se charger de notre
nourriture lorsqu'ils ne savent dans quel port relâ-
cher ?

A peine le capitaine avait-il achevé ces paroles, que
le général entendit une horrible clameur suivie du
bruit sourd causé par la chute de plusieurs corps tombant à la mer. Il se retourna, et ne vit plus les quatre
négociants. Huit canonniers à figures farouches
avaient encore les bras en l'air au moment où le militaire les regardait avec terreur.

— Quand je vous le disais, lui dit froidement le
capitaine espagnol.

Le marquis se releva brusquement, la mer avait déjà
repris son calme, il ne put même pas voir la place où
ses malheureux compagnons venaient d'être engloutis,
ils roulaient en ce moment, pieds et poings liés, sous
les vagues, si déjà les poissons ne les avaient dévorés.
A quelques pas de lui, le perfide timonier et le matelot
du *Saint-Ferdinand* qui vantait naguère la puissance
du capitaine parisien fraternisaient avec les corsaires,
et leur indiquaient du doigt ceux des marins du brick
qu'ils avaient reconnus dignes d'être incorporés à
l'équipage de l'*Othello* ; quant aux autres, deux
mousses leur attachaient les pieds, malgré d'affreux
jurements. Le choix terminé, les huit canonniers

s'emparèrent des condamnés et les lancèrent sans
cérémonie à la mer. Les corsaires regardaient avec une
curiosité malicieuse les différentes manières dont ces
hommes tombaient, leurs grimaces, leur dernière tor-
ture ; mais leurs visages ne trahissaient ni moquerie, ni
étonnement, ni pitié. C'était pour eux un événement
tout simple, auquel ils semblaient accoutumés. Les
plus âgés contemplaient de préférence, avec un sourire
sombre et arrêté, les tonneaux pleins de piastres
déposés au pied du grand mât. Le général et le capitaine Gomez, assis sur un ballot, se consultaient en
silence par un regard presque terne. Ils se trouvèrent
bientôt les seuls qui survécussent à l'équipage du
Saint-Ferdinand. Les sept matelots choisis par les deux
espions parmi les marins espagnols s'étaient déjà
joyeusement métamorphosés en Péruviens.

— Quels atroces coquins ! s'écria tout à coup le
général chez qui une loyale et généreuse indignation
fit taire et la douleur et la prudence.

— Ils obéissent à la nécessité, répondit froidement
Gomez. Si vous retrouviez un de ces hommes-là, ne
lui passeriez-vous pas votre épée au travers du corps ?

— Capitaine, dit le lieutenant en se retournant vers
l'Espagnol, le Parisien a entendu parler de vous. Vous
êtes, dit-il, le seul homme qui connaissiez bien les
débouquements [109] des Antilles et les côtes du Brésil.
Voulez-vous...

Le capitaine interrompit le jeune lieutenant par une
exclamation de mépris, et répondit :

— Je mourrai en marin, en Espagnol fidèle, en
chrétien. Entends-tu ?

— A la mer ! cria le jeune homme.

A cet ordre deux canonniers se saisirent de Gomez.

— Vous êtes des lâches ! s'écria le général en arrêtant les deux corsaires.

— Mon vieux, lui dit le lieutenant, ne vous
emportez pas trop. Si votre ruban rouge fait quelque
impression sur notre capitaine, moi je m'en moque...
Nous allons avoir aussi tout à l'heure notre petit bout
de conversation.

En ce moment un bruit sourd, auquel nulle plainte ne se mêla, fit comprendre au général que le brave Gomez était mort en marin.

— Ma fortune ou la mort ! s'écria-t-il dans un effroyable accès de rage.

— Ah ! vous êtes raisonnable, lui répondit le corsaire en ricanant. Maintenant vous êtes sûr d'obtenir quelque chose de nous...

Puis, sur un signe du lieutenant, deux matelots s'empressèrent de lier les pieds du Français ; mais ce dernier les frappant avec une audace imprévue, tira, par un geste auquel on ne s'attendait guère, le sabre que le lieutenant avait au côté, et se mit à en jouer lestement en vieux général de cavalerie qui savait son métier.

— Ah ! brigands, vous ne jetterez pas à l'eau comme une huître un ancien troupier de Napoléon.

Des coups de pistolet, tirés presque à bout portant sur le Français récalcitrant, attirèrent l'attention du Parisien, alors occupé à surveiller le transport des agrès qu'il ordonnait de prendre au *Saint-Ferdinand*. Sans s'émouvoir, il vint saisir par derrière le courageux général, l'enleva rapidement, l'entraîna vers le bord et se disposait à le jeter à l'eau comme un espars [110] de rebut. En ce moment, le général rencontra l'œil fauve du ravisseur de sa fille. Le père et le gendre se reconnurent tout à coup. Le capitaine, imprimant à son élan un mouvement contraire à celui qu'il lui avait donné, comme si le marquis ne pesait rien, loin de le précipiter à la mer, le plaça debout près du grand mât. Un murmure s'éleva sur le tillac ; mais alors le corsaire lança un seul coup d'œil sur ses gens, et le plus profond silence régna soudain.

— C'est le père d'Hélène, dit le capitaine d'une voix clair et ferme. Malheur à qui ne le respecterait pas !

Un hourra d'acclamations joyeuses retentit sur le tillac et monta vers le ciel comme une prière d'église, comme le premier cri du *Te Deum*. Les mousses se balancèrent dans les cordages, les matelots jetèrent

leurs bonnets en l'air, les canonniers trépignèrent des
pieds, chacun s'agita, hurla, siffla, jura. L'expression
fanatique de cette allégresse rendit le général inquiet
et sombre... Attribuant ce sentiment à quelque horrible mystère, son premier cri, quand il recouvra la
parole, fut :

— Ma fille ! où est-elle ?

Le corsaire jeta sur le général un de ces regards
profonds qui, sans qu'on en pût deviner la raison,
bouleversaient toujours les âmes les plus intrépides ; il
le rendit muet, à la grande satisfaction des matelots,
heureux de voir la puissance de leur chef s'exercer sur
tous les êtres, le conduisit vers un escalier, le lui fit
descendre et l'amena devant la porte d'une cabine,
qu'il poussa vivement en disant :

— La voilà.

Puis il disparut en laissant le vieux militaire plongé
dans une sorte de stupeur à l'aspect du tableau qui
s'offrit à ses yeux. En entendant ouvrir la porte de
la chambre avec brusquerie, Hélène s'était levée du
divan sur lequel elle reposait ; mais elle vit le marquis
et jeta un cri de surprise. Elle était si changée, qu'il
fallait les yeux d'un père pour la reconnaître. Le
soleil des tropiques avait embelli sa blanche figure
d'une teinte brune, d'un coloris merveilleux qui lui
donnaient une expression de poésie, et il y respirait
un air de grandeur, une fermeté majestueuse, un sentiment profond par lequel l'âme la plus grossière
devait être impressionnée. Sa longue et abondante
chevelure, retombant en grosses boucles sur son cou
plein de noblesse, ajoutait encore une image de puissance à la fierté de ce visage. Dans sa pose, dans son
geste, Hélène laissait éclater la conscience qu'elle
avait de son pouvoir. Une satisfaction triomphale
enflait légèrement ses narines roses, et son bonheur
tranquille était signé dans tous les développements de
sa beauté. Il y avait tout à la fois en elle je ne sais
quelle suavité de vierge et cette sorte d'orgueil particulier aux bien-aimées. Esclave et souveraine, elle
voulait obéir parce qu'elle pouvait régner. Elle était

vêtue avec une magnificence pleine de charme et
d'élégance. La mousseline des Indes faisait tous les
frais de sa toilette ; mais son divan et les coussins
étaient en cachemire, mais un tapis de Perse garnissait le plancher de la vaste cabine, mais ses quatre
enfants jouaient à ses pieds en construisant leurs châteaux bizarres avec des colliers de perles, des bijoux
précieux, des objets de prix. Quelques vases en porcelaine de Sèvres, peints par Mme Jaquotot [111],
contenaient des fleurs rares qui embaumaient :
c'étaient des jasmins du Mexique, des camélias,
parmi lesquels de petits oiseaux d'Amérique voltigeaient apprivoisés, et semblaient être des rubis, des
saphirs, de l'or animé. Un piano était fixé dans ce
salon, et sur ses murs de bois, tapissés en soie jaune,
on voyait çà et là des tableaux d'une petite dimension, mais dus aux meilleurs peintres : un coucher de
soleil, par Gudin, se trouvait auprès d'un Terburg ;
une Vierge de Raphaël luttait de poésie avec une
esquisse de Girodet ; un Gérard Dow éclipsait un
Drolling. Sur une table en laque de Chine se trouvait
une assiette d'or pleine de fruits délicieux. Enfin
Hélène semblait être la reine d'un grand empire au
milieu du boudoir dans lequel son amant couronné
aurait rassemblé les choses les plus élégantes de la
terre. Les enfants arrêtaient sur leur aïeul des yeux
d'une pénétrante vivacité ; et, habitués qu'ils étaient
de vivre au milieu des combats, des tempêtes et du
tumulte, ils ressemblaient à ces petits Romains
curieux de guerre et de sang que David a peints dans
son tableau de Brutus [112].

— Comment cela est-il possible ? s'écria Hélène en
saisissant son père comme pour s'assurer de la réalité
de cette vision.

— Hélène !

— Mon père !

Ils tombèrent dans les bras l'un de l'autre, et
l'étreinte du vieillard ne fut ni la plus forte ni la plus
affectueuse.

— Vous étiez sur ce vaisseau ?

— Oui, répondit-il d'un air triste en s'asseyant sur le divan et regardant les enfants qui, groupés autour de lui, le considéraient avec une attention naïve. J'allais périr sans...

— Sans mon mari, dit-elle en l'interrompant, je devine.

— Ah ! s'écria le général, pourquoi faut-il que je te retrouve, mon Hélène, toi que j'ai tant pleurée ! Je devrai donc gémir encore sur ta destinée.

— Pourquoi ? demanda-t-elle en souriant. Ne serez-vous donc pas content d'apprendre que je suis la femme la plus heureuse de toutes ?

— Heureuse ! s'écria-t-il en faisant un bond de surprise.

— Oui, mon bon père, reprit-elle en s'emparant de ses mains, les embrassant, les serrant sur son sein palpitant, en ajoutant à cette cajolerie un air de tête que ses yeux pétillants de plaisir rendirent encore plus significatif.

— Et comment cela ? demanda-t-il, curieux de connaître la vie de sa fille, et oubliant tout devant cette physionomie resplendissante.

— Ecoutez, mon père, répondit-elle, j'ai pour amant, pour époux, pour serviteur, pour maître, un homme dont l'âme est aussi vaste que cette mer sans bornes, aussi fertile en douceur que le ciel, un dieu enfin ! Depuis sept ans, jamais il ne lui est échappé une parole, un sentiment, un geste qui pussent produire une dissonance avec la divine harmonie de ses discours, de ses caresses et de son amour. Il m'a toujours regardée en ayant sur les lèvres un sourire ami et dans les yeux un rayon de joie. Là-haut sa voix tonnante domine souvent les hurlements de la tempête ou le tumulte des combats ; mais ici elle est douce et mélodieuse comme la musique de Rossini, dont les œuvres m'arrivent. Tout ce que le caprice d'une femme peut inventer, je l'obtiens. Mes désirs sont même parfois surpassés. Enfin je règne sur la mer, et j'y suis obéie comme peut l'être une souveraine. — Oh ! heureuse ! reprit-elle en s'interrompant elle-même, heureuse n'est pas un mot

qui puisse exprimer mon bonheur. J'ai la part de toutes
les femmes ! Sentir un amour, un dévouement immense
pour celui qu'on aime, et rencontrer dans son cœur, *à
lui*, un sentiment infini où l'âme d'une femme se perd,
et toujours ! dites, est-ce un bonheur ? J'ai déjà dévoré
mille existences. Ici je suis seule, ici je commande.
Jamais une créature de mon sexe n'a mis le pied sur ce
noble vaisseau, où Victor est toujours à quelques pas de
moi. — Il ne peut pas aller plus loin de moi que de la
poupe à la proue, reprit-elle avec une fine expression de
malice. Sept ans ! un amour qui résiste pendant sept ans
à cette perpétuelle joie, à cette épreuve de tous les
instants, est-ce l'amour ? Non ! oh ! non, c'est mieux
que tout ce que je connais de la vie... le langage humain
manque pour exprimer un bonheur céleste.

Un torrent de larmes s'échappa de ses yeux
enflammés. Les quatre enfants jetèrent alors un cri
plaintif, accoururent à elle comme des poussins à leur
mère, et l'aîné frappa le général en le regardant d'un
air menaçant.

— Abel, dit-elle, mon ange, je pleure de joie.

Elle le prit sur ses genoux, l'enfant la caressa familièrement en passant ses bras autour du cou majestueux d'Hélène, comme un lionceau qui veut jouer
avec sa mère.

— Tu ne t'ennuies pas ? s'écrie le général étourdi
par la réponse exaltée de sa fille.

— Si, répondit-elle, à terre quand nous y allons ; et
encore ne quitté-je jamais mon mari.

— Mais tu aimais les fêtes, les bals, la musique ?

— La musique, c'est sa voix ; mes fêtes, ce sont les
parures que j'invente pour lui. Quand une toilette lui
plaît, n'est-ce pas comme si la terre entière m'admi-
rait ! Voilà seulement pourquoi je ne jette pas à la mer
ces diamants, ces colliers, ces diadèmes de pierreries,
ces richesses, ces fleurs, ces chefs-d'œuvre des arts
qu'il me prodigue en me disant : — Hélène, puisque
tu ne vas pas dans le monde, je veux que le monde
vienne à toi.

— Mais sur ce bord il y a des hommes, des hommes audacieux, terribles, dont les passions...

— Je vous comprends, mon père, dit-elle en souriant. Rassurez-vous. Jamais impératrice n'a été environnée de plus d'égards que l'on ne m'en prodigue. Ces gens-là sont superstitieux ; ils croient que je suis le génie tutélaire de ce vaisseau, de leurs entreprises, de leurs succès. Mais c'est *lui* qui est leur dieu ! Un jour, une seule fois, un matelot me manqua de respect... en paroles, ajouta-t-elle en riant. Avant que Victor eût pu l'apprendre, les gens de l'équipage le lancèrent à la mer malgré le pardon que je lui accordais. Ils m'aiment comme leur bon ange, je les soigne dans leurs maladies, et j'ai eu le bonheur d'en sauver quelques-uns de la mort en les veillant avec une persévérance de femme. Ces pauvres gens sont à la fois des géants et des enfants.

— Et quand il y a des combats ?

— J'y suis accoutumée, répondit-elle. Je n'ai tremblé que pendant le premier... Maintenant mon âme est faite à ce péril, et même... je suis votre fille, dit-elle, je l'aime.

— Et s'il périssait ?

— Je périrais.

— Et tes enfants ?

— Ils sont fils de l'Océan et du danger, ils partagent la vie de leurs parents... Notre existence est une, et ne se scinde pas. Nous vivons tous de la même vie, tous inscrits sur la même page, portés par le même esquif, nous le savons.

— Tu l'aimes donc à ce point de le préférer à tout ?

— A tout, répéta-t-elle. Mais ne sondons point ce mystère. Tenez ! ce cher enfant, eh ! bien, c'est encore *lui* !

Puis, pressant Abel avec une vigueur extraordinaire, elle lui imprima de dévorants baisers sur les joues, sur les cheveux...

— Mais, s'écria le général, je ne saurai oublier qu'il vient de faire jeter à la mer neuf personnes.

— Il le fallait sans doute, répondit-elle, car il est

humain et généreux. Il verse le moins de sang possible
pour la conservation et les intérêts du petit monde
qu'il protège et de la cause sacrée qu'il défend. Par-
lez-lui de ce qui vous paraît mal, et vous verrez qu'il
saura vous faire changer d'avis.

— Et son crime ? dit le général, comme s'il se parlait à lui-même.

— Mais, répliqua-t-elle avec une dignité froide, si
c'était une vertu ? si la justice des hommes n'avait pu
le venger ?

— Se venger soi-même ! s'écria le général.

— Et qu'est-ce que l'enfer, demanda-t-elle, si ce
n'est une vengeance éternelle pour quelques fautes
d'un jour !

— Ah ! tu es perdue. Il t'a ensorcelée, pervertie. Tu
déraisonnes.

— Restez ici un jour, mon père, et si vous voulez
l'écouter, le regarder, vous l'aimerez.

— Hélène, dit gravement le général, nous sommes
à quelques lieues de la France...

Elle tressaillit, regarda par la croisée de la chambre,
montra la mer déroulant ses immenses savanes d'eau
verte.

— Voilà mon pays, répondit-elle en frappant sur le
tapis du bout du pied.

— Mais ne viendras-tu pas voir ta mère, ta sœur,
tes frères ?

— Oh ! oui, dit-elle avec des larmes dans la voix,
s'il le veut et s'il peut m'accompagner.

— Tu n'as donc plus rien, Hélène, reprit sévère-
ment le militaire, ni pays, ni famille ?...

— Je suis sa femme, répliqua-t-elle avec un air de
fierté, avec un accent plein de noblesse. — Voici,
depuis sept ans, le premier bonheur qui ne me vienne
pas de lui, ajouta-t-elle en saisissant la main de son
père et l'embrassant, et voici le premier reproche que
j'aie entendu.

— Et ta conscience ?

— Ma conscience ! mais c'est lui.

En ce moment elle tressaillit violemment.

— Le voici, dit-elle. Même dans le combat, entre tous les pas, je reconnais son pas sur le tillac.

Et tout à coup une rougeur empourpra ses joues, fit resplendir ses traits, briller ses yeux, et son teint devint d'un blanc mat... Il y avait du bonheur et de l'amour dans ses muscles, dans ses veines bleues, dans le tressaillement involontaire de toute sa personne. Ce mouvement de sensitive émut le général. En effet, un instant après le corsaire entra, vint s'asseoir sur un fauteuil, s'empara de son fils aîné, et se mit à jouer avec lui. Le silence régna pendant un moment ; car, pendant un moment, le général, plongé dans une rêverie comparable au sentiment vaporeux d'un rêve, contempla cette élégante cabine, semblable à un nid d'alcyons, où cette famille voguait sur l'Océan depuis sept années, entre les cieux et l'onde, sur la foi d'un homme, conduite à travers les périls de la guerre et des tempêtes, comme un ménage est guidé dans la vie par un chef au sein des malheurs sociaux... Il regardait avec admiration sa fille, image fantastique d'une déesse marine, suave de beauté, riche de bonheur, et faisant pâlir tous les trésors qui l'entouraient devant les trésors de son âme, les éclairs de ses yeux et l'indescriptible poésie exprimée dans sa personne et autour d'elle. Cette situation offrait une étrangeté qui le surprenait, une sublimité de passion et de raisonnement qui confondait les idées vulgaires. Les froides et étroites combinaisons de la société mouraient devant ce tableau. Le vieux militaire sentit toutes ces choses, et comprit aussi que sa fille n'abandonnerait jamais une vie si large, si féconde en contrastes, remplie par un amour si vrai ; puis, si elle avait une fois goûté le péril sans en être effrayée, elle ne pouvait plus revenir aux petites scènes d'un monde mesquin et borné.

— Vous gêné-je ? demanda le corsaire en rompant le silence et regardant sa femme.

— Non, lui répondit le général, Hélène m'a tout dit. Je vois qu'elle est perdue pour nous...

— Non, répliqua vivement le corsaire... Encore quelques années, et la prescription me permettra de revenir en France. Quand la conscience est pure, et qu'en froissant vos lois sociales un homme a obéi...

Il se tut, en dédaignant de se justifier.

— Et comment pouvez-vous, dit le général en l'interrompant, ne pas avoir des remords pour les nouveaux assassinats qui se sont commis devant mes yeux ?

— Nous n'avons pas de vivres, répliqua tranquillement le corsaire.

— Mais en débarquant ces hommes sur la côte...

— Ils nous feraient couper la retraite par quelque vaisseau, et nous n'arriverions pas au Chili.

— Avant que, de France, dit le général en interrompant, ils aient prévenu l'amirauté d'Espagne...

— Mais la France peut trouver mauvais qu'un homme, encore sujet de ses cours d'assises, se soit emparé d'un brick frété par des Bordelais. D'ailleurs n'avez-vous pas quelquefois tiré, sur le champ de bataille, plusieurs coups de canon de trop ?

Le général, intimidé par le regard du corsaire, se tut ; et sa fille le regardait d'un air qui exprimait autant de triomphe que de mélancolie...

— Général, dit le corsaire d'une voix profonde, je me suis fait une loi de ne jamais rien distraire du butin. Mais il est hors de doute que ma part sera plus considérable que ne l'était votre fortune. Permettez-moi de vous la restituer en autre monnaie...

Il prit dans le tiroir du piano une masse de billets de banque, ne compta pas les paquets, et présenta un million au marquis.

— Vous comprenez, reprit-il, que je ne puis pas m'amuser à regarder les passants sur la route de Bordeaux... Or, à moins que vous ne soyez séduit par les dangers de notre vie bohémienne, par les scènes de l'Amérique méridionale, par nos nuits des tropiques, par nos batailles, et par le plaisir de faire triompher le pavillon d'une jeune nation, ou le nom de Simon Bolivar [113], il faut nous quitter... Une chaloupe et des hommes dévoués vous attendent. Espérons une troisième rencontre plus complètement heureuse...

— Victor, je voudrais voir mon père encore un moment, dit Hélène d'un ton boudeur.

— Dix minutes de plus ou de moins peuvent nous mettre face à face avec une frégate. Soit ! nous nous amuserons un peu. Nos gens s'ennuient.

— Oh ! partez, mon père, s'écria la femme du marin. Et portez à ma sœur, à mes frères, à... ma mère, ajouta-t-elle, ces gages de mon souvenir.

Elle prit une poignée de pierres précieuses, de colliers, de bijoux, les enveloppa dans un cachemire, et les présenta timidement à son père.

— Et que leur dirai-je de ta part ? demanda-t-il en paraissant frappé de l'hésitation que sa fille avait marquée avant de prononcer le mot de *mère*.

— Oh ! pouvez-vous douter de mon âme ! Je fais tous les jours des vœux pour leur bonheur.

— Hélène, reprit le vieillard en la regardant avec attention, ne dois-je plus te revoir ? Ne saurai-je donc jamais à quel motif ta fuite est due ?

— Ce secret ne m'appartient pas, dit-elle d'un ton grave. J'aurais le droit de vous l'apprendre, peut-être ne vous le dirais-je pas encore. J'ai souffert pendant dix ans des maux inouïs...

Elle ne continua pas et tendit à son père les cadeaux qu'elle destinait à sa famille. Le général, accoutumé par les événements de la guerre à des idées assez larges en fait de butin, accepta les présents offerts par sa fille, et se plut à penser que, sous l'inspiration d'une âme aussi pure, aussi élevée que celle d'Hélène, le capitaine parisien restait honnête homme en faisant la guerre aux Espagnols. Sa passion pour les braves l'emporta. Songeant qu'il serait ridicule de se conduire en prude, il serra vigoureusement la main du corsaire, embrassa son Hélène, sa seule fille, avec cette effusion particulière aux soldats, et laissa tomber une larme sur ce visage dont la fierté, dont l'expression mâle lui avaient plus d'une fois souri. Le marin, fortement ému, lui donna ses enfants à bénir. Enfin, tous se dirent une dernière fois adieu par un long regard qui ne fut pas dénué d'attendrissement.

— Soyez toujours heureux ! s'écria le grand-père en s'élançant sur le tillac.

Sur mer, un singulier spectacle attendait le général. Le *Saint-Ferdinand*, livré aux flammes, flambait comme un immense feu de paille. Les matelots, occupés à couler le brick espagnol, s'aperçurent qu'il avait à bord un chargement de rhum, liqueur qui abondait sur l'*Othello*, et trouvèrent plaisant d'allumer un grand bol de punch en pleine mer. C'était un divertissement assez pardonnable à des gens auxquels l'apparente monotonie de la mer faisait saisir toutes les occasions d'animer leur vie. En descendant du brick dans la chaloupe du *Saint-Ferdinand*, montée par six vigoureux matelots, le général partageait involontairement son attention entre l'incendie du *Saint-Ferdinand* et sa fille appuyée sur le corsaire, tous deux debout à l'arrière de leur navire. En présence de tant de souvenirs, en voyant la robe blanche d'Hélène qui flottait, légère comme une voile de plus ; en distinguant sur l'Océan cette belle et grande figure, assez imposante pour tout dominer, même la mer, il oubliait, avec l'insouciance d'un militaire, qu'il voguait sur la tombe du brave Gomez. Au-dessus de lui, une immense colonne de fumée planait comme un nuage brun, et les rayons du soleil, le perçant çà et là, y jetaient de poétiques lueurs. C'était un second ciel, un dôme sombre sous lequel brillaient des espèces de lustres, et au-dessus duquel planait l'azur inaltérable du firmament, qui paraissait mille fois plus beau par cette éphémère opposition. Les teintes bizarres de cette fumée, tantôt jaune, blonde, rouge, noire, fondues vaporeusement, couvraient le vaisseau, qui pétillait, craquait et criait. La flamme sifflait en mordant les cordages, et courait dans le bâtiment comme une sédition populaire vole par les rues d'une ville. Le rhum produisait des flammes bleues qui frétillaient, comme si le génie des mers eût agité cette liqueur furibonde, de même qu'une main d'étudiant fait mouvoir la joyeuse *flamberie* d'un punch dans une orgie. Mais le soleil, plus puissant de lumière, jaloux de cette lueur insolente, laissait à peine voir dans ses rayons les couleurs de cet incendie. C'était comme un réseau, comme une écharpe qui voltigeait au milieu du torrent de ses feux. L'*Othello* saisissait, pour s'enfuir, le peu de vent qu'il pouvait pincer dans cette direction nouvelle, et s'inclinait tantôt d'un côté, tantôt de l'autre, comme un cerf-volant balancé dans les airs. Ce beau brick courait des bordées vers le sud ; et, tantôt il se dérobait aux yeux du général, en disparaissant derrière la colonne droite dont l'ombre se projetait fantastiquement sur les eaux, et tantôt il se montrait, en se relevant avec grâce et fuyant. Chaque fois qu'Hélène pouvait apercevoir son père, elle agitait son mouchoir pour le saluer encore. Bientôt le *Saint-Ferdinand* coula, en produisant un bouillonnement aussitôt effacé par l'Océan. Il ne resta plus alors de toute cette scène qu'un nuage balancé par la brise. L'*Othello* était loin ; la chaloupe s'approchait de terre ; le nuage s'interposa entre cette frêle embarcation et le brick. La dernière fois que le général aperçut sa fille, ce fut à travers une crevasse de cette fumée ondoyante. Vision prophétique ! Le mouchoir blanc, la robe se détachaient seuls sur ce fond de bistre. Entre l'eau verte et le ciel bleu, le brick ne se voyait même pas. Hélène n'était plus qu'un point imperceptible, une ligne déliée, gracieuse, un ange dans le ciel, une idée, un souvenir.

Après avoir rétabli sa fortune, le marquis mourut épuisé de fatigue. Quelques mois après sa mort, en 1833, la marquise fut obligée de mener Moïna aux eaux des Pyrénées. La capricieuse enfant voulut voir les beautés de ces montagnes. Elle revint, aux Eaux, et à son retour il se passa l'horrible scène que voici.

— Mon Dieu, dit Moïna, nous avons bien mal fait, ma mère, de ne pas rester quelques jours de plus dans les montagnes ! Nous y étions bien mieux qu'ici. Avez-vous entendu les gémissements continuels de ce maudit enfant et les bavardages de cette malheureuse femme qui parle sans doute en patois, car je n'ai pas compris un seul mot de ce qu'elle disait ? Quelle

espèce de gens nous a-t-on donnés pour voisins !
Cette nuit est une des plus affreuses que j'ai passées
de ma vie.

— Je n'ai rien entendu, répondit la marquise ; mais,
ma chère enfant, je vais voir l'hôtesse, lui demander la
chambre voisine, nous serons seules dans cet appartement, et n'aurons plus de bruit. Comment te trouves-tu ce matin ? Es-tu fatiguée ?

En disant ces dernières phrases, la marquise s'était
levée pour venir près du lit de Moïna.

— Voyons, lui dit-elle en cherchant la main de sa
fille.

— Oh ! laisse-moi, ma mère, répondit Moïna, tu as
froid.

A ces mots la jeune fille se roula dans son oreiller
par un mouvement de bouderie, mais si gracieux, qu'il
était difficile à une mère de s'en offenser. En ce
moment, une plainte, dont l'accent doux et prolongé
devait déchirer le cœur d'une femme, retentit dans la
chambre voisine.

— Mais si tu as entendu cela pendant toute la nuit,
pourquoi ne m'as-tu pas éveillée ? nous aurions...

Un gémissement plus profond que tous les autres
interrompit la marquise, qui s'écria :

— Il y a là quelqu'un qui se meurt !

Et elle sortit vivement.

— Envoie-moi Pauline ! cria Moïna, je vais
m'habiller.

La marquise descendit promptement et trouva
l'hôtesse dans la cour au milieu de quelques personnes
qui paraissaient l'écouter attentivement.

— Madame, vous avez mis près de nous une personne qui paraît souffrir beaucoup...

— Ah ! ne m'en parlez pas ! s'écria la maîtresse de
l'hôtel, je viens d'envoyer chercher le maire. Figurez-
vous que c'est une femme, une pauvre malheureuse
qui est arrivée hier au soir, à pied ; elle vient
d'Espagne, elle est sans passeport et sans argent. Elle
portait sur son dos un petit enfant qui se meurt. Je
n'ai pas pu me dispenser de la recevoir ici. Ce matin,

je suis allée moi-même la voir ; car hier, quand elle a
débarqué ici, elle m'a fait une peine affreuse. Pauvre
petite femme ! elle était couchée avec son enfant, et
tous deux se débattaient contre la mort.

— Madame, m'a-t-elle dit en tirant un anneau d'or
de son doigt, je ne possède plus que cela, prenez-le
pour vous payer ; ce sera suffisant, je ne ferai pas long
séjour ici. Pauvre petit ! nous allons mourir ensemble,
qu'elle a dit en regardant son enfant. Je lui ai pris son
anneau, je lui ai demandé qui elle était ; mais elle n'a
jamais voulu me dire son nom... Je viens d'envoyer
chercher le médecin et M. le Maire.

— Mais, s'écria la marquise, donnez-lui tous les
secours qui pourront lui être nécessaires. Mon Dieu !
peut-être est-il encore temps de la sauver ! Je vous
paierai tout ce qu'elle dépensera...

— Ah ! madame, elle a l'air d'être joliment fière, et
je ne sais pas si elle voudra.

— Je vais aller la voir...

Et aussitôt la marquise monta chez l'inconnue sans
penser au mal que sa vue pouvait faire à cette femme
dans un moment où on la disait mourante, car elle
était encore en deuil. La marquise pâlit à l'aspect de la
mourante. Malgré les horribles souffrances qui avaient
altéré la belle physionomie d'Hélène, elle reconnut sa
fille aînée. A l'aspect d'une femme vêtue de noir,
Hélène se dressa sur son séant, jeta un cri de terreur,
et retomba lentement sur son lit, lorsque, dans cette
femme, elle retrouva sa mère.

— Ma fille ! dit Mme d'Aiglemont, que vous faut-
il ? Pauline !... Moïna !...

— Il ne me faut plus rien, répondit Hélène d'une
voix affaiblie. J'espérais revoir mon père ; mais votre
deuil m'annonce...

Elle n'acheva pas ; elle serra son enfant sur son
cœur comme pour le réchauffer, le baisa au front, et
lança sur sa mère un regard où le reproche se lisait
encore, quoique tempéré par le pardon. Le marquise
ne voulut pas voir ce reproche ; elle oublia qu'Hélène
était un enfant conçu jadis dans les larmes et le déses-

poir, l'enfant du devoir, un enfant qui avait été cause de ses plus grands malheurs : elle s'avança doucement vers sa fille aînée, en se souvenant seulement qu'Hélène la première lui avait fait connaître les plaisirs de la maternité. Les yeux de la mère étaient pleins de larmes ; et, en embrassant sa fille, elle s'écria :

— Hélène ! ma fille...

Hélène gardait le silence. Elle venait d'aspirer le dernier soupir de son dernier enfant.

En ce moment Moïna, Pauline, sa femme de chambre, l'hôtesse et un médecin entrèrent. La marquise tenait la main glacée de sa fille dans les siennes, et la contemplait avec un désespoir vrai. Exaspérée par le malheur, la veuve du marin, qui venait d'échapper à un naufrage en ne sauvant de toute sa famille qu'un enfant, dit d'une voix horrible à sa mère :

— Tout ceci est votre ouvrage ! si vous eussiez été pour moi ce que...

— Moïna, sortez, sortez tous ! cria Mme d'Aiglemont en étouffant la voix d'Hélène par les éclats de la sienne.

— Par grâce, ma fille, reprit-elle, ne renouvelons pas en ce moment les tristes combats...

— Je me tairai, répondit Hélène en faisant un effort surnaturel. Je suis mère, je sais que Moïna ne doit pas... Où est mon enfant ?

Moïna rentra, poussée par la curiosité.

— Ma sœur, dit cette enfant gâtée, le médecin...

— Tout est inutile, reprit Hélène. Ah ! pourquoi ne suis-je pas morte à seize ans, quand je voulais me tuer ! Le bonheur ne se trouve jamais en dehors des lois... Moïna... tu...

Elle mourut en penchant sa tête sur celle de son enfant, qu'elle avait serré convulsivement.

— Ta sœur voulait sans doute te dire, Moïna, reprit Mme d'Aiglemont, lorsqu'elle fut rentrée dans sa chambre, où elle fondit en larmes, que le bonheur ne se trouve jamais, pour une fille, dans une vie romanesque, en dehors des idées reçues, et, surtout, loin de sa mère.

VI

LA VIEILLESSE D'UNE MÈRE COUPABLE

Pendant l'un des premiers jours du mois de juin 1844, une dame d'environ cinquante ans, mais qui paraissait encore plus vieille que ne le comportait son âge véritable, se promenait au soleil, à l'heure de midi, le long d'une allée, dans le jardin d'un grand hôtel situé rue Plumet, à Paris. Après avoir fait deux ou trois fois le tour du sentier légèrement sinueux où elle restait pour ne pas perdre de vue les fenêtres d'un appartement qui semblait attirer toute son attention, elle vint s'asseoir sur un de ces fauteuils à demi champêtres qui se fabriquent avec de jeunes branches d'arbres garnies de leur écorce. De la place où se trouvait ce siège élégant, la dame pouvait embrasser par une des grilles d'enceinte et les boulevards intérieurs, au milieu desquels est posé l'admirable dôme des Invalides, qui élève sa coupole d'or parmi les têtes d'un millier d'ormes, admirable paysage, et l'aspect moins grandiose de son jardin terminé par la façade grise d'un des plus beaux hôtels du faubourg Saint-Germain. Là tout était silencieux, les jardins voisins, les boulevards, les Invalides ; car, dans ce noble quartier, le jour ne commence guère qu'à midi. A moins de quelque caprice, à moins qu'une jeune dame ne veuille monter à cheval, ou qu'un vieux diplomate n'ait un protocole à refaire, à cette heure, valets et maîtres, tout dort, ou tout se réveille.

La vieille dame si matinale était la marquise d'Aiglemont, mère de Mme de Saint-Héreen, à qui ce bel hôtel appartenait. La marquise s'en était privée pour sa fille, à qui elle avait donné toute sa fortune, en ne se réservant qu'une pension viagère. La comtesse Moïna de Saint-Héreen était le dernier enfant de Mme d'Aiglemont. Pour lui faire épouser l'héritier d'une des plus illustres maisons de France, la marquise avait tout sacrifié. Rien n'était plus naturel : elle avait successivement perdu deux fils : l'un, Gustave marquis d'Aiglemont, était mort du choléra ; l'autre, Abel, avait succombé devant Constantine. Gustave laissa des enfants et une veuve. Mais l'affection assez tiède que Mme d'Aiglemont avait portée à ses deux fils s'était encore affaiblie en passant à ses petits-enfants. Elle se comportait poliment avec Mme d'Aiglemont la jeune ; mais elle s'en tenait au sentiment superficiel que le bon goût et les convenances nous prescrivent de témoigner à nos proches. La fortune de ses enfants morts ayant été parfaitement réglée, elle avait réservé pour sa chère Moïna ses économies et ses biens propres. Moïna, belle et ravissante depuis son enfance, avait toujours été pour Mme d'Aiglemont l'objet d'une de ces prédilections innées ou involontaires chez les mères de famille ; fatales sympathies qui semblent inexplicables, ou que les observateurs savent trop bien expliquer. La charmante figure de Moïna, le son de voix de cette fille chérie, ses manières, sa démarche, sa physionomie, ses gestes, tout en elle réveillait chez la marquise les émotions les plus profondes qui puissent animer, troubler ou charmer le cœur d'une mère. Le principe de sa vie présente, de sa vie du lendemain, de sa vie passée, était dans le cœur de cette jeune femme, où elle avait jeté tous ses trésors. Moïna avait heureusement survécu à quatre enfants, ses aînés. Mme d'Aiglemont avait en effet perdu, de la manière la plus malheureuse, disaient les gens du monde, une fille charmante dont la destinée était presque inconnue, et un petit garçon, enlevé à cinq ans par une horrible catastrophe. La marquise vit sans doute un présage du ciel dans le respect que le sort semblait avoir pour la fille de son cœur, et n'accordait que de faibles souvenirs à ses enfants déjà tombés selon les caprices de la mort, et qui restaient au fond de son âme, comme ces tombeaux élevés dans un champ de bataille, mais que les fleurs des champs ont presque fait disparaître. Le monde aurait pu demander à la marquise un compte sévère de cette insouciance et de cette prédilection ; mais le monde de Paris est entraîné par un tel torrent d'événements, de modes, d'idées nouvelles, que toute la vie de Mme d'Aiglemont devait y être en quelque sorte oubliée. Personne ne songeait à lui faire un crime d'une froideur, d'un oubli qui n'intéressaient personne, tandis que sa vive tendresse pour Moïna intéressait beaucoup de gens, et avait toute la sainteté d'un préjugé. D'ailleurs, la marquise allait peu dans le monde ; et, pour la plupart des familles qui la connaissaient, elle paraissait bonne, douce, pieuse, indulgente. Or, ne faut-il pas avoir un intérêt bien vif pour aller au-delà de ces apparences dont se contente la société ? Puis, que ne pardonne-t-on pas aux vieillards lorsqu'ils s'effacent comme des ombres et ne veulent plus être qu'un souvenir ? Enfin, Mme d'Aiglemont était un modèle complaisamment cité par les enfants à leurs pères, par les gendres à leurs belles-mères. Elle avait, avant le temps, donné ses biens à Moïna, contente du bonheur de la jeune comtesse, et ne vivant que par elle et pour elle. Si des vieillards prudents, des oncles chagrins blâmaient cette conduite en disant : — Mme d'Aiglemont se repentira peut-être quelque jour de s'être dessaisie de sa fortune en faveur de sa fille ; car si elle connaît bien le cœur de Mme de Saint-Héreen, peut-elle être aussi sûr de la moralité de son gendre ? c'était contre ces prophètes un *tolle* général ; et, de toutes parts, pleuvaient des éloges pour Moïna.

— Il faut rendre cette justice à Mme de Saint-

Héreen, disait une jeune femme, que sa mère n'a rien
trouvé de changé autour d'elle. Mme d'Aiglemont est
admirablement bien logée ; elle a une voiture à ses
ordres, et peut aller partout dans le monde comme
auparavant...

— Excepté aux Italiens, répondait tout bas un
vieux parasite, un de ces gens qui se croient en droit
d'accabler leurs amis d'épigrammes sous prétexte de
faire preuve d'indépendance. La douairière n'aime
guère que la musique, en fait de choses étrangères à
son enfant gâté. Elle a été si bonne musicienne dans
son temps ! Mais comme la loge de la comtesse est
toujours envahie par de jeunes papillons, et qu'elle y
gênerait cette petite personne, de qui l'on parle déjà
comme d'une grande coquette, la pauvre mère ne va
jamais aux Italiens.

— Mme de Saint-Héreen, disait une fille à marier,
a pour sa mère des soirées délicieuses, un salon où va
tout Paris.

— Un salon où personne ne fait attention à la marquise, répondait le parasite.

— Le fait est que Mme d'Aiglemont n'est jamais
seule, disait un fat en appuyant le parti des jeunes
dames.

— Le matin, répondait le vieil observateur à voix
basse, le matin, la chère Moïna dort. A quatre heures,
la chère Moïna est au Bois. Le soir, la chère Moïna va
au bal ou aux Bouffes... Mais il est vrai que
Mme d'Aiglemont a la ressource de voir sa chère fille
pendant qu'elle s'habille, ou durant le dîner lorsque la
chère Moïna dîne par hasard avec sa chère mère. — Il
n'y a pas encore huit jours, monsieur, dit le parasite
en prenant par le bras un timide précepteur, nouveau
venu dans la maison où il se trouvait, que je vis cette
pauvre mère triste et seule au coin de son
feu. — Qu'avez-vous ? lui demandai-je. La marquise
me regarda en souriant, mais elle avait certes
pleuré. — Je pensais, me disait-elle, qu'il est bien singulier de me trouver seule, après avoir eu cinq
enfants ; mais cela est dans notre destinée ! Et puis, je

suis heureuse quand je sais que Moïna s'amuse ! Elle pouvait se confier à moi, qui, jadis, ai connu son mari. C'était un pauvre homme, et il a été bien heureux de l'avoir pour femme ; il lui devait certes sa pairie et sa charge à la cour de Charles X.

Mais il se glisse tant d'erreurs dans les conversations du monde, il s'y fait avec légèreté des maux si profonds, que l'historien des mœurs est obligé de sagement peser les assertions insouciamment émises par tant d'insouciants. Enfin, peut-être ne doit-on jamais prononcer qui a tort ou raison de l'enfant ou de la mère. Entre ces deux cœurs, il n'y a qu'un seul juge possible. Ce juge est Dieu ! Dieu qui, souvent, assied sa vengeance au sein des familles, et se sert éternellement des enfants contre les mères, des pères contre les fils, des peuples contre les rois, des princes contre les nations, de tout contre tout ; remplaçant dans le monde moral les sentiments par les sentiments, comme les jeunes feuilles poussent les vieilles au printemps ; agissant en vue d'un ordre immuable, d'un but à lui seul connu. Sans doute, chaque chose va dans son sein, ou mieux encore, elle y retourne.

Ces religieuses pensées, si naturelles au cœur des vieillards, flottaient éparses dans l'âme de Mme d'Aiglemont ; elles y étaient à demi lumineuses, tantôt abîmées, tantôt déployées complètement, comme des fleurs tourmentées à la surface des eaux pendant une tempête. Elle s'était assise, lassée, affaiblie par une longue méditation, par une de ces rêveries au milieu desquelles toute la vie se dresse, se déroule aux yeux de ceux qui pressentent la mort.

Cette femme, vieille avant le temps, eût été, pour quelque poète passant sur le boulevard, un tableau curieux. A la voir assise à l'ombre grêle d'un acacia, l'ombre d'un acacia à midi, tout le monde eût su lire une des mille choses écrites sur ce visage pâle et froid, même au milieu des chauds rayons du soleil. Sa figure pleine d'expression représentait quelque chose de plus grave encore que ne l'est une vie à son déclin, ou de plus profond qu'une âme affaissée par l'expérience.

Elle était un de ces types qui, entre mille physiono-
mies dédaignées parce qu'elles sont sans caractère,
vous arrêtent un moment, vous font penser ; comme,
entre les mille tableaux d'un Musée, vous êtes fortement impressionné, soit par la tête sublime où Murillo
peignit la douleur maternelle, soit par le visage de
Béatrix Cenci [114] où le Guide sut peindre la plus touchante innocence au fond du plus épouvantable
crime, soit par la sombre face de Philippe II où Vélas-
quez a pour toujours imprimé la majestueuse terreur
que doit inspirer la royauté. Certaines figures
humaines sont de despotiques images qui vous parlent, vous interrogent, qui répondent à vos pensées
secrètes, et font même des poèmes entiers. Le visage
glacé de Mme d'Aiglemont était une de ces poésies
terribles, une des faces répandues par milliers dans la
Divine Comédie de Dante Alighieri.

Pendant la rapide saison où la femme reste en fleur,
les caractères de sa beauté servent admirablement
bien la dissimulation à laquelle sa faiblesse naturelle et
nos lois la condamnent. Sous le riche coloris de son
visage frais, sous le feu de ses yeux, sous le réseau
gracieux de ses traits si fins, de tant de lignes multi-
pliées, courbes ou droites, mais pures et parfaitement
arrêtées, toutes ses émotions peuvent demeurer
secrètes : la rougeur alors ne révèle rien en colorant
encore des couleurs déjà si vives ; tous les foyers intérieurs se mêlent alors si bien à la lumière de ces yeux
flamboyants de vie, que la flamme passagère d'une
souffrance n'y apparaît que comme une grâce de plus.
Aussi rien n'est-il si discret qu'un jeune visage, parce
que rien n'est plus immobile. La figure d'une jeune
femme a le calme, le poli, la fraîcheur de la surface
d'un lac. La physionomie des femmes ne commence
qu'à trente ans. Jusques à cet âge, le peintre ne trouve
dans leurs visages que du rose et du blanc, des sourires et des expressions qui répètent une même
pensée, pensée de jeunesse et d'amour, pensée uniforme et sans profondeur ; mais, dans la vieillesse,
tout chez la femme a parlé, les passions se sont incrus-

tées sur son visage ; elle a été amante, épouse, mère ;
les expressions les plus violentes de la joie et de la
douleur ont fini par grimer, torturer ses traits, par s'y
empreindre en mille rides, qui toutes ont un langage ;
et une tête de femme devient alors sublime d'horreur,
belle de mélancolie, ou magnifique de calme ; s'il est
permis de poursuivre cette étrange métaphore, le lac
desséché laisse voir alors les traces de tous les torrents
qui l'ont produit : une tête de vieille femme n'appartient plus alors ni au monde qui, frivole, est effrayé d'y
apercevoir la destruction de toutes les idées d'élégance
auxquelles il est habitué, ni aux artistes vulgaires qui
n'y découvrent rien ; mais aux vrais poètes, à ceux qui
ont le sentiment d'un beau indépendant de toutes les
conventions sur lesquelles reposent tant de préjugés
en fait d'art et de beauté.

Quoique Mme d'Aiglemont portât sur sa tête une
capote à la mode, il était facile de voir que sa chevelure, jadis noire, avait été blanchie par de cruelles
émotions ; mais la manière dont elle la séparait en
deux bandeaux trahissait son bon goût, révélait les
gracieuses habitudes de la femme élégante, et dessi-
nait parfaitement son front flétri, ridé, dans la forme
duquel se retrouvaient quelques traces de son ancien
éclat. La coupe de sa figure, la régularité de ses traits
donnaient une idée, faible à la vérité, de la beauté
dont elle avait dû être orgueilleuse ; mais ces indices
accusaient encore mieux les douleurs, qui avaient été
assez aiguës pour creuser ce visage, pour en dessécher
les tempes, en rentrer les joues, en meurtrir les paupières et les dégarnir de cils, cette grâce du regard.
Tout était silencieux en cette femme : sa démarche et
ses mouvements avaient cette lenteur grave et
recueillie qui imprime le respect. Sa modestie,
changée en timidité, semblait être le résultat de l'habitude, qu'elle avait prise depuis quelques années, de
s'effacer devant sa fille ; puis sa parole était rare,
douce, comme celle de toutes les personnes forcées de
réfléchir, de se concentrer, de vivre en elles-mêmes.
Cette attitude et cette contenance inspiraient un sen-

timent indéfinissable, qui n'était ni la crainte ni la compassion, mais dans lequel se fondaient mystérieusement toutes les idées que réveillent ces diverses affections. Enfin la nature de ses rides, la manière dont son visage était plissé, la pâleur de son regard endolori, tout témoignait éloquemment de ces larmes qui, dévorées par le cœur, ne tombent jamais à terre. Les malheureux accoutumés à contempler le ciel pour en appeler à lui des maux de leur vie eussent facilement reconnu dans les yeux de cette mère les cruelles habitudes d'une prière faite à chaque instant du jour, et les légers vestiges de ces meurtrissures secrètes qui finissent par détruire les fleurs de l'âme et jusqu'au sentiment de la maternité. Les peintres ont des couleurs pour ces portraits, mais les idées et les paroles sont impuissantes pour les traduire fidèlement ; il s'y rencontre, dans les tons du teint, dans l'air de la figure, des phénomènes inexplicables que l'âme saisit par la vue, mais le récit des événements auxquels sont dus de si terribles bouleversements de physionomie est la seule ressource qui reste au poète pour les faire comprendre. Cette figure annonçait un orage calme et froid, un secret combat entre l'héroïsme de la douleur maternelle et l'infirmité de nos sentiments, qui sont finis comme nous-mêmes et où rien ne se trouve d'infini. Ces souffrances sans cesse refoulées avaient produit à la longue je ne sais quoi de morbide en cette femme. Sans doute quelques émotions trop violentes avaient physiquement altéré ce cœur maternel, et quelque maladie, un anévrisme peut-être, menaçait lentement cette femme à son insu. Les peines vraies sont en apparence si tranquilles dans le lit profond qu'elles se sont fait, où elles semblent dormir, mais où elles continuent à corroder l'âme comme cet épouvantable acide qui perce le cristal. En ce moment deux larmes sillonnèrent les joues de la marquise, et elle se leva comme si quelque réflexion plus poignante que toutes les autres l'eût vivement blessée. Elle avait sans doute jugé l'avenir de Moïna. Or, en prévoyant les douleurs qui attendaient sa fille, tous les malheurs de sa propre vie lui étaient retombés sur le cœur.

La situation de cette mère sera comprise en expliquant celle de sa fille.

Le comte de Saint-Héreen était parti depuis environ six mois pour accomplir une mission politique. Pendant cette absence, Moïna, qui à toutes les vanités de la petite maîtresse joignait les capricieux vouloirs de l'enfant gâté, s'était amusée, par étourderie ou pour obéir aux mille coquetteries de la femme, et peut-être pour en essayer le pouvoir, à jouer avec la passion d'un homme habile, mais sans cœur, se disant ivre d'amour, de cet amour avec lequel se combinent toutes les petites ambitions sociales et vaniteuses du fat. Mme d'Aiglemont, à laquelle une longue expérience avait appris à connaître la vie, à juger les hommes, à redouter le monde, avait observé les progrès de cette intrigue et pressentait la perte de sa fille en la voyant tombée entre les mains d'un homme à qui rien n'était sacré. N'y avait-il pas pour elle quelque chose d'épouvantable à rencontrer *un roué* dans l'homme que Moïna écoutait avec plaisir ? Son enfant chérie se trouvait donc au bord d'un abîme. Elle en avait une horrible certitude et n'osait l'arrêter, car elle tremblait devant la comtesse. Elle savait d'avance que Moïna n'écouterait aucun de ses sages avertissements ; elle n'avait aucun pouvoir sur cette âme, de fer pour elle et toute moelleuse pour les autres. Sa tendresse l'eût portée à s'intéresser aux malheurs d'une passion justifiée par les nobles qualités du séducteur, mais sa fille suivait un mouvement de coquetterie ; et la marquise méprisait le comte Alfred de Vandenesse, sachant qu'il était homme à considérer sa lutte avec Moïna comme une partie d'échecs. Quoique Alfred de Vandenesse fît horreur à cette malheureuse mère, elle était obligée d'ensevelir dans le pli le plus profond de son cœur les raisons suprêmes de son aversion. Elle était intimement liée avec le marquis de Vandenesse, père d'Alfred, et cette amitié, respectable aux yeux du monde, autorisait le jeune

homme à venir familièrement chez Mme de Saint-
Héreen, pour laquelle il feignait une passion conçue
dès l'enfance. D'ailleurs, en vain Mme d'Aiglemont se
serait-elle décidée à jeter entre sa fille et Alfred de
Vandenesse une terrible parole qui les eût séparés ;
elle était certaine de n'y pas réussir, malgré la puissance de cette parole, qui l'eût déshonorée aux yeux
de sa fille. Alfred avait trop de corruption, Moïna trop
d'esprit pour croire à cette révélation, et la jeune comtesse l'eût éludée en la traitant de ruse maternelle.
Mme d'Aiglemont avait bâti son cachot de ses propres
mains et s'y était murée elle-même pour y mourir en
voyant se perdre la belle vie de Moïna, cette vie
devenue sa gloire, son bonheur et sa consolation, une
existence pour elle mille fois plus chère que la sienne.
Horribles souffrances, incroyables, sans langage !
abîmes sans fond !

Elle attendait impatiemment le lever de sa fille, et
néanmoins elle le redoutait, semblable au malheureux
condamné à mort qui voudrait en avoir fini avec la vie,
et qui cependant a froid en pensant au bourreau. La
marquise avait résolu de tenter un dernier effort ; mais
elle craignait peut-être moins d'échouer dans sa tentative que de recevoir encore une de ces blessures si
douloureuses à son cœur qu'elles avaient épuisé tout
son courage. Son amour de mère en était arrivé là :
aimer sa fille, la redouter, appréhender un coup de
poignard et aller au-devant. Le sentiment maternel est
si large dans les cœurs aimants qu'avant d'arriver à
l'indifférence une mère doit mourir ou s'appuyer sur
quelque grande puissance, la religion ou l'amour.
Depuis son lever, la fatale mémoire de la marquise lui
avait retracé plusieurs de ces faits, petits en apparence,
mais qui dans la vie morale sont de grands événements. En effet, parfois un geste développe tout un
drame, l'accent d'une parole déchire toute une vie,
l'indifférence d'un regard tue la plus heureuse passion. La marquise d'Aiglemont avait malheureusement vu trop de ces gestes, entendu trop de ces
paroles, reçu trop de ces regards affreux à l'âme, pour

que ses souvenirs pussent lui donner des espérances.
Tout lui prouvait qu'Alfred l'avait perdue dans le
cœur de sa fille, où elle restait, elle, la mère, moins
comme un plaisir que comme un devoir. Mille choses,
des riens même lui attestaient la conduite détestable
de la comtesse envers elle, ingratitude que la marquise
regardait peut-être comme une punition. Elle cherchait des excuses à sa fille dans les desseins de la
Providence, afin de pouvoir encore adorer la main qui
la frappait. Pendant cette matinée elle se souvint de
tout, et tout la frappa de nouveau si vivement au cœur
que sa coupe, remplie de chagrins, devait déborder si
la plus légère peine y était jetée. Un regard froid pouvait tuer la marquise. Il est difficile de peindre ces faits
domestiques, mais quelques-uns suffiront peut-être à
les indiquer tous. Ainsi la marquise, étant devenue un
peu sourde, n'avait jamais pu obtenir de Moïna
qu'elle élevât la voix pour elle ; et le jour où, dans la
naïveté de l'être souffrant, elle pria sa fille de répéter
une phrase dont elle n'avait rien saisi, la comtesse
obéit, mais avec un air de mauvaise grâce qui ne
permit pas à Mme d'Aiglemont de réitérer sa modeste
prière. Depuis ce jour, quand Moïna racontait un événement ou parlait, la marquise avait soin de s'appro-
cher d'elle ; mais souvent la comtesse paraissait
ennuyée de l'infirmité qu'elle reprochait étourdiment
à sa mère. Cet exemple, pris entre mille, ne pouvait
frapper que le cœur d'une mère. Toutes ces choses
eussent échappé peut-être à un observateur, car c'était
des nuances insensibles pour d'autres yeux que ceux
d'une femme. Ainsi Mme d'Aiglemont ayant un jour
dit à sa fille que la princesse de Cadignan était venue
la voir, Moïna s'écria simplement : — Comment ! elle
est venue pour vous ! L'air dont ces paroles furent
dites, l'accent que la comtesse y mit, peignaient par de
légères teintes un étonnement, un mépris élégant qui
ferait trouver aux cœurs toujours jeunes et tendres de
la philanthropie dans la coutume en vertu de laquelle
les sauvages tuent leurs vieillards quand ils ne peuvent
plus se tenir à la branche d'un arbre fortement secoué.

Mme d'Aiglemont se leva, sourit, et alla pleurer en
secret. Les gens bien élevés, et les femmes surtout, ne
trahissent leurs sentiments que par des touches imperceptibles, mais qui n'en font pas moins deviner les
vibrations de leurs cœurs à ceux qui peuvent retrouver
dans leur vie des situations analogues à celle de cette
mère meurtrie. Accablée par ses souvenirs,
Mme d'Aiglemont retrouva l'un de ces faits microsco-
piques si piquants, si cruels, où elle n'avait jamais
mieux vu qu'en ce moment le mépris atroce caché
sous des sourires. Mais ses larmes se séchèrent quand
elle entendit ouvrir les persiennes de la chambre où
reposait sa fille. Elle accourut en se dirigeant vers les
fenêtres par le sentier qui passait le long de la grille
devant laquelle elle était naguère assise. Tout en marchant, elle remarqua le soin particulier que le jardinier
avait mis à ratisser le sable de cette allée, assez mal
tenue depuis peu de temps. Quand Mme d'Aiglemont
arriva sous les fenêtres de sa fille, les persiennes se
refermèrent brusquement.

— Moïna, dit-elle.

Point de réponse.

— Madame la comtesse est dans le petit salon, dit
la femme de chambre de Moïna quand la marquise
rentrée au logis demanda si sa fille était levée.

Mme d'Aiglemont avait le cœur trop plein et la tête
trop fortement préoccupée pour réfléchir en ce
moment sur des circonstances si légères ; elle passa
promptement dans le petit salon où elle trouva la
comtesse en peignoir, un bonnet négligemment jeté
sur une chevelure en désordre, les pieds dans ses pan-
toufles, ayant la clef de sa chambre dans sa ceinture, le
visage empreint de pensées presque orageuses, et des
couleurs animées. Elle était assise sur un divan, et
paraissait réfléchir.

— Pourquoi vient-on ? dit-elle d'une voix dure.
Ah ! c'est vous, ma mère, reprit-elle d'un air distrait
après s'être interrompue elle-même.

— Oui, mon enfant, c'est ta mère...

L'accent avec lequel Mme d'Aiglemont prononça

ces paroles peignit une effusion de cœur et une émotion intime dont il serait difficile de donner une idée sans employer le mot de sainteté. Elle avait en effet si bien revêtu le caractère sacré d'une mère, que sa fille en fut frappée, et se tourna vers elle par un mouvement qui exprimait à la fois le respect, l'inquiétude et le remords. La marquise ferma la porte de ce salon, où personne ne pouvait entrer sans faire du bruit dans les pièces précédentes. Cet éloignement garantissait de toute indiscrétion.

— Ma fille, dit la marquise, il est de mon devoir de t'éclairer sur une des crises les plus importantes dans notre vie de femme, et dans laquelle tu te trouves à ton insu peut-être, mais dont je viens te parler moins en mère qu'en amie. En te mariant, tu es devenue libre de tes actions, tu n'en dois compte qu'à ton mari ; mais je t'ai si peu fait sentir l'autorité maternelle (et ce fut un tort peut-être), que je me crois en droit de me faire écouter de toi, une fois au moins, dans la situation grave où tu dois avoir besoin de conseils. Songe, Moïna, que je t'ai mariée à un homme d'une haute capacité, de qui tu peux être fière, que...

— Ma mère, s'écria Moïna d'un air mutin et en l'interrompant, je sais ce que vous me venez dire... Vous allez me prêcher au sujet d'Alfred...

— Vous ne devineriez pas si bien, reprit gravement la marquise en essayant de retenir ses larmes, si vous ne sentiez pas...

— Quoi ? dit-elle d'un air presque hautain. Mais, ma mère, en vérité...

— Moïna, s'écria Mme d'Aiglemont en faisant un effort extraordinaire, il faut que vous entendiez attentivement ce que je dois vous dire...

— J'écoute, dit la comtesse en se croisant les bras et affectant une impertinente soumission. Permettez-moi, ma mère, dit-elle avec un sang-froid incroyable, de sonner Pauline pour la renvoyer...

Elle sonna.

— Ma chère enfant, Pauline ne peut pas entendre...

— Maman, reprit la comtesse d'un air sérieux, et

qui aurait dû paraître extraordinaire à la mère, je
dois...

Elle s'arrêta, la femme de chambre arrivait.

— Pauline, allez *vous-même* chez Baudran savoir
pourquoi je n'ai pas encore mon chapeau.

Elle se rassit et regarda sa mère avec attention. La
marquise, dont le cœur était gonflé, les yeux secs, et
qui ressentait alors une de ces émotions dont la douleur ne peut être comprise que par les mères, prit la
parole pour instruire Moïna du danger qu'elle courait.
Mais, soit que la comtesse se trouvât blessée des soupçons que sa mère concevait sur le fils du marquis de
Vandenesse, soit qu'elle fût en proie à l'une de ces
folies incompréhensibles dont le secret est dans l'inex-
périence de toutes les jeunesses, elle profita d'une
pause faite par sa mère pour lui dire en riant d'un rire
forcé :

— Maman, je ne te croyais jalouse que du père...

A ce mot, Mme d'Aiglemont ferma les yeux, baissa
la tête et poussa le plus léger de tous les soupirs. Elle
jeta son regard en l'air, comme pour obéir au sentiment invincible qui nous fait invoquer Dieu dans les
grandes crises de la vie ; puis elle dirigea sur sa fille ses
yeux pleins d'une majesté terrible, et empreints aussi
d'une profonde douleur.

— Ma fille, dit-elle d'une voix gravement altérée,
vous avez été plus impitoyable envers votre mère que
ne le fut l'homme offensé par elle, plus que ne le sera
Dieu peut-être.

Mme d'Aiglemont se leva ; mais arrivée à la porte,
elle se retourna, ne vit que de la surprise dans les yeux
de sa fille, sortit et put aller jusque dans le jardin, où
ses forces l'abandonnèrent. Là, ressentant au cœur de
fortes douleurs, elle tomba sur un banc. Ses yeux, qui
erraient sur le sable, y aperçurent la récente empreinte
d'un pas d'homme dont les bottes avaient laissé des
marques très reconnaissables. Sans aucun doute, sa
fille était perdue, elle crut comprendre alors le motif
de la commission donnée à Pauline. Cette idée cruelle
fut accompagnée d'une révélation plus odieuse que ne

l'était tout le reste. Elle supposa que le fils du marquis de Vandenesse avait détruit dans le cœur de Moïna ce respect dû par une fille à sa mère. Sa souffrance s'accrut, elle s'évanouit insensiblement, et demeura comme endormie. La jeune comtesse trouva que sa mère s'était permis de lui donner *un coup de boutoir* un peu sec, et pensa que le soir une caresse ou quelques attentions feraient les frais du raccordement. Entendant un cri dans le jardin, elle se pencha négligemment au moment où Pauline, qui n'était pas encore sortie, appelait au secours, et tenait la marquise dans ses bras.

— N'effrayez pas ma fille, fut le dernier mot que prononça cette mère. Moïna vit transporter sa mère, pâle, inanimée, respirant avec difficulté, mais agitant les bras comme si elle voulait ou lutter ou parler. Atterrée par ce spectacle, Moïna suivit sa mère, aida silencieusement à la coucher sur son lit et à la déshabiller. Sa faute l'accabla. En ce moment suprême, elle connut sa mère, et ne pouvait plus rien réparer. Elle voulut être seule avec elle ; et quand il n'y eut plus personne dans la chambre, qu'elle sentit le froid de cette main pour elle toujours caressante, elle fondit en larmes. Réveillée par ces pleurs, la marquise put encore regarder sa chère Moïna ; puis, au bruit de ses sanglots, qui semblaient vouloir briser ce sein délicat et en désordre, elle contempla sa fille en souriant. Ce sourire prouvait à cette jeune parricide que le cœur d'une mère est un abîme au fond duquel se trouve toujours un pardon. Aussitôt que l'état de la marquise fut connu, des gens à cheval avaient été expédiés pour aller chercher le médecin, le chirurgien et les petits-enfants de Mme d'Aiglemont. La jeune marquise et ses enfants arrivèrent en même temps que les gens de l'art et formèrent une assemblée assez imposante, silencieuse, inquiète, à laquelle se mêlèrent les domestiques. La jeune marquise, qui n'entendait aucun bruit, vint frapper doucement à la porte de la chambre. A ce signal, Moïna, réveillée sans doute dans sa douleur, poussa brusquement les deux bat-

tants, jeta des yeux hagards sur cette assemblée de
famille et se montra dans un désordre qui parlait plus
haut que le langage. A l'aspect de ce remords vivant
chacun resta muet. Il était facile d'apercevoir les pieds
de la marquise roides et tendus convulsivement sur le
lit de mort. Moïna s'appuya sur la porte, regarda ses
parents, et dit d'une voix creuse : — *J'ai perdu ma
mère !*

Paris, 1828-1844.

NOTES

1. Cette dédicace apparaît dans l'édition Furne. Le peintre Louis Boulanger (1806-1867) fit le célèbre portrait de Balzac en robe de moine, exposé au Salon de 1837.

2. Voiture légère à deux chevaux, démodée en 1830.

3. Dans ce cas caractérise une voiture légère attelée de chevaux vifs et rapides (Littré).

4. Au sens de « qui plaît par la délicatesse et la gentillesse », on peut ajouter l'usage de l'époque : « Mignonne se dit pour jeune fille simplement » (Littré). Dans *Honorine,* Balzac précise le sens de l'adjectif : « Elle méritait bien l'épithète de mignonne, car elle appartenait à ce genre de petites femmes souples qui se laissent prendre, flatter, quitter et reprendre comme des chattes. »

5. Alors un petit soulier plat et très découvert que l'on attachait à l'antique, par des lacets entrecroisés montant jusqu'à mi-jambe. Appartenant à la tenue des élégantes, il était fait d'une étoffe de laine ou de soie : la prunelle.

6. Sorte de chapeau de femme (Littré).

7. Avec une vivacité impétueuse.

8. En fait le 13e dimanche de 1813 tombe le 28 mars et non au début d'avril.

9. L'arc de triomphe du Carrousel fut édifié par Napoléon en 1806-1808.

10. Il s'agit de Duroc, grand maréchal du palais.

11. Les maréchaux, les hauts dignitaires, peut-être aussi les grands officiers de la Légion d'honneur.

12. Par abus, carré dont deux côtés opposés sont plus longs que les deux autres (Littré).

13. Les plus prestigieux régiments de la Garde impériale (1er régiment de grenadiers à pied ; 1er régiment de chasseurs à pied ; le régiment de grenadiers à cheval ; le régiment de chasseurs à cheval ; celui des dragons, les lanciers polonais, les mamelucks, la gendarmerie d'élite, l'artillerie à cheval, l'artillerie à pied, les sapeurs).

14. Enlevé sur les ordres de Napoléon de l'église Saint-Marc à Venise, la quadrige attelé de quatre chevaux de bronze surmontait depuis 1809 l'arc de triomphe du Carrousel. Il fut rendu à Venise en 1815.

15. Ayant été accueilli à Varsovie en 1806 par une garde d'honneur polonaise, Napoléon avait incorporé dans la Garde un régiment de cavalerie polonaise, les chevau-légers polonais, qui recevront leur lance après Wagram (1809) : ils deviennent alors les chevau-légers lanciers polonais.

16. Ici troupes, compagnies.

17. Napoléon avait entrepris la construction de la galerie nord le long de l'actuelle rue de Rivoli. Elle ne sera achevée que sous Napoléon III.

18. Instrument de musique militaire à percussion.

19. Attestée dès 1808, l'expression est récente. Baptiste était un type de comique niais, au calme imperturbable.

20. On y voit le général Rapp accourant au galop annoncer la victoire à l'Empereur.

21. Au sens alors déjà vieilli d'amoureux.

22. Sous l'Empire, le port de la moustache est propre aux hommes d'armes.

23. Ce développement est inspiré du *De l'Amour* de Stendhal paru en 1822.

24. Inadvertance de langage que Balzac n'a pas corrigée.

25. D'aventure, aventureuse.

26. Les Alliés entreront à Paris le 30 mars.

27. Nappes de filets dont on se sert pour prendre des lamproies dans la Loire (Littré). Mais il semble que Balzac utilise ici le mot dans une acception locale pour désigner de légères vagues.

28. Ici pierres enchâssées.

29. Ici proche de « fantasques ». Ce sens se retrouve ailleurs dans le roman, et se mêle à une autre acception possible : « imaginaires », « comme dans une vision ».

30. Fermier d'une closerie, « petite exploitation rurale où il n'y a pas de bœufs de labour » (Littré).

31. Mot polonais désignant une sorte de pelisse, de manteau fourré.

32. Titre que portaient les colonels de la Garde.

33. Droit qui règle les rapports des nations (Littré). La paix d'Amiens fut signée avec l'Angleterre en mars 1802 et rompue par le gouvernement britannique en avril 1803, l'Angleterre refusant d'évacuer Malte, rendue par le traité aux chevaliers de l'Ordre.

34. « Bureaucratie » désigne alors la puissance des bureaux (Littré) ; « bureaucratique » : propre aux gens de bureau (*ibid.*).

35. Le maréchal Soult tiendra tête à Wellington lors de la bataille de Toulouse (mars 1814).

36. « Chemin laissé entre une levée et le bord d'un canal ou d'un fossé » (Littré).

37. Elégance appropriée aux circonstances. S'oppose à « négligé » et à « excentrique ».

38. « Jeune homme, jeune femme qui est à la tête de la mode » (Littré).

39. Poudre de riz parfumée.

40. Sous-titré *Mémoires anecdotes pour servir à l'histoire des règnes de Louis XIV et de Louis XV*, ouvrage anonyme paru en 1786.

41. Erreur de Balzac, qui se retrouvera plusieurs fois. La comtesse de Listomère était dans la première version du texte la marquise de Belorgey.

42. Célèbres libertins du XVIIIᵉ siècle.

43. Un fenestral est une fenêtre. La forme adjective signifie « qui a rapport aux fenêtres » (usage provençal).

44. Lit de repos à dossier.

45. L'institution d'Ecouen, dirigée par Mme Campan.

46. Bien souligner ici la connotation érotico-sexuelle de cette expression.

47. Néologisme balzacien, également utilisé dans *Sarrasine* (1830).

48. Frère de Louis XVIII, le comte d'Artois, futur Charles X, le précéda à Paris. Le duc d'Angoulême est son fils.

49. Catherine II fit assassiner Pierre III, son mari, par son amant Alexis Orlov.

50. Un soldat courageux (l'équivalent civil est « bon garçon »).

51. Louis XVIII s'y exila pendant les Cent-Jours.

52. Revue ultra fondée par Chateaubriand en 1818 seulement.

53. Femme qui est d'une élégance recherchée dans son ton, dans ses manières et dans sa parure (Littré). Chez Balzac, le mot est souvent chargé de suggérer les agaceries du « charme » féminin : nervosité, recherche minutieuse d'élégance, coquetterie, caprice, violence...

54. Il s'agit probablement d'une métrite chronique.

55. Belle-mère par rapport aux enfants d'un autre lit.

56. Objet servant à se protéger de la chaleur et de la luminosité du feu.

57. Air de l'*Otello* de Rossini créé à Naples en 1816.

58. En fait « Al piè d'un salice » (« au pied d'un saule »).

59. Célèbres cantatrices de l'époque romantique.

60. Assimilation spontanée, intuitive.

61. « Je suis reine, je suis guerrière. » Opéra de Rossini créé en 1825.

62. Impressionnable (rare).

63. La mauvaise foi.

64. En Iran, ordre écrit émanant du shah.

65. Sans doute « par provision », terme juridique signifiant jugement préalablement à la sentence définitive. Comprendre donc : sans autre forme de procès.

66. Sans doute *Pour et contre*. Maturin (1782-1824) est l'auteur de *Melmoth ou l'Homme errant* (traduit en 1821).

67. Poisson qui produit des décharges électriques. Dans *Splendeurs et misères des courtisanes*, Esther est surnommée La Torpille.

68. Si la lune de miel est *stricto sensu* le premier mois du mariage, l'expression ne semble être attestée nulle part ailleurs.

69. Balzac connaissait ce pays, qu'il avait parcouru en 1831 quand il séjournait chez Mme de Berny à la Bouleaunière.

70. Exaction commise dans la perception de l'impôt.

71. « Amas de choses abattues » (Littré).

72. Accord correct à l'époque.

73. Les prêtres étaient rétribués par l'État depuis le Concordat de 1801.

74. Qui tient de la nature du baume, embaumé, parfumé.

75. Exclure du droit d'hériter.

76. Reine d'Halicarnasse qui fit élever à son mari Mausole un splendide tombeau, le Mausolée. Elle symbolise la fidélité conjugale.

77. Congrès de la Saint-Alliance (8 janvier-8 mai 1821), où il s'agissait notamment d'écraser les mouvements révolutionnaires à Naples.

78. Emprunt à l'italien : usage, coutume.

79. Allusion au *De l'Amour* de Stendhal, aussi qu'aux théories des conservateurs libéraux, appelés doctrinaires.

80. En fait quatre. La chronologie interne du roman comprend ainsi plusieurs erreurs.

81. Statue découverte à Herculanum et attribuée à Praxitèle. Mnémosyne est la mère des Muses, et la déesse de la mémoire.

82. C'est actuellement le boulevard Blanqui.

83. Teintureries et tanneries, ce qui explique la couleur brune des eaux de la Bièvre.

84. Stocks de grains, construits par Napoléon sur l'actuel boulevard Bourdon.

85. Nicolas Charlet (1792-1845), peintre, dessinateur et lithographe.

86. Un enfant de l'amour.

87. Personnage du *Voyage sentimental* (1768), ouvrage de l'écrivain anglais Sterne (1713-1768).

88. Mélodrame de Dupetit-Méré (1816), où le traître pousse un petit garçon dans un torrent.

89. « Don ou legs que celui qui reçoit la libéralité doit remettre à une autre personne » (Littré).

90. Donné comme néologisme par Littré.

91. Mot italien signifiant « maison de plaisance ».

92. L'âge de la marquise ne va pas sans incohérences chronologiques.

93. « Construite de manière à éclairer les objets de haut en bas sans porter d'ombre par ses appuis » (Littré).

94. Interprétation curieuse, car Guillaume Tell a tué un tyran, le bailli Gessler, alors que Jean d'Autriche est l'assassin du souverain légitime, son oncle l'empereur.

95. Une hospitalité sans limite, comme savent la pratiquer les Arabes.

96. « Etre intéressé à une chose : y avoir intérêt » (Littré).

97. Au sens étymologique : « ensorcelée », « enchantée ».

98. Le prestige est « l'illusion attribuée aux sortilèges » (Littré).

99. Les cas particuliers.

100. Condensateur électrique, inventé en Hollande en 1746.

101. « Pièce d'acier qui couvre le bassinet d'un fusil » (Littré).

102. Phare situé au large de l'estuaire de la Gironde.

103. Le pavillon espagnol.

104. « Petites voiles qu'on ajoute aux grandes pour présenter une plus grande surface au vent » (Littré).

105. « Fazéier » se dit d'une voile qui bat, parce qu'elle reçoit mal le vent. « Masquer », c'est recevoir le vent contre. Les « boute-hors » (ou « bouts-dehors ») sont des pièces de mâture qui peuvent s'ajouter à une vergue pour une voile supplémentaire. « Démané » signifie « impossible à gouverner ». Les « caronades » sont de gros canons courts.

106. Il change de pavillon au gré des circonstances.

107. Contrairement au pirate, le corsaire est muni d'une lettre de course par son gouvernement.

108. Troisième officier de manœuvre à bord d'un navire, après le maître d'équipage et le second maître, eux-mêmes subordonnés aux officiers de commandement. Il faudrait ici normalement « maître d'équipage ».

109. « Canal, détroit, passage entre des îles » (Littré).

110. Longue pièce de bois.

111. Mme Jaquotot (1778-1855) reproduisait sur porcelaine pour la manufacture de Sèvres des tableaux célèbres. Terburg et Dow sont des maîtres hollandais du XVIIe siècle. Gudin est un peintre de marines du XIXe siècle. Drolling est un peintre d'histoire, élève de David.

112. *Les licteurs rapportant à Brutus le corps de son fils.*

113. Bolivar fut le libérateur du Venezuela, et fédéra sous le nom de Colombie la Nouvelle-Grenade et le Venezuela. Il mourut en 1830.

114. Le tableau de Murillo est peut-être la *Mater dolorosa* (Londres, collection Linden). Béatrix Cenci (1577-1599) fit assassiner son père par qui elle avait été séduite. On a longtemps cru que le portrait de Guido Reni la représentait. Velasquez a peint Philippe IV et non Philippe II.

ANNEXES

Balzac a probablement inspiré une note de l'éditeur qui accompagnait l'édition de 1832. Nous la reproduisons ci-après, ainsi que la préface de l'édition Béchet de 1834, à laquelle Balzac a ajouté quelques lignes de sa main sur un exemplaire. Nous ajoutons à ces textes la partie qui nous intéresse du commentaire de Félix Davin dans l'*Introduction aux Etudes de mœurs*, là encore fortement inspiré par le romancier lui-même.

NOTE DE L'EDITION DE 1832

J'avais prié l'auteur d'intituler ce dernier volume : *Esquisse de la vie d'une femme*, trouvant dans l'ensemble et le caractère des cinq épisodes qui le composent, un plan suivi, un même personnage déguisé sous des noms différents, une même vie saisie à son début, conduite à son dénouement et représentée dans un grand but de moralité.

Mais, soit que l'auteur n'ait pas voulu se défier de l'intelligence des lecteurs choisis auxquels il s'est constamment adressé ; soit qu'il ait eu des pensées plus artistes en ne coordonnant point avec régularité les effets de cette histoire ; soit qu'il ait trouvé son idée première suffisamment révélée ou plus poétique au milieu du vague dont elle s'enveloppe, il a refusé d'adopter mon amendement commercial et ne m'a laissé que la faculté de publier cette note. Elle donne à chacun la liberté d'interpréter l'ouvrage à son gré.

L. MAME-DELAUNAY.

PRÉFACE DE L'EDITION BÉCHET DE 1834

Plusieurs personnes ont demandé si l'héroïne du *Rendez-Vous*, de *La Femme de trente ans*, du *Doigt de*

Dieu, des *Deux Rencontres* et de *L'Expiation*, n'était pas
sous divers noms le même personnage. L'auteur n'a
pu faire aucune réponse à ces questions. Mais peut-
être sa pensée sera-t-elle exprimée dans le titre qui
réunit ces différentes scènes. Le personnage qui tra-
verse pour ainsi dire les six tableaux dont se compose
Même Histoire n'est pas une figure ; c'est une pensée.
Plus cette pensée y revêt de costumes dissemblables,
mieux elle rend les intentions de l'auteur. Son ambition est de communiquer à l'âme le vague d'une
rêverie où les femmes puissent réveiller quelques-unes
des vives impressions qu'elles ont conservées, de
ranimer les souvenirs épars dans la vie pour en faire
surgir quelques enseignements. Il se trouvait une trop
forte lacune dans cette esquisse entre *Le Rendez-Vous*
et *La Femme de trente ans* ; l'auteur l'a comblée par un
nouveau fragment intitulé *Souffrances inconnues*. Les
femmes achèveront sans doute les transitions imparfaites, mais être également compris de tous les esprits
est la chose impossible. Existe-t-il une religion qui
n'ait été l'objet de mille contradictions ? Ne serait-ce
pas folie de demander pour l'œuvre chétive d'un
homme, la faveur que n'obtiennent pas les institutions
humaines ?

D'autres reproches ont été adressés à l'auteur, rela-
tivement à la brusque disparition d'une jeune fille
dans *Les Deux Rencontres*. Il existerait dans l'œuvre
entière de plus fortes incohérences, si l'auteur était
tenu d'avoir plus de logique que n'en ont les événements de la vie. Ils pourront dire ici que les détermi-
nations les plus importantes se prennent toujours en
un moment ; qu'il a voulu représenter les passions
rapidement conçues, qui soumettent toute l'existence
à quelque pensée d'un jour ; mais pourquoi tenterait-il
d'expliquer par la logique ce qui doit être compris par
le sentiment ? D'ailleurs, toute justification serait
fausse ou inutile pour ceux qui ne saisissent pas
l'intérêt caché dans *Les Deux Rencontres*, et dont les
éléments constituent le fragment intitulé *Le Doigt de
Dieu*, augmenté, dans cette édition, d'un chapitre qui,

peut-être, motivera mieux la fuite de la fille légitime, chassée par la haine d'une mère inexorable dont elle ne veut pas accuser la faute. Ces sortes d'aventures sont moins rares qu'on ne le pense. Quoique la vie sociale ait, aussi bien que la vie physique, des lois en apparence immuables, vous ne trouverez nulle part, ni le corps, ni le cœur réguliers comme la trigonométrie de Legendre. Si l'auteur ne peut peindre tous les caprices de cette double vie, au moins il doit lui être permis de choisir ceux qui lui paraissent les plus poétiques.

Paris, 25 mars 1834.

AJOUT MANUSCRIT DE BALZAC
A LA PRÉFACE DE 1834

Ainsi pourraient être justifiées les apparentes bizarreries des *Deux Rencontres*. Mais il est au fond de cette scène une pensée que l'auteur avait gardée pour lui seul, un secret dont on se moquerait en France et qui ne peut avoir de succès qu'en Allemagne ou près de certaines âmes féminines. Il le dévoile aujourd'hui, tant il est insoucieux des critiques. En France, personne ne lit un livre avec l'intention de le creuser, et bien des gens vont s'étonner de n'avoir pas *vu ça*.

Hélène est dans l'âge où la pureté même de l'âme fait que les fautes ont la proportion des crimes, et où la conscience a je ne sais quoi d'acide. Chargée d'un fratricide, elle succombe sous les remords ; elle ne se croit digne de personne ; elle se voit en pensée la camarade des forçats. Son mariage avec un criminel est pour elle un ordre du ciel, une fatalité. Si elle avait eu six ans de plus elle aurait épousé un agent de change et serait devenue le plus bel ornement de la civilisation.

Cette idée m'a été inspirée par la scène entre *Guillaume Tell* et le *meurtrier* dans Schiller. Aussi disais-je qu'elle sera plus comprise en Allemagne qu'en France.

COMMENTAIRE DE F. DAVIN
DANS L'*INTRODUCTION AUX ETUDES DE MŒURS*
(1835)

En aucune partie de son œuvre, M. de Balzac n'a été ni plus hardi, ni plus complet. *Le Rendez-vous* est un de ces sujets impossibles dont lui seul pouvait se charger, et sans lequel il a été poète au plus haut degré. Si l'influence de la pensée et des sentiments a été démontrée, n'est-ce pas dans la peinture de ce ravissant paysage de Touraine, vu par Julie d'Aiglemont, à deux reprises différentes ? Quel chef-d'œuvre est le tableau de cette jeune femme insouciante, qui n'a trouvé que des souffrances dans le mariage, et qui ne voit rien de beau dans la Touraine, tandis que plus tard elle y respire le bonheur en la revoyant au milieu des enchantements d'un amour qui ne se révèle que pour disparaître ! Les *Souffrances inconnues* sont une œuvre désespérante. Jamais aucun auteur n'avait osé plonger son scalpel dans le sentiment de la maternité. Ce passage de l'œuvre est un gouffre où tombe une femme en jetant un dernier cri. *La Femme de trente ans* n'a plus rien de commun avec la mère que la soif du bonheur, que l'égoïsme et ce je ne sais quel arrêt porté sur le monde ont tuée à Saint-Lange ! Là est le point brillant de l'œuvre. Quelle adresse d'avoir entouré ce désespoir des lignes sombres et jaunes d'un paysage du Gâtinais ! Cette transition est un poème empreint d'une horrible mélancolie. La conclusion s'en trouve dans *L'Expiation*, l'un des plus grands tableaux de cette œuvre pour qui veut reconnaître *Mme d'Aiglemont* dans *Mme de Ballan*, laquelle

voit par sa faute l'inceste dans sa famille et sa punition sortir du cœur de son enfant le plus chéri. Ceux
qui demandent de la morale à l'auteur peuvent relire
ce nouveau quatrième volume des *Scènes de la vie
privée*, ils se tairont.

LES AGES DE LA FEMME DANS
LA COMÉDIE HUMAINE
UNE ANTHOLOGIE

(les dates des œuvres sont celles de la publication préoriginale, de l'originale ou de la constitution progressive du texte)

I. QUELQUES POSTULATS

« La vie de la femme se partage en trois époques bien distinctes : la première commence au berceau et se termine à l'âge de nubilité ; la seconde embrasse le temps pendant lequel une femme appartient au mariage ; la troisième s'ouvre par l'âge critique, sommation assez brutale que la Nature fait aux passions d'avoir à cesser », *Physiologie du mariage* (1829).

« L'âge moyen auquel les femmes sont mariées est vingt ans, et à quarante elles cessent d'appartenir à l'amour [...] Physiquement, un homme est plus longtemps homme que la femme n'est femme », *ibid.*

« Ordinairement la femme sent, jouit et juge successivement ; de là trois âges distincts, dont le dernier coïncide avec la triste époque de la vieillesse », *Béatrix* (1839-1845).

« Le cœur d'une femme de vingt-cinq ans n'est pas

plus celui de la jeune fille de dix-huit, que celui de la
femme de quarante n'est celui de la femme de trente
ans. Il y a quatre âges dans la vie des femmes. Chaque
âge crée une nouvelle femme », *Une fille d'Eve* (1838-
1839).

« Dans la vie de toutes les femmes, il est un
moment où elles comprennent leur destinée, où leur
organisation jusque-là muette parle avec autorité ;
ce n'est pas toujours un homme choisi par quelque regard involontaire et furtif qui réveille leur
sixième sens endormi ; mais plus souvent peut-être
un spectacle imprévu, l'aspect d'un site, une lecture,
le coup d'œil d'une pompe religieuse, un concert de
parfums naturels, une délicieuse matinée voilée de
ses fines vapeurs, une divine musique aux notes
caressantes, enfin quelque mouvement inattendu
dans l'âme ou dans le corps », *Le Curé du village*
(1839).

« Nous avions commencé à poser en fait et en principe qu'il n'y avait rien de plus sot au monde qu'un
acte de naissance ; que bien des femmes de quarante
ans étaient plus jeunes que certaines femmes de vingt
ans, et qu'en définitif les femmes n'avaient réellement
que l'âge qu'elles paraissaient avoir. Ce système ne
mettait pas de terme à l'amour, et nous nagions, de
bonne foi, dans un océan sans bornes », deux jeunes
hommes (le narrateur et le héros) dans *Le Message*
(1832).

« Jusqu'à l'âge de trente ans, le visage d'une femme
est un livre écrit en langue étrangère, et que l'on peut
encore traduire, malgré les difficultés de tous les
gunaïsmes [NB expressions propres aux femmes] de
l'idiome ; mais passé quarante ans, une femme devient
un grimoire indéchiffrable, et si quelqu'un peut
deviner une vieille femme, c'est une autre vieille
femme », *Physiologie du mariage*.

II. L'AGE DE QUELQUES HÉROÏNES

NB : ces précisions sont valables pour les débuts des romans, sauf indication contraire, et ne concernent que des personnages dont Balzac précise l'âge, sauf indication contraire

JUSQU'A VINGT ANS

Dans *La Peau de chagrin* (1831), **Pauline de Witschnau** a environ **14 ans** quand Raphaël la rencontre : « Au moindre mouvement, sa taille souple et les attraits de sa personne se révélaient sous l'étoffe grossière. »

Dans *Ursule Mirouët* (1841), l'héroïne éponyme a **16 ans** : « La noblesse de sa vie se trahissait dans un admirable accord entre ses traits, ses mouvements et l'expression générale de sa personne qui pouvait servir de modèle à la Confiance ou à la Modestie. »

Dans *La Recherche de l'absolu* (1834), **Marguerite van Claës** a **16 ans**. Elle reçoit le gouvernement de la maison à 19 ans.

Au début de *La Rabouilleuse* (1841-1842), **Flore Brazier**, à **17 ans**, « conservait encore cette finesse de taille et de traits, cette distinction de beauté qui séduisit le docteur Rouget quand il la vit âgée de 12 ans ».

Dans les *Mémoires de deux jeunes mariées* (1841-1842), **Renée de Maucombe** a **17 ans** (elle s'en donne 30 en 1833 alors qu'elle est née en 1805) et **Louise de Chaulieu 18** au sortir du couvent.

Dans *Albert Savarus* (1842), **Rosalie de Watteville** a **18 ans**, « jeune fille frêle, mince, plate, blonde, blanche, et de la dernière insignifiance. Ses yeux, d'un bleu pâle, s'embellissaient par le jeu des paupières qui, baissées, produisaient une ombre sur ses joues. Quelques taches de rousseur nuisaient à l'éclat de son front, d'ailleurs bien coupé [...] Tout en elle, jusqu'à

sa pose, rappelait ces vierges dont la beauté ne reparaît dans son lustre mystique qu'aux yeux d'un
connaisseur attentif ».

Dans *L'Enfant maudit* (1833 et 1836), « blanche et
svelte », **Jeanne d'Hérouville** a 18 ans.

Dans *Les Marana* (1832-1833), **Juana Marana** a
18 ans : « C'était une figure blanche où le ciel de
l'Espagne avait jeté quelques légers tons de bistre qui
ajoutaient à l'expression d'un calme séraphique, une
ardente fierté, lueur infusée sous ce teint diaphane,
peut-être due à un sang tout mauresque qui le vivifiait
et le colorait. »

Dans *César Birotteau* (1837), **Césarine** a **18 ans**,
« fraîche et rose comme une jeune fille est fraîche et
rose à dix-huit ans, blonde et mince, les yeux bleus
[elle] offrait au regard de l'artiste cette élasticité, si
rare à Paris, qui fait rebondir les chairs les plus délicates, et nuance d'une couleur adorée par les peintres
le bleu des veines dont le réseau palpite dans les chairs
du teint [...] La beauté de cette belle fille n'était ni la
beauté d'une lady, ni celle des duchesses françaises,
mais la ronde et rousse beauté des Flamandes de
Rubens ».

Dans *Illusions perdues* (1837-1843), **Coralie**,
vendue à 15 ans par sa mère à de Marsay, a **18 ans** :
« [Elle] était le type des filles qui exercent à volonté la
fascination sur les hommes. »

Dans *Béatrix*, nous avons l'histoire de Félicité des
Touches. Elle est décrite à 18 ans, à 21 ans, à 25 ans,
avant d'entrer dans la fiction proprement dite à
40 ans. Une autre héroïne, **Sabine de Grandlieu**, a
20 ans.

Dans *Splendeurs et misères des courtisanes* (1835-
1847), **Esther van Gobseck** a une vingtaine
d'années : « Sa peau fine comme du papier de Chine
et d'une chaude couleur d'ambre nuancée par des
veines rouges, était luisante sans sécheresse, douce

sans moiteur. Nerveuse à l'excès, mais délicate en apparence, Esther attirait soudain l'attention par un trait remarquable dans les figures que le dessin de Raphaël a le plus artistement coupées, car Raphaël est le peintre qui a le plus étudié, le mieux rendu la beauté juive. »

DE VINGT A VINGT-CINQ ANS

Dans *La Fausse Maîtresse* (1841), l'écuyère **Malaga** a 20 ans.

Dans *Modeste Mignon* (1844), l'héroïne éponyme a **20 ans** : « Svelte, fine autant qu'une de ces sirènes inventées par les dessinateurs anglais pour leurs livres de beautés, Modeste offre, comme autrefois sa mère, une coquette expression de cette grâce, peu comprise en France, où nous l'appelons sensiblerie, mais qui, chez les Allemandes, est la poésie du cœur arrivée à la surface de l'être en s'épanchant en minauderies chez les sottes, en divines manières chez les filles spirituelles. »

Dans *Louis Lambert* (1832), **Pauline de Villenoix** a 20 ans : « Ses traits offraient dans sa plus grande pureté le caractère de la beauté juive : ces lignes ovales, si larges et si virginales qui ont je ne sais quoi d'idéal et respirent les délices de l'Orient, l'azur inaltérable de son ciel, les splendeurs de sa terre et la fabuleuse richesse de sa vie. Elle avait de beaux yeux voilés par de longues paupières frangées de cils épais et recourbés. Une innocence biblique éclatait sur son front. Son teint avait la blancheur mate des robes du lévite [...] Cependant elle n'avait pas cette fraîcheur rosée, ces couleurs purpurines qui décorent les joues de la femme pendant son âge d'insouciance. Des nuances brunes, mélangées de quelques filets rougeâtres, remplaçaient dans son visage la coloration, et trahissaient un caractère énergique, une irritabilité nerveuse que beaucoup d'hommes n'aiment pas à trouver dans une femme, mais qui, pour certains autres, sont l'indice d'une chasteté de sensitive et de passions fières. »

Dans *La Paix du ménage* (1830), **Mme de Vaudremont a 22 ans** : « grande femme légèrement grasse, d'une peau éblouissante de blancheur, qui portait bien sa petite tête et possédait l'immense avantage d'inspirer l'amour par la gentillesse de ses manières, [elle] était de ces créatures qui tiennent toutes les promesses que fait leur beauté ».

Dans *Pierrette* (1840), la belle **Mme Tiphaine a 22 ans** : « [la perle de Provins] satisfaisait tous les amours-propres, caressait les dadas de chacun : grave avec les gens graves, jeune fille avec les jeunes filles, essentiellement mère avec les mères, gaie avec les jeunes femmes et disposée à les servir ».

Dans *La Duchesse de Langeais* (1833-1834), l'héroïne éponyme a 22 ans : « jeune et suave, moins vieille de cœur que vieillie par les maximes de ceux qui l'entouraient ».

Dans *La Fille aux yeux d'or* (1834-1835), **Paquita Valdès a 22 ans**. Ses « formes ardentes et voluptueuses » représentent pour de Marsay l'idéal de la femme.

Dans *Le Bal de Sceaux* (1830), **Emilie de Fontaine a 22 ans** : « La nature lui avait donné en profusion les avantages nécessaires à ce rôle de Célimène. Grande et svelte, Emilie de Fontaine possédait une démarche imposante ou folâtre, à son gré. Son col un peu long lui permettait de prendre de charmantes attitudes de dédain et d'impertinence. Elle s'était fait un fécond répertoire de ces airs de tête et de ces gestes féminins qui expliquent si cruellement ou si heureusement les demi-mots et les sourires. »

Dans *Le Médecin de campagne* (1833), **la Fosseuse a 22 ans** : « La Fosseuse avait comme les gens du

Nord, le nez relevé du bout et très rentré ; sa bouche était grande, son menton petit, ses mains et ses bras étaient rouges, ses pieds larges et forts comme ceux des paysannes. »

Dans *Eugénie Grandet* (1833) l'héroïne éponyme a 23 ans. Elle sera veuve à 33 ans. A trente ans, elle ne connaît « aucune des félicités de la vie », mais « Dans la pure et monotone vie des jeunes filles, il vient une heure délicieuse où le soleil leur épanche ses rayons dans l'âme, où la fleur leur exprime des pensées, où les palpitations du cœur communiquent au cerveau leur chaude fécondance, et fondent les idées en un vague désir ; jour d'innocente mélancolie et de suaves joyeusetés ! »

Dans *Une ténébreuse affaire* (1841), **Laurence de Cinq-Cygne** a 23 ans : « Tout chez elle appartenait au genre mignon. Dans son corps frêle, malgré sa taille déliée, en dépit de son teint de lait, vivait une âme trempée comme celle d'un homme du plus beau caractère. »

Dans *La Cousine Bette* (1846), la jolie **Valérie Marneffe** a 23 ans : « une jolie figure candide, une peau d'une blancheur éblouissante, des dents de jeune chien, des yeux comme des étoiles, un front superbe, et des petits pieds ». « Sa blanche poitrine étincelait serrée dans une guipure dont les tons roux faisaient valoir le satin mat de ces belles épaules des Parisiennes qui savent (par quels procédés, on l'ignore !) avoir de belles chairs et rester sveltes [...] Elle ressemblait à ces beaux fruits coquettement arrangés dans une belle assiette et qui donnent des démangeaisons à l'acier du couteau. »

Dans *Une double famille* (1830), **Caroline Crochard** a 24 ans : « [Elle] offrait tous les développements d'une beauté qu'un bonheur sans nuages et des plaisirs constants avaient fait épanouir. En elle la femme était accomplie. »

Dans *La Fausse Maîtresse*, **Clémentine Laginska** est veuve à 24 ans.

Dans *Pierrette*, **Bathilde de Chargebœuf**, d'une blancheur éclatante, « a 25 ans, ses épaules entièrement développées, ses belles formes avaient une plénitude exquise. La rondeur de son cou, la pureté de ses attaches, la richesse de sa chevelure d'un blond élégant, la grâce de son sourire, la forme distinguée de sa tête, le port et la coupe de sa figure, ses beaux yeux bien placés sous un front bien taillé, ses mouvements nobles et de bonne compagnie, et sa taille encore svelte, tout en elle s'harmoniait ».

Dans *La Vendetta* (1830), **Ginevra di Piombo** a 25 ans, « l'âge auquel il suffit de faire des actes respectueux pour qu'il soit passé outre à la célébration d'un mariage malgré le défaut de consentement des parents ».

DE VINGT-CINQ A TRENTE ANS

Dans *Le Cabinet des Antiques* (1836-1838), la **duchesse de Maufrigneuse** a 26 ans :

« En s'amourachant de Victurnien, la duchesse s'était résolue à jouer ce rôle d'Agnès romantique, que plusieurs femmes imitèrent pour le malheur de la jeunesse d'aujourd'hui. Madame de Maufrigneuse venait de s'improviser ange, comme elle méditait de tourner à la littérature et à la science vers quarante ans au lieu de tourner à la dévotion. Elle tenait à ne ressembler à personne. Elle se créait des rôles et des robes, des bonnets et des opinions, des toilettes et des façons d'agir originales. [...] Elle paraissait à peine tenir à la terre, elle agitait ses grandes manches, comme si c'eût été des ailes. Son regard prenait la fuite à propos d'un mot, d'une idée, d'un regard un peu trop vifs [...] Les femmes se demandaient comment la jeune étourdie était devenue, en une seule toilette, la séraphique beauté voilée qui semblait, suivant une expression à la mode, avoir une âme blanche comme la dernière tombée de neige sur la plus haute des Alpes, comment elle avait si promptement résolu le jésuitique problème de si bien montrer une gorge plus blanche que son âme en la cachant sous la gaze ; comment elle pouvait être si immatérielle en coulant son regard d'une façon si assassine. »

Dans *Les Chouans* (1829), **Marie de Verneuil** a environ 26 ans.

Dans le même roman, la belle Mlle **Armande d'Esgrignon** a 27 ans.

Née en 1802, « entièrement développée à seize ans », **Véronique Graslin** a 27 ans en 1829 : « Madame Graslin arriva, sous les yeux de ses amis, à un point de beauté vraiment extraordinaire, et dont les raisons ne furent jamais bien expliquées. Le bleu de l'iris s'agrandit comme une fleur et diminua le cercle brun des prunelles, en paraissant trempé d'une lueur moite et languissante, pleine d'amour. On vit blanchir, comme un faîte à l'aurore, son front illuminé par des souvenirs, par des pensées de bonheur, et ses lignes se purifièrent à quelques feux intérieurs », *Le Curé de village* (1839).

Dans *Splendeurs et misères...*, **Clotilde de Grandlieu** a 27 ans : « Le corsage de la pauvre fille était si plat qu'il n'admettait pas les ressources coloniales de ce que les modistes appellent des fichus menteurs. »

A 27 ans, **Flore Brazier** (*La Rabouilleuse*) « était arrivée à l'entier développement de sa beauté. Grasse et fraîche, blanche comme une fermière du Bessin, elle offrait bien l'idéal de ce que nos ancêtres appelaient une belle commère. Sa beauté, qui tenait de celle d'une superbe fille d'auberge, mais agrandie et nourrie, la faisait ressembler, noblesse impériale à part, à mademoiselle Georges dans son beau temps. Flore avait ces beaux bras ronds éclatants,

cette plénitude de formes, cette pulpe satinée, ces
contours attrayants, mais moins sévères que ceux de
l'actrice ».

Dans *Le Père Goriot* (1834-1835), **Delphine de
Nucingen** a environ 27 ans.

Dans *La Maison du Chat-qui-pelote* (1830), **Virginie
Guillaume** a 28 ans, et sa sœur **Augustine** en a 18.

Dans *Madame Firmiani* (1832), l'héroïne éponyme
a 28 ans, elle en avoue 25.

DE TRENTE A QUARANTE ANS

Dans *Béatrix*, **Béatrix de Rochefide** n'a pas
30 ans, et elle est, selon Félicité, « une de ces blondes
auprès desquelles la blonde Eve paraîtrait une
négresse ».

Dans *Gobseck* (1830), **Mme de Restaud** a très
probablement la **trentaine** épanouie : « Combien
était belle la femme que je vis alors ! Elle avait jeté à la
hâte sur ses épaules nues un châle de cachemire dans
lequel elle s'enveloppait si bien que ses formes pouvaient se deviner dans leur nudité. »

Dans *La Muse du département* (1843), **Dinah de la
Baudraye**, déçue par le mariage à 22 ans, a 30 ans.

Dans *La Femme abandonnée* (1832), **Mme de
Beauséant** a 30 ans.

Dans *L'Interdiction* (1836), **Mme d'Espard** a
« 33 ans sur les registres de l'état civil, et 22 ans le soir
dans les salons. Mais combien de soins et d'artifices !
Des boucles artificieuses lui cachaient les tempes. Elle
se condamnait chez elle au demi-jour en faisant la
malade afin de rester dans les teintes protectrices
d'une lumière passée à la mousseline. Comme Diane
de Poitiers, elle pratiquait l'eau froide pour ses bains ;
comme elle encore, la marquise couchait sur le crin,
dormait sur des oreillers de maroquin pour conserver
sa chevelure, mangeait peu, ne buvait que de l'eau,

combinait ses mouvements afin d'éviter la fatigue, et mettait une exactitude monastique dans les moindres actes de sa vie ».

Dans *Une double famille*, la prude **Mme de Granville**, « alors âgée de 35 ans, paraissait en avoir 40 ».

Mme de Bargeton a 36 ans au début d'*Illusions perdues* (1837-1843), mais peut « impunément jouer à la jeune fille, se mettre en rose, ou se coiffer à l'enfant ».

Au début des *Secrets de la princesse de Cadignan* (1839), l'héroïne éponyme (ex-duchesse de Maufrigneuse) reste en 1832 « une femme encore délicieusement belle, âgée de 36 ans, mais autorisée à ne s'en donner que 30 ».

Dans *Les Marana* (1832-1833), **la Marana** a 36 ans.

Dans *Un début dans la vie* (1842), **Mme Moreau** a environ 36 ans, « blonde, éclatante et fraîche [...] reste fluette, mignonne et gentille, malgré ses trois enfants [aussi] jouait-elle encore à la jeune fille et se donnait-elle des airs de princesse ».

Dans *La Grenadière* (1832), **lady Brandon**, née Augusta Willemsens, meurt à 36 ans : « Des rides précoces flétrissaient son front de forme élégante, couronné par de beaux cheveux châtains, bien plantés et toujours tressés en deux nattes circulaires, coiffure de vierge qui seyait à sa physionomie mélancolique. »

Dans *César Birotteau*, **Constance Birotteau** a 37 ans : « Elle ressemblait si parfaitement à la Vénus de Milo que tous ceux qui la connaissaient virent son portrait dans cette belle statue. » Elle a une « beauté froide mais candide ».

Dans *Le Réquisitionnaire* (1831), **Mme de Dey** a 38 ans, et « elle conservait encore, non cette beauté

fraîche et nourrie qui distingue les filles de la Basse-
Normandie, mais une beauté grêle et pour ainsi dire
aristocratique ».

Dans *Le Message*, **Mme de Montpersan** a
38 ans : « C'était une petite femme à taille plate et
gracieuse, ayant une tournure ravissante [...] Un vieil
homme à bonne fortune ne lui eût pas donné plus
de trente années, tant il y avait de jeunesse dans
son front et dans les détails les plus fragiles de sa
tête. »

LES ANNÉES QUARANTE

Dans *Le Contrat de mariage* (1835), **Mme Evangelista** est « dans toute la beauté de la femme à
40 ans ». « A 40 ans, madame Evangelista était belle
d'une beauté semblable à celle de ces magnifiques
couchers de soleil qui couronnent en été les journées
sans nuages. »

Dans *Pierrette*, **Sylvie Rogron**, « quoiqu'[elle]
n'eût alors que **40 ans**, sa laideur, ses travaux constants et un certain air rechigné que lui donnait la disposition de ses traits autant que ses soucis, la faisaient
ressembler à une femme de 50 ans ».

Dans *La Recherche de l'absolu* (1834), **Joséphine
van Claës**, mariée à 25 ans, a **40 ans** : « On eût dit
une mère mourante [...] la physionomie de cette
dame, âgée d'environ quarante ans, mais alors beaucoup moins loin de la beauté qu'elle ne l'avait jamais
été dans sa jeunesse, n'offrait aucun des caractères de
la femme flamande ».

Au début de *Béatrix*, **Fanny O'Brien** est « belle
encore à **42 ans** » : « bien des hommes eussent
regardé comme un bonheur de l'épouser, à l'aspect
de cet août chaudement coloré, plein de fleurs et de
fruits, rafraîchi par de célestes rosées ». A **40 ans**,
Félicité des Touches « pouvait dire n'en avoir que
25 ».

Dans *Splendeurs et Misères des courtisanes* (1835-1844), **Mme de Serizy** est « une blonde de moyenne taille, conservée comme les blondes qui se sont conservées, c'est-à-dire paraissant à peine avoir trente ans » : elle en a en fait 42.

Dans *La Vieille Fille* (1836), **Rose Cormon** a 42 ans, « cet âge fatal qu'elle n'avouait pas ».

Dans *Les Chouans*, **Mme du Gua** a probablement 42 ans.

« En 1839, **madame Beauvisage**, alors âgée de 44 ans, était si bien conservée, qu'elle aurait pu doubler mademoiselle Mars [...] l'embonpoint avait détruit ce corps si magnifique pendant les douze premières années de mariage. Mais Séverine rachetait ses imperfections par un regard souverain, superbe, impérieux et par une certaine attitude de tête pleine de fierté. Ses cheveux encore noirs, longs et fournis, relevés en hautes tresses sur la tête, lui prêtaient un air jeune. Elle avait une poitrine et des épaules de neige, mais tout cela rebondi, plein, de manière à gêner le mouvement du col, devenu trop court », *Le Député d'Arcis* (inachevé, 1847).

Dans *Entre savants* (inachevé, 1845), **Flore de Saint-Leu** a 45 ans : « [Elle] devait à la variété de ses opinions, à la candeur de ses entraînements, de ne pas avoir un seul cheveu blanc. »

Dans *Le Cousin Pons* (1847), **Mme Camusot de Marville** a 46 ans : « A quarante-six ans, madame de Marville, autrefois petite, blonde, grasse et fraîche, toujours petite, était devenue sèche. Son front busqué, sa bouche rentrée, que la jeunesse décorait jadis de teintes fines, changeaient alors son air, naturellement dédaigneux, en un air rechigné ».

A 47 ans passés, **Adeline Hulot** (*La Cousine Bette*, 1846) « pouvait être préférée à sa fille par les amateurs de couchers de soleil ; car elle n'avait encore, comme disent les femmes, rien perdu de ses avantages, par un de ces phénomènes rares, à Paris surtout, où dans ce genre, Ninon a fait scandale, tant elle a paru voler la part des laides au dix-septième siècle ».

Dans *La Rabouilleuse*, **Agathe Bridau**, née Rouget, a 47 ans.

ET ENFIN...

Dans *Modeste Mignon*, la **duchesse de Chaulieu** est « un peu trop grasse, comme le sont toutes les femmes de 50 ans passés qui restent belles » : « Sous sa rondeur se révélait l'exquise finesse dont sont douées ces sortes de femmes et que leur donne la vigueur de leur système nerveux qui maîtrise et vivifie le développement de la chair. »

Dans *Le Père Goriot*, **Mme Vauquer** a 50 ans.

Dans *La Rabouilleuse*, **Mme Descoings** a 65 ans : « Nommée la belle épicière, elle était une de ces femmes si rares que le temps respecte, et devait à une excellente constitution le privilège de garder une beauté qui néanmoins ne soutenait pas un examen sérieux. »

La vieille **demoiselle Michonneau** du *Père Goriot* a un âge indéterminé : « Quel acide avait dépouillé cette créature de ses formes féminines ? »

III. LA FEMME AU PRISME DE L'AGE : UN FLORILÈGE BALZACIEN

AUTOUR DE 30 ANS

« L'âge anti-matrimonial de trente-trois ans », *Modeste Mignon* (1844).

« Une Italienne de trente ans est comme une Parisienne de quarante ans », Bianchon dans *La Muse du département* (1843).

« Elle avait alors vingt-huit ans, le moment où les beautés des femmes françaises sont dans tout leur éclat », à propos de l'actrice courtisane Florine dans *Une fille d'Eve* (1838-1839).

« [Agée de vingt-huit ans], Madame Firmiani atteignait donc à l'âge où la Parisienne conçoit le mieux une passion et la désire peut-être innocemment à ses heures perdues, elle avait acquis tout ce que le monde vend, tout ce qu'il prête, tout ce qu'il donne [...] Jeune encore, riche, musicienne parfaite, spirituelle, délicate, reçue [...] elle flattait toutes les vanités qui alimentent ou qui excitent l'amour », *Madame Firmiani* (1832).

« J'ai trente ans, voici le plus fort de la chaleur du jour passée, le plus difficile du chemin fini », Renée de l'Estorade dans les *Mémoires de deux jeunes mariées* (1841-1842).

« Jusqu'à l'âge de trente ans, les jolies femmes de Paris ne demandent qu'un vêtement à la toilette ; mais en passant sous le porche fatal de la trentaine, elles cherchent des armes, des séductions, des embellissements dans les chiffons ; elles se composent des grâces, elles y trouvent des moyens, elles y prennent un caractère, elles s'y rajeunissent, elles étudient les plus légers accessoires, elles passent enfin de la nature à l'art », *Béatrix* (1839-1845).

« — Mon cher, quand tu auras intérêt à connaître l'âge d'une femme, regarde ses tempes et le bout de son nez. Quoi que fassent les femmes avec leurs cosmétiques, elles ne peuvent rien sur ces incorruptibles témoins de leurs agitations. Là chacune de leurs années a laissé ses stigmates. Quand les tempes d'une femme sont attendries, rayées, fanées d'une certaine façon ; quand au bout de son nez il se trouve de ces petits points qui ressemblent aux imperceptibles parcelles noires que font pleuvoir à Londres les cheminées où l'on brûle du charbon de terre, votre serviteur ! la femme a passé trente ans. Elle sera belle, elle sera spirituelle, elle sera aimante, elle sera tout ce que tu voudras ; mais elle aura passé trente ans, mais elle arrive à sa maturité », Bianchon à Rastignac en 1828 au début de *L'Interdiction* (1836).

LA TRANSITION

« Après tout j'ai trente-cinq ans, et les femmes de trente-cinq ans ne peuvent pas être aimées [...] Trente-cinq ans, mon cher, me dit-elle, l'énigme est là... Allons, il dit encore non. Vous savez bien que j'en ai trente-sept », Claudine — Tullia au théâtre — dans *Un prince de la Bohème* (1840).

« A trente-sept ans, Tullia se trouve à la plus belle phase de la beauté chez les Françaises. Le célèbre ovale de son visage était, en ce moment, d'une pâleur divine, elle avait ôté son chapeau ; je voyais le léger duvet, cette fleur des fruits, adoucissant les contours moelleux déjà si fins de sa joue. Sa figure accompagnée de deux grappes de cheveux blonds avait une grâce triste », *ibid.*

LES « FEMMES D'UN CERTAIN AGE » (ENTRE 35 ET 40)

« Pourquoi, dit Félicité [...], les jeunes gens comme mon Calyste commencent-ils par aimer des femmes d'un certain âge ?

— Je ne sais pas de sentiment qui soit plus naïf ni plus généreux, répondit Vignon. Il est la conséquence des adorables qualités de la jeunesse. D'ailleurs comment les vieilles femmes finiraient-elles sans cet amour ? [...] D'abord les semi-douairières auxquelles s'adressent les jeunes gens savent beaucoup mieux aimer que n'aiment les jeunes femmes. Un adulte ressemble trop à une jeune femme pour qu'une jeune femme lui plaise. [...] Une jeune femme a mille distractions, ces femmes-là n'en ont aucune ; elles n'ont plus ni amour-propre, ni vanité, ni petitesse ; leur amour, c'est la Loire à son embouchure : il est immense, il est grossi de toute les déceptions, de tous les affluents de la vie, et voilà pourquoi... ma fille est muette », Claude Vignon dans *Béatrix*.

« Je cesse de plaire parce que je n'ai pas trente-six ans ! aux yeux de certains hommes, c'est une infériorité que la jeunesse ! Il n'y a rien à deviner sur une figure naïve. Je ris franchement, et c'est un tort ! quand, pour séduire, on doit savoir préparer ce demi-sourire mélancolique des anges tombés qui sont forcés de cacher des dents longues et jaunes ? Un teint frais est monotone ! l'on préfère un enduit de poupée fait avec du rouge, du blanc de baleine et du cold cream. J'ai de la droiture et c'est la perversité qui plaît ! Je suis loyalement passionnée comme une honnête femme, et il faudrait être ménagée, tricheuse et façonnière comme une comédienne de province », Sabine de Grandlieu, épouse de Calyste dans *Béatrix*.

LA QUARANTAINE

« Je n'ai pas quarante ans, je ne sais pas encore faire plier ma fierté sous l'autorité de l'expérience, je n'ai pas cet amour qui rend humble, enfin je suis une femme dont le caractère est encore trop jeune pour ne pas être détestable », Béatrix de Rochefide à Calyste, *Béatrix*.

« A quarante ans, la femme, et surtout celle qui a goûté à la pomme empoisonnée de la Passion, éprouve un effroi solennel ; elle s'aperçoit qu'il y a deux morts pour elle : la mort du cœur et celle du corps. En faisant des femmes deux grandes catégories qui répondent aux idées les plus vulgaires, les appelant ou vertueuses ou coupables, il est permis de dire qu'à compter de ce chiffre redoutable elles ressentent une douleur d'une vivacité terrible. Vertueuses et trompées dans les vœux de leur nature, soit qu'elles se soient soumises, soit qu'elles aient enterré leurs révoltes dans leur cœur ou au pied des autels, elles ne se disent pas sans effroi que tout est fini pour elles.

Cette pensée a de si étranges et diaboliques profondeurs, que là se trouve la raison de quelques-unes de ces apostasies qui parfois surprennent le monde et l'épouvantent. Coupables, elles sont dans une de ces situations vertigineuses qui se traduisent souvent, hélas ! par la folie, ou finissent par la mort, ou se terminent en passions aussi grandes que la situation même. », *Les Petits Bourgeois* (inachevé, posthume, 1854).

« J'ai entendu dire en Irlande qu'une femme de [quarante ans] est la maîtresse la plus dangereuse pour un jeune homme », Fanny O'Brien à propos de Félicité des Touches dans *Béatrix*.

« J'ai quarante ans et j'aime, ma chère ! dit avec un horrible accent de rage mademoiselle des Touches dont les yeux devinrent secs et brillants. Si tu savais, Béatrix, combien de larmes je verse sur les jours perdus de ma jeunesse ! Etre aimée par pitié, savoir qu'on ne doit son bonheur qu'à des travaux pénibles, à des finesses de chatte, à des pièges tendus à l'innocence et aux vertus d'un enfant, n'est-ce pas infâme ? », *Béatrix*.

« En voyant venir la terrible faillite de l'amour, cet âge de quarante ans au-delà duquel il y a si peu de chose pour la femme, la princesse s'était jetée dans le royaume de la philosophie », *Les Secrets de la princesse de Cadignan* (1839).

« — Ah ! ma tante est devenue bas-bleu vers quarante ans pour avoir sa ration des plaisirs de la vanité, ce fourrage des Parisiennes. Elle était aimée de son mari, comprenez-vous ? Elle n'a eu que des succès de toilette, de beauté ; mais elle n'a jamais eu la moindre faute à se reprocher ; elle s'est entendu dire des douceurs à l'oreille, elle a eu des amours inédits, des admirations commencées au bal et finies à la première visite où l'audacieux trouvait la mère de famille, adorée de son mari, fière de ses enfants, et digne comme la femme d'un ancien échevin. Alors, quand est venue la terrible faillite de ses quarante ans, elle s'est trouvée volée, comme on dit, et elle a pensé que sa beauté n'avait pas fait de scandales, que sa vanité n'avait pas eu sa ration de bruit, de fumée, et elle devenue Jarente, conservatrice et auteur de livres vertueux », Achille Malvaud dans *La Femme auteur* (inachevé, 1847).

« Sylvie arrivait à quarante-deux ans, âge auquel le mariage peut offrir des dangers », Sylvie Rogron dans *Pierrette* (1840).

« — Ainsi, passé quarante ans, une fille vertueuse ne doit plus se marier ?

— Ou attendre, répondit le médecin ; mais alors ce n'est plus le mariage, c'est une association d'intérêts ; autrement que serait-ce ? », *ibid.*

ET AU-DELÀ...

« L'âge de soixante ans, époque à laquelle les femmes se permettent des aveux », préface de *La Vieille Fille* (1836).

PERSONNAGES REPARAISSANT

Roman qui comporte beaucoup de morts, *La Femme de trente ans* ne se peuple guère de nombreux personnages reparaissant. La plupart d'entre eux sont simplement mentionnés dans les autres fictions de *La Comédie humaine*, ou y jouent un rôle secondaire. Nous ne faisons pas figurer dans ce répertoire des personnages qui sont simplement mentionnés, comme de Marsay, « le petit d'Esgrignon », du Tillet, Desroches ou la princesse de Cadignan.

AIGLEMONT (général marquis Victor d') : mentionné notamment dans *La Maison du Chat-qui-pelote, Modeste Mignon, César Birotteau, La Maison Nucingen, Un début dans la vie...*

AIGLEMONT (Julie, née de Chatillonest, marquise d') : mentionnée notamment dans *Le Père Goriot, Le Lys dans la vallée, Ursule Mirouët...*

AIGLEMONT (Moïna d'), par mariage de SAINT-HÉREEN : reparaît brièvement dans *Une fille d'Eve.*

CROTTAT (Alexandre) : *César Birotteau.*

CROTTAT (Mme) : femme du précédent. *César Birotteau.*

Curé de Saint-Lange (le) : mentionné dans *Ursule Mirouët.*

FIRMIANI (Madame) : née Cadignan, héroïne de *Madame Firmiani*, mentionnée dans plusieurs romans.

NAPOLÉON : voir l'« Index des personnes réelles », *La Comédie humaine*, Bibliothèque de la Pléiade, tome XII, p. 1773-1782.

RONQUEROLLES (marquis de) : frère de Mme de Sérisy, membre des Treize, reparaît surtout dans *La Duchesse de Langeais.*

SÉRISY (comtesse Hugret de) — le nom est orthographié SÉRIZY dans les premières éditions : née de Ronquerolles, reparaît dans *La Duchesse de Langeais* et surtout dans *Splendeurs et misères des courtisanes*, où elle est la maîtresse de Lucien de Rubempré.

VANDENESSE (Charles, comte, puis marquis de) : frère de Félix de Vandenesse. *Le Lys dans la vallée*, et mentions dans plusieurs romans.

BIBLIOGRAPHIE

Principales éditions

Correspondance intégrale, réunie et annotée par Roger Pierrot, 5 volumes, Garnier, Paris, 1960-1969. [Tome I (1809-1825), tome II (1832-1835), tome III (1836-1839), tome IV (1840-avril 1845), tome V (mai 1845-août 1850, avec un supplément 1822-1844).]

La Comédie humaine, Paris, Gallimard, « Bibliothèque de la Pléiade », édition publiée sous la direction de Pierre-Georges Castex, tome II : *Études des mœurs. Scènes de la vie privée*, 1997. (Histoire du texte, notes et variantes.)

La Comédie humaine, Lausanne, Rencontre, 1969. (Avec une préface de Roland Chollet.)

La Femme de trente ans, notes et dossier de Graziella Vinh, Paris, Hatier, 2006.

La Femme de trente ans, Paris, Nouvelle Librairie de France, 1999.

La Femme de trente ans, édition établie, commentée et annotée par Chantal Massol, Paris, Librairie générale française, 1996.

L'Œuvre de Balzac, publiée dans un ordre nouveau sous la direction d'Albert Béguin et Jean A. Ducourneau, présentée par des écrivains d'aujourd'hui (Gracq, Bachelard, etc.), 16 volumes, Paris, Le Club français du Livre, 1964-1967.

Œuvres complètes de Balzac, édition établie par la Société des études balzaciennes, Paris, Club de l'honnête homme, 1956.

L'Œuvre de Balzac, Formes et Reflets (éditions du Centenaire), Paris, Club Français du Livre, 1953-1955.

Nouvelles et contes, 2 volumes, édition établie, présentée et annotée par Isabelle Tournier, Paris, Gallimard, 2005.

À propos de Balzac

ALAIN, *Avec Balzac*, Paris, Gallimard, 1937 (rééd. 1999).

Charles BAUDELAIRE, *L'Art romantique*, publié à titre posthume en 1869, Paris, Garnier, 1962.

Albert BÉGUIN, *Balzac visionnaire*, Genève, Skira, 1946-1947.

Jules BERTAUT, *Balzac anecdotique*, E. Sansot, 1908.

Michel BUTOR, *Improvisations sur Balzac*, 3 volumes, Paris, La Différence, 1998.

Théophile GAUTIER, *Honoré de Balzac*, édition d'Auguste Poulet-Malassis et Eugène de Broise, 1859.

Alphonse de LAMARTINE, *Cours familier de littérature*, chez l'auteur, 1859 (tome XVIII, p. 106-108 et p. 273-527. Repris sous le titre : *Balzac et ses œuvres*, M. Lévy, 1866).

Marcel PROUST, *Le Balzac de M. de Guermantes*, Ides et Calendes, 1950. (Voir aussi : *Contre Sainte-Beuve*, Paris, Gallimard, 1987.)

Charles-Augustin SAINTE-BEUVE, *Études littéraires sur Balzac*, Paris, Lévy, 1882.

George SAND, *Autour de la table*, Clermont-Ferrand, Paleo, 2007.

—, *Histoire de ma vie*, *Œuvres autobiographiques* II, 1855 ; Gallimard, « Bibliothèque de La Pléiade », 1971 ; Classique de poche, 2004.

Hippolyte TAINE, *Nouveaux Essais de critique et d'histoire : Balzac*, Paris, Hachette, 1865.

Henri TROYAT, *Balzac*, Paris, Flammarion, 1995.

Edmond WERDET, *Portrait intime de Balzac : sa vie, son humeur et son caractère*, E. Dentu, A. Silvestre, 1859. (Réimpression en fac-similé, L'Arche du Livre, 1970.)

Émile ZOLA, *Documents littéraires*, Charpentier, 1881.

—, *Les Romanciers naturalistes*, Charpentier, 1881.

Stefan ZWEIG, *Balzac, le roman de sa vie*, traduit de l'allemand par Fernand Delmas, Paris, Albin Michel, 1950.

Études sur l'œuvre de Balzac

Hélène ALTSZYLER, *La Genèse et le plan des caractères dans l'œuvre de Balzac*, Paris, Slatkine, 1984.

Madeleine AMBRIÈRE, Michel LICHTLÉ (dir.), *Temps et mémoire chez Balzac*, Paris, PUF, 2007.

Max ANDRÉOLI, *Le Système balzacien, essai de description synchronique*, 2 volumes, Paris, Aux amateurs de livres, 1984.

Balzac : matières et sensations, Paris, PUF, 2009.

Balzac critique, Paris, PUF, 2008.

Balzac, figures : trente-six portraits de la « Comédie humaine », *vus par trente-six artistes*, Rigny, Les Éditions du Chemin de fer, 2008.

Pierre BARBERIS, *Balzac et le mal du siècle*, Paris, Gallimard, 1970.

—, *Le Monde de Balzac*, Paris, Arthaud, 1971.

Maurice BARDÈCHE, *Balzac*, Paris, Julliard, 1980.

Claire BAREL-MOISAN, *Balzac, l'aventure analytique*, Saint-Cyr-sur-Loire, C. Pirot, 2009.

—, José-Luis DIAZ (dir.), *Balzac avant Balzac*, Saint-Cyr-sur-Loire, C. Pirot, 2006.

Anne-Marie BARON, *Balzac et la Bible : une herméneutique du romanesque*, Paris, Champion, 2007.

—, *Balzac ou l'auguste mensonge*, Paris, Nathan, 1998.

—, *Le Fils prodige, l'inconscient de* La Comédie humaine, Paris, Nathan, 1993.

René BENJAMIN, *La Prodigieuse Vie d'Honoré de Balzac*, Monaco, Paris, Éditions du Rocher, 1990.

Peter BROOKS, *Realist Vision*, New Haven, Yale University Press, 2005.

Philippe BRUNEAU, *Guide Balzac*, Hazan, 1997.

Véronique BUI, *La femme, la faute et l'écrivain : la mort féminine dans l'œuvre de Balzac*, Paris, H. Champion, 2003.

Roland CHOLLET, *Balzac journaliste, le tournant de 1830*, Paris, Klincksieck, 1983.

René-Alexandre COURTEIX, *Balzac et la Révolution française. Aspects idéologiques et poétiques*, préface de Madeleine AMBRIÈRE, Paris, PUF, 1997.

Ernst Robert CURTIUS, *Balzac*, Bonn, F. Cohen, 1923. (Traduit de l'allemand par Henri Jourdan, Grasset, 1933.)

G. DE BERTIER DE SAUVIGNY, *La Restauration*, Paris, Flammarion, 1974.

Raffaele DE CESARE, *Miserie e splendori di Balzac nel dicembre 1836*, Milano, Virta e Pensiero, 1977.

José-Luis DIAZ, *Devenir Balzac : l'invention de l'écrivain par lui-même*, Saint-Cyr-sur-Loire, C. Pirot, 2007.

Emmanuel DUFOUR-KOWALSKI, *Balzac et madame Hanska, réminiscences d'un roman d'amour*, Paris, Éditions du Panthéon, 1994.

Danielle DUFRESNE, *Balzac et les femmes*, Paris, Taillandier, 1999.

Hugo FRIEDRICH, *Drei Klassiker des französischen Romans : Stendhal, Balzac, Flaubert*, 7. Verb. Auflage, Frankfurt am Main, Klostermann, 1973.

Juliette GRANGE, *Balzac : l'argent, la prose, les anges*, Belval, Circé, 2008.

Jeannine GUICHARDET, *Balzac « archéologue » de Paris*, Paris, Sedes, 1986.

Bernard GUYON, *La Pensée politique et sociale de Balzac*, Paris, Armand Colin, 1967.

Owen HEATHCOTE, *Balzac and violence : representing history, space, sexuality and death in* La Comédie humaine, Oxford-Bern-Berlin, Lang, 2009.

Martin KANES, *Critical essays on H. de Balzac*, Boston, G.K. Hall, 1990.

Dorothea KULLMANN, *Description : Theorie und Praxis der Beschreibung im französischen Roman von Chateaubriand bis Zola*, Heidelberg, Winter, 2004.

Roland LE HUENEN, Andrew OLIVIER (dir.), *Paratextes balzaciens :* La Comédie humaine *en ses marges*, Toronto, Centre d'études du XIXe siècle Joseph Sablé, 2007.

Georg LUKÁCS, *Balzac et le réalisme français*, Maspero, Paris, 1967.

Boris LYON-CAEN, *Balzac et le politique*, Paris, Diderot, 2007.

Félicien MARCEAU, *Balzac et son monde*, Paris, Gallimard, édition revue et augmentée, 1986.

John HAMAYOUN MAZAHERI, *Essais sur la religiosité d'Honoré de Balzac*, préface d'Edgar Pitch, Lewiston-Queenston-Lampeter, Edwin Mellen, 2008.

Maurice MÉNARD, *Balzac et le comique dans* La Comédie humaine, Paris, PUF, 1983.

Arlette MICHEL, *Le Réel et la Beauté dans le roman balzacien*, Paris, Champion, 2001.

—, *Le Mariage chez Honoré de Balzac. Amour et féminisme*, Paris, Les Belles Lettres, 1978.

Nicole MOZET, *Balzac au pluriel*, Paris, PUF, 1990.

Robert PIERROT, *Balzac*, Paris, Fayard, 1994.

Nathalie PREISS, *Honoré de Balzac : 1799-1850*, Paris, PUF, 2009.

Graham ROBB, *Baudelaire lecteur de Balzac*, Paris, J. Corti, 1988.

Jean ROUSSET, *La Lecture intime, de Balzac au journal*, Paris, J. Corti, 1986.

Nathalie SOLOMON, *Balzac ou comment ne pas raconter une histoire*, Arras, Artois Presses Université, 2007.

Jean-Louis TRITTER, *Le Langage philosophique dans les œuvres de Balzac*, Paris, A.-G. Nizet, 1976.

Études sur La Femme de trente ans

Jacqueline BECK, « Balzac et Goethe », *L'Année balzacienne*, 1970, Paris, Garnier Frères, 1970, p. 33-43.

Marie BLAIN, « Un texte marginal à la lumière de ses marges : *La Femme de trente ans* et ses préfaces », in : *L'Art de la préface*, Nantes, C. Defaut, 2006, p. 139-158.

Richard BOLSTER, « Balzac in debt again ; the sexual theme in *La Femme de trente ans* », *French Studies Bulletin* 45 (1992-1993), s.l., s.n., 1992, p. 19-20.

Eric BORDAS, « De l'héroïne à la lectrice : l'inscription du narrataire dans *La Femme de trente ans* », *Champ du signe* 4 (1994), Toulouse, Éditions Universitaires du Sud, 1994, p. 85-94.

Pierre BRUNEL, « Balzac : *Le Lys dans la vallée*, *La Femme de trente ans* », *Actes de la journée d'étude organisée par l'École doctorale de Paris-Sorbonne*, 20 novembre 1993, Mont-de-Marsan, Éditions Interuniversitaires, 1993.

Frédérique BUÉ-PROUDOM, « *La Femme de trente ans* et *Le Lys dans la vallée* ou l'écriture de l'indicible », *Champs du signe* 4 (1994), Toulouse, Éditions Universitaires du Sud, 1994, p. 61-69.

Véronique BUI, « De "il" à "elle" : Balzac penseur du féminin dans *La Femme de trente ans* », in : DIAZ José-Luis, TOURNIER Isabelle (dir.), *Penser avec Balzac*, Saint-Cyr-sur-Loire, C. Pirot, 2003, p. 267-274.

Pierre CITRON, « Le rêve asiatique de Balzac », *L'Année balzacienne*, Paris, Garnier Frères, 1968, p. 303-336.

Michel DELON, « *La Femme de trente ans* ou Mnémosyne », *L'Année balzacienne*, 2007, Paris, PUF, 2007, p. 21-32.

—, « Le boudoir balzacien », *L'Année balzacienne*, Paris, PUF, 1998, p. 227-245.

José-Luis DIAZ (dir.), *Balzac,* La Femme de trente ans *: une vivante énigme*, Paris, SEDES, 1993.

Bernard GAGNEBIN, « La Julie de Balzac », in : *Littérature et Société. Recueil en l'honneur de Bernard Guyon*, s.l., Desclée de Brouwer, 1973, p. 79-88.

Waltrand GÖLTER, « Zufall und Widerspruch in Balzacs, *La Femme de trente ans* », *Romanistische Zeitschrift für Literaturgeschichte* 4 (1978), s.l., s.n., 1978, p. 446-477.

Owen HEATHCOTE, « Sleeping with the Enemy ? Women making history in Balzac's *La Femme de trente ans* and Resnais's *Hiroshima mon amour* », *Dix-neuf* 6, s.l., s.n., 2006, p. 14-25.

George JACQUES, « Le "Doigt de Dieu" et l'édition Werdet », *L'Année balzacienne*, Paris, Garnier Frères, 1970, p. 428-429.

—, *"Le Doigt de Dieu" d'Honoré de Balzac. Études littéraire et édition critique*, Louvain, Bibliothèque de l'Université, 1970.

Mireile LABOURET, « Pavane pour une marquise défunte », *L'Année balzacienne*, 1997, Paris, PUF, 1997, p. 235-250.

Martine LÉONARD, « Construction de "l'effet-personnage" dans *La Femme de trente ans*, in : LE HUENEN Roland, PERRON Paul (dir.), *Le Roman de Balzac*, Ottawa-Paris, Didier, 1980.

Joyce Oliver LOWRIE, « Balzac and "Le Doigt de Dieu" », in : *L'Esprit créateur*, 1967, Kentucky, University of Kentucky, 1967.

Jacques MARTINEAU, « Les soupirs de la sainte et les cris de la fée : les voix du désir dans *La Femme de trente ans* et *Le Lys dans la vallée* », *Information grammaticale* 58, s.l., s.n., 1993, p. 107-119.

John Hamayoun MAZAHERI, *Myth and guilt in Balzac's* La Femme de trente ans, Lewsiton-Queenston-Lampeter, Edwin Mellen, 1999.

Paul PELCKMANS, « Nécrose ou sociose ? Une lecture de *La Femme de trente ans* de Balzac », *Revue romane* 1, s.l., s.n., 1977, p. 96-122.

Christine PLANTÉ, « Même histoire, autre histoire ? Mères et filles dans *La Femme de trente ans* et *Le lys dans la vallée* », in : FRAPPIER-MAZU Lucienne (dir.), *Genèse du roman : Balzac, Sand*, Amsterdam-New York, Rodopi, 2004, p. 155-168.

Antony R. PUGH, « Personnages reparaissants avant *Le Père Goriot* », *L'Année balzacienne*, Paris, Garnier Frères, 1964, p. 215-237.

Raymond L. SULLIVANT, « *La Femme de trente ans*. Quelques emprunts de Balzac à la société et à la vie anglaise », *L'Année balzacienne*, Paris, Garnier Frères, 1967, p. 107-114.

—, « L'édition Werdet et *La Femme de trente ans* », *L'Année balzacienne*, Paris, PUF, 1965, p. 131-142.

Paul VOIVENEL, *Autour des femmes et de l'amour : à propos de Balzac : Physiologie du mariage, Les Jeunes Filles, La Femme de trente ans, La Femme de quarante ans, Les Vieilles Filles, Les Courtisanes, Le Boubourochisme*, Toulouse, R. Lion, 1950.

Filmographie

La filmographie générale de Balzac a été établie par Anne-Marie BARON, « Filmographie de Balzac », *L'Année balzacienne*, PUF, 2005.

Voir aussi : Anne-Marie BARON, *Roman français du XIXe siècle à l'écran : problèmes de l'adaptation*, Clermont-Ferrand, Presses universitaires Blaise Pascal, 2008.

CHRONOLOGIE [1]

1797 (30 janvier) : Bernard-François Balzac, cinquante et un ans, directeur des Vivres de la vingt-deuxième division militaire à Tours, épouse à Paris Anne-Charlotte-Laure Sallambier, dix-neuf ans, fille du directeur de la régie des Hospices de Paris.

1798 (20 mai) : Naissance de Louis-Daniel Balzac, premier enfant des Balzac, qui ne vivra que trente-trois jours.

1799 (20 mai) : Naissance à Tours d'Honoré Balzac ; des difficultés d'allaitement (?) le font mettre aussitôt en nourrice.

1800 (29 septembre) : Naissance à Tours de Laure, sœur d'Honoré, mise en nourrice avec lui à Saint-Cyr-sur-Loire jusqu'en 1803.

1802 (18 avril) : Naissance de Laurence, sœur d'Honoré et de Laure ; sur l'acte de baptême, Laurence est déclarée fille légitime de B.-F. *de* Balzac. (Naissance de Victor Hugo ; après *Atala* (1801), Chateaubriand publie *René* et *Le Génie du Christianisme*).

1804 (avril) : Honoré entre comme externe à la pension Le Guay de Tours.

1807 (22 juin) : Honoré entre comme pensionnaire au collège des Oratoriens sécularisés de Vendôme (aujourd'hui Lycée Ronsard).

    21 décembre : Naissance d'Henri, dernier enfant des

---

1. Les titres en gras indiquent la publication en volume ; les titres en italique accompagnés de la mention d'une revue ou d'un journal, la publication en périodique.

époux Balzac ; il passe pour être en fait le fils naturel de Jean de Margonne, châtelain de Saché, chez qui Honoré fera de nombreux séjours. Honoré souffrira pendant toute sa jeunesse de la préférence de sa mère pour Henri, qui ne manifestera pourtant jamais ni don particulier, ni caractère.

1813 (22 avril) : Plongé dans un état somnambulique inquiétant, qu'il décrira plus tard dans *Louis Lambert* comme une « congestion d'idées », Honoré est retiré en hâte du collège de Vendôme ; il avait commencé à y écrire un *Traité de la volonté*, confisqué par un de ses maîtres.
Eté : Honoré est placé pour quelques mois comme pensionnaire à l'institution Ganser à Paris. (Entre-temps, Chateaubriand a publié ses *Martyrs* (1809), Mme de Staël *De l'Allemagne* et Walter Scott *La Dame du lac* (1810 : année de naissance de Musset et de Chopin) ; 1811 a vu naître Théophile Gautier ; en 1812, Byron commence à publier son *Childe Harold* et, en 1813, *Le Giaour*.)

1814 : Honoré est externe au collège de Tours.
Novembre : La famille Balzac s'installe à Paris dans le Marais, 40, rue du Temple ; Honoré fréquente l'institution Lepître, rue de Turenne. (Byron publie *Lara*, Walter Scott les *Waverley Novels*, Hoffmann les *Kreisleriana*.)

1815 (octobre) : Honoré réintègre la pension Ganser, et suit en même temps la classe de rhétorique du Lycée Charlemagne.

1816 : Honoré achève ses études secondaires.
Novembre : Honoré s'inscrit à la Faculté de droit, et entre comme petit clerc chez l'avoué Guillonnet-Merville.

1817 (Eté) : Vacances à L'Isle-Adam chez le maire Villers La Faye, vieil ami de la famille. (Benjamin Constant publie *Adolphe*, Hoffmann *Les Elixirs du Diable*, Byron *Manfred* ; mort de Mme de Staël.)

1818 (mars) : Honoré quitte l'étude de Guillonnet-Merville, et entre bientôt comme clerc de notaire chez Mᵉ Passez.
Eté : Nouvelles vacances à L'Isle-Adam.
Novembre : Honoré entame sa troisième année de droit, et rédige son premier travail littéraire : des notes philosophiques *Sur l'immortalité de l'âme*.

1819 (4 janvier) : Honoré est reçu bachelier en droit.
Eté : Vacances à L'Isle-Adam.
4 août : Honoré, qui refuse de devenir notaire, a obtenu de ses parents de s'installer à Paris dans une mansarde

(rue Lesdiguières, près de l'Arsenal) pour faire ses preuves d'écrivain. Il caresse plusieurs projets de pièces de théâtre. B.-F. Balzac, retraité de l'administration militaire avec une pension plus mince que prévu, s'est installé à Villeparisis avec sa famille ; le 16 août, son frère Louis Balzac, accusé d'avoir assassiné une fille de ferme, est guillotiné à Albi.

1820 : Honoré achève sa tragédie en cinq actes et en vers *Cromwell*.

Avril-mai : Séjour à l'Isle-Adam.

18 mai : Laure épouse à Paris l'ingénieur Eugène Surville.

Eté : Honoré reprend son roman médiéval commencé en avril, *Falthurne*, qu'il n'achèvera pas. Ses parents, que la lecture de *Cromwell* et l'avis défavorable de l'académicien Andrieux ont peu enthousiasmés, donnent congé rue Lesdiguières pour le premier janvier suivant.

Septembre : Honoré a la chance de tirer un « bon numéro » qui le dispense du service militaire.

Vers la fin de l'année, Honoré commence à rédiger un roman par lettres *Sténie ou les erreurs philosophiques*, qui restera aussi inachevé. (Lamartine publie ses *Méditations poétiques*, Maturin son *Melmoth*.)

1821 : Honoré retourne habiter avec ses parents à Villeparisis. Il rencontre Auguste Le Poitevin dit « de l'Egreville », qui recrute des plumes pour fournir aux éditeurs des romans pour « cabinets de lecture » ; il commence à écrire *L'Héritière de Birague* et *Clotilde de Lusignan*.

Avril-mai : Dernier séjour à L'Isle-Adam.

1er septembre : Laurence épouse M. de Montzaigle, — mariage qui se révélera malheureux. (Charles Nodier publie *Smarra*.)

1822 : Début de la liaison avec Mme de Berny, la « dilecta » de vingt-deux ans son aînée, qu'il a rencontrée en juin 1821.

Les premiers romans de Balzac paraissent sous divers pseudonymes.

Janvier : **L'Héritière de Birague** « par A. de Viellerglé (anagramme de de l'Egreville) et Lord R'hoone (anagramme d'Honoré ».

Mars : **Jean-Louis** « par Lord R'hoone ».

Mai-avril : Séjour d'Honoré chez Laure, à Bayeux.

Juillet : **Clotilde de Lusignan** (premier roman rédigé par Honoré seul) « par Lord R'hoone ».

Octobre : La famille Balzac quitte Villeparisis, et

retourne s'installer à Paris dans le Marais, rue du Bois-doré ; Honoré s'engage à payer 1 200 francs de pension annuelle à son père, qui lui fait signer un contrat en règle à cet effet.

Novembre : **Le Centenaire** et **Le Vicaire des Ardennes** « par Horace de Saint-Aubin ».

Novembre-décembre : Honoré commence un roman *Wann-Chlore*, et écrit un mélodrame *Le Nègre*, refusé à la Gaîté en janvier suivant. (Stendhal publie *De l'Amour*.)

1823 (mai) : **La Dernière Fée** « par Horace de Saint-Aubin ». Honoré achève *Wann-Chlore*.

Juillet-septembre : séjour en Touraine, rédaction du poème *Fœdora*. (Lamartine publie de *Nouvelles Médita-tions poétiques*, Hugo *Han d'Islande*, Walter Scott *Quentin Durward*, Stendhal *Racine et Shakespeare*.)

1824 (janvier-mai) : Honoré collabore à de petits jour-naux, entre autres avec son ami le journaliste libéral Horace Raisson, au *Feuilleton littéraire* ; il publie deux bro-chures anonymes : **Du Droit d'aînesse** et **Histoire impartiale des jésuites**.

Mai : **Annette et le Criminel** « par Horace de Saint-Aubin ». Rédaction inachevée d'un nouveau *Falthurne*.

Juin : La famille Balzac retourne s'installer à Villepa-risis, sans Honoré, qui prend un petit appartement rue de Tournon.

1825 : Avec de l'argent prêté par sa famille, Honoré s'associe avec l'éditeur Urbain Canel pour la publication d'*Œuvres complètes* illustrées de Molière et de La Fon-taine, pour lesquelles il va écrire des notices.

Mars : **Code des gens honnêtes** sans nom d'auteur.

Avril : Bref voyage à Alençon.

Eté : Début de la liaison d'Honoré avec la duchesse d'Abrantès, de quinze ans son aînée.

11 août : mort de Laurence.

Septembre : **Wann-Chlore** sans nom d'auteur. Honoré projette une série de romans destinée à former une *Histoire de la France pittoresque*.

1826 (avril) : Grâce à des prêts encore, Honoré achète l'imprimerie Laurens, pour l'exploiter en association avec le prote Alain Barbier.

Mai : L'éditeur Canel est mis en faillite, et Honoré se charge seul de l'affaire des *Œuvres complètes* — un premier échec en affaires qui le laissera avec 30 000 francs de dettes.

4 juin : Honoré obtient son brevet d'imprimeur et s'installe rue des Marais-Saint-Germain (actuelle rue Visconti).

Juillet : Pour son premier travail d'imprimeur, Honoré compose une première version de sa *Physiologie du Mariage* (qui ne sera pas diffusée).

Septembre : Bref voyage à Reims pour recouvrer une créance ; les affaires marchent mal.

La famille Balzac quitte Villeparisis et s'installe à Versailles. (Vigny publie *Cinq-Mars*, Hugo *Odes et Ballades*, Chateaubriand *Les Natchez*, et Fenimore Cooper *Le Dernier des Mohicans*.)

1827 (15 juillet) : Toujours grâce à des prêts de sa famille et de Mme de Berny, l'amie fidèle, Honoré et son associé Barbier se mettent en société avec le fondeur de caractères Laurens. Honoré travaille à ses projets de romans historiques et à des compilations diverses ; en aidant Urbain Canel à rassembler des textes pour un recueil collectif annuel, *Annales romantiques*, il rencontre divers écrivains, dont Hugo et Vigny.

1828 (février) : Barbier se retire des sociétés d'imprimerie et de fonderie de caractères.

Avril : Poursuivi par les créanciers, Honoré s'installe, sous le nom de son beau-frère Surville, rue Cassini, près de l'Observatoire.

16 avril : Liquidation de la fonderie, reprise par le fils de Mme de Berny.

16 août : Liquidation de l'imprimerie. Honoré est non seulement ruiné, mais encombré pour l'avenir de dettes énormes contractées envers amis et parents.

18 septembre-fin octobre : Retour à la littérature au cours d'un séjour à Fougères chez le général de Pommereul (dont le père fut le protecteur du père d'Honoré) ; Honoré prépare un roman sur la chouannerie, *Le Gars*.

1829 : Honoré est introduit par la duchesse d'Abrantès dans les salons à la mode, entre autres chez Mme Récamier et chez le baron Gérard. Début de la correspondance avec Zulma Carraud, qu'il connaît depuis l'enfance ; elle est la femme d'un capitaine de l'école de Saint-Cyr où Honoré se lie d'amitié avec tout un groupe de camarades polytechniciens de Surville.

Avril : Balzac publie, pour la première fois sous son nom, **Le Dernier Chouan** ou la **Bretagne en 1800**, qui, sous son titre définitif *Les Chouans*, sera aussi le premier roman à prendre place dans *La Comédie humaine*.

Juin : Séjour à La Bouleaunière (près de Nemours) chez Mme de Berny, où il rédige la plus ancienne des *Scènes de la vie privée*, *La Paix du ménage*.

19 juin : Mort de B.-F. Balzac, père de l'écrivain, qui était né en 1746.

10 juillet : Balzac assiste chez Hugo à la lecture de *Marion Delorme*.

Octobre : Balzac écrit ce qui deviendra *La Maison du Chat-qui-pelote*. Il travaille à *El Verdugo*, la plus ancienne des *Études Philosophiques*, à ce qui deviendra *La Femme de trente ans*, au *Bal de Sceaux*, nouvelles qui vont prendre place dans les *Scènes de la vie privée*.

Décembre : **Physiologie du mariage** « par un jeune célibataire », qui amorce le succès mondain de Balzac ; (Mérimée publie *Chroniques du règne de Charles X*, Hugo *Les Orientales*).

1830 (janvier) : Balzac, qui collabore désormais avec plusieurs journaux, se lie entre autres avec Emile de Girardin et s'associe avec lui pour la publication d'un journal : le *Feuilleton des Journaux politiques*.

30 janvier : *El Verdugo*, premier texte signé H. de Balzac, dans *La Mode* (un des journaux de Girardin).

25 février : Balzac prend part à la bataille d'*Hernani*, mais n'en publie pas moins un article sévère sur la pièce.

Mars : *L'Usurier* (futur *Gobseck*) et *Etude de femme* dans *La Mode*.

Avril : **Premières Scènes de la vie privée**.

Mai : *Les Deux Rêves* (future IIIᵉ partie de *Sur Catherine de Médicis*) et *Adieu* dans *La Mode*.

Juin-août : Séjour à La Grenadière, près de Tours, avec Mme de Berny ; descente de la Loire en bateau.

Automne : Balzac fréquente le salon de Charles Nodier à l'Arsenal.

Octobre-décembre : *L'Elixir de longue vie*, *Sarrasine* et *Une passion dans le désert* dans la *Revue de Paris*. (Stendhal publie *Le Rouge et le Noir*.)

1831 : Balzac homme du monde rencontre entre autres Rossini, Jules Sandeau et George Sand.

Janvier-mars (et octobre) : Plusieurs épisodes de la future *Femme de trente ans* et du *Réquisitionnaire* dans la *Revue de Paris*.

Mars-avril : Séjour à La Bouleaunière avec Mme de Berny. 23 avril : Tenté par la politique, Balzac, qui vient de rencontrer le duc de Fitz-James (chef du parti néo-légitimiste), publie à des fins électorales la bro-

chure : *Enquête sur la politique de deux ministères.*
Mai : *Les Proscrits* dans la *Revue de Paris.*
1er juin : Balzac est témoin au mariage d'Emile de Girardin.
31 juillet-7 août : *Le Chef-d'œuvre inconnu* dans *L'Artiste.*
1er août : **La Peau de chagrin** consacre la réputation de Balzac comme écrivain à la mode.
Fin septembre : **Romans et Contes philosophiques.**
Septembre-octobre : Séjour à La Bouleaunière avec Mme de Berny.
Octobre-décembre : Séjour à Saché chez M. de Margonne. (Hugo publie *Notre-Dame de Paris.*)

1832 (janvier) : **Contes bruns** avec Chasles et Rabou.
15 février : *Le Message* dans la *Revue des Deux-Mondes.*
19 février : *Madame Firmiani* dans la *Revue de Paris ; La Transaction* (futur *Colonel Chabert*) dans *L'Artiste.*
28 février : Première lettre à Balzac de celle qui n'est encore que « L'Etrangère », Mme Hanska, épouse d'un riche propriétaire d'Ukraine.
Avril : Premier dizain des **Contes drolatiques.** Nouveaux épisodes de *La Femme de trente ans* dans la *Revue de Paris.* Fin avril-début mai : Séjour à Saint-Firmin, près de Chantilly, avec Mme de Berny.
19 mai : *La Vie d'une femme* dans *Le Rénovateur.*
6 juin-16 juillet : Séjour à Saché, où Balzac rédige *Louis Lambert.*
Juillet-août : Séjour à Angoulême chez les Carraud.
Fin août-13 octobre : Balzac rejoint à Aix-les-Bains la marquise de Castries (nièce du duc de Fitz-James), rencontrée l'année précédente et à laquelle il fait une cour assidue ; il s'est, pour lui plaire, rallié ouvertement au parti néo-légitimiste.
9-16 septembre : *La Femme abandonnée* dans la *Revue de Paris.*
14-18 octobre : Balzac séjourne à Genève avec la marquise de Castries, qui se refuse à lui ; il la quitte et se « vengera » avec *La Duchesse de Langeais.*

Octobre : **Nouveaux Contes philosophiques,** contenant **Louis Lambert.** *Lettre à Nodier* et *La Grenadière* dans la *Revue de Paris.*
Fin octobre-décembre : Séjour à La Bouleaunière avec Mme de Berny.
9 décembre : Première réponse de Balzac à l'Etrangère ; Balzac a commencé *Le Médecin de campagne.* (Mort de Goethe.)

1833 : Balzac cesse son activité purement journalistique et
ne donne aux journaux que la pré-publication de ses
œuvres. Début d'une correspondance suivie avec
Mme Hanska ; liaison avec Marie du Fresnay ; Balzac
continue d'élargir le cercle de ses relations mondaines.
13 janvier : Deuxième partie des *Marana* dans la *Revue de
Paris*.
Mars : *Ferragus* dans la *Revue de Paris*.
Mi-avril-mi-mai : Nouveau séjour à Angoulême chez les
Carraud ; une partie de *La Duchesse de Langeais* dans
L'Echo de la Jeune France.
19 juin : *La Veillée* du *Médecin de campagne* dans *L'Europe
littéraire*.
Juillet : Deuxième dizain des **Contes drolatiques**.
Procès avec l'éditeur Mame à propos du *Médecin de campagne*.
15 août-5 septembre : *Théorie de la démarche* dans
L'Europe littéraire.
Début septembre : **Le Médecin de campagne**. Début
d'*Eugénie Grandet* dans *L'Europe littéraire*.
25 septembre : Première rencontre avec Mme Hanska à
Neuchâtel, où Balzac reste jusqu'au 1er octobre.
Octobre : Contrat avec Mme Béchet pour la publication
des *Etudes de mœurs aux XIXe siècle* : douze volumes divisés
en trois séries qui préfigurent *La Comédie humaine*, *Scènes
de la vie privée*, *Scènes de la vie de province*, *Scènes de la vie
parisienne*.
Décembre : **Tome V-VI des Etudes de Mœurs**,
volumes 1 et 2 des *Scènes de la vie de province*, contenant
en inédit Eugénie Grandet et L'Illustre Gaudissart.
24 décembre : Balzac retrouve Mme Hanska à Genève et
lui offre, en cadeau de Noël, le manuscrit d'*Eugénie
Grandet*. (George Sand publie *Lélia*.)

1834 (janvier-8 février) : Séjour à Genève avec Mme Hanska
devenue sa maîtresse, qui lui présente la comtesse Marie
Potocka, laquelle fera inviter Balzac à l'ambassade
d'Autriche.
Fin mars : **Tomes X-XI des Etudes de Mœurs**,
volumes 2 et 3 des *Scènes de la vie parisienne*, contenant en
édition originale Histoire des Treize.
26 avril : Balzac, qu'on a vu aussi dîner en compagnie des
bourreaux Samson père et fils, rencontre Vidocq.
1er juin (et 19 juillet) : début de *Séraphîta* dans la *Revue de
Paris*.
4 juin : Naissance de Maria du Fresnay, fille présumée de
Balzac (qui vivra jusqu'en 1930).

Juillet (ou octobre ?) : Au cours d'une soirée à l'ambassade d'Autriche, Balzac rencontre la comtesse Guibodoni-Visconti, née Sarah Lovell.

16 juillet : Balzac, qui a pris conscience de l'unité de son œuvre et songe à la diviser en trois grandes séries : *Etudes de mœurs au XIXᵉ siècle, Etudes philosophiques* et *Etudes analytiques,* signe avec l'éditeur Werdet un contrat pour la publication d'une édition collective des *Etudes philosophiques.*

Septembre : **Tome III-IV des Etudes de Mœurs,** volume 3 et 4 des *Scènes de la vie privée,* contenant **La Femme de trente ans et La Recherche de l'Absolu.**

25 septembre-10 octobre : Séjour à Saché, rédaction du début du *Père Goriot* ; Balzac invente le procédé du « retour des personnages ».

Décembre : **Première livraison des Etudes philosophiques,** précédées d'une *Introduction* de Félix Davin. Balzac commence *César Birotteau.*

14 et 18 décembre : Début du *Père Goriot* dans la *Revue de Paris.* (Musset publie *Lorenzaccio,* Sainte-Beuve *Volupté.*)

1835 (janvier-février) : Séjour auprès de Mme de Berny souffrante à La Bouleaunière. Fin du *Père Goriot* dans la *Revue de Paris.*

Début mars : **Le Père Goriot.** Sans abandonner la rue Cassini, Balzac se fait installer, rue des Batailles à Chaillot, une « cellule inabordable », sous le nom de Mme veuve Durand.

Avril-début mai : Mystérieux séjour à Meudon, peut-être pour échapper à l'envahissante comtesse Guidoboni-Visconti.

Début mai-4 juin : Balzac a rejoint Mme Hanska qui est à Vienne avec son mari ; la société viennoise lui fait bon accueil, il est reçu par Metternich ; il ne reverra Mme Hanska que huit ans plus tard.

Juin : Melmoth réconcilié au tome VI du *Livre des conteurs* (coll.) **Tomes I et XII des Etudes de Mœurs,** volume 1 des *Scènes de la vie privée* et volume 4 des *Scènes de la vie parisienne* où figure *La Comtesse à deux maris,* édition originale du futur *Colonel Chabert.*

16-21 juin : Bref voyage à Boulogne, sans doute avec la comtesse Guidoboni-Visconti.

Juillet : Bref séjour à La Bouleaunière ; Balzac esquisse ce qui deviendra *Les Paysans.*

31 août-8 septembre : Nouvel aller et retour à Boulogne.

Octobre : Dernier séjour à La Bouleaunière, où Balzac

termine *La Fleur des pois*. Mme de Berny vient de perdre son fils ; elle décide de ne plus revoir Balzac.

Novembre : **Tomes II et IX des Etudes de mœurs**, volume 2 des *Scènes de la vie privée* contenant en inédit **La Fleur des pois (Le Contrat de Mariage)**, et volume I des *Scènes de la vie parisienne*.

Novembre-décembre : Début du *Lys dans la Vallée* dans la *Revue de Paris*. Souverain achète le droit de publier les *Œuvres complètes d'Horace de Saint-Aubin*. Le Livre mystique, contenant **Séraphîta** et une version augmentée de *Louis Lambert*.

24 décembre : Balzac achète les six huitièmes des actions de *La Chronique de Paris*. (Musset publie *Les Nuits*, Hugo *Les Chants du Crépuscule*.)

1836 (janvier) : Balzac se consacre à la direction de son journal, dont l'équilibre financier est précaire. Début du procès à propos du *Lys dans la vallée*, dont l'éditeur Buloz (*Revue de Paris*) a, sans l'autorisation de Balzac, transmis des épreuves à une revue de Saint-Pétersbourg. Cession des *Etudes de mœurs au XIXe siècle* à Werdet, qui devient ainsi l'éditeur unique de Balzac.

Janvier-février : *La Messe de l'athée* et *L'Interdiction* dans *La Chronique de Paris*.

Février : Début des lettres à Louise, dont l'identité n'a pas encore été établie avec certitude.

6 mars : Début du *Cabinet des antiques* dans *La Chronique de Paris*.

16-26 avril : Balzac à la campagne pour terminer *Le Lys dans la vallée*.

27 avril-4 mai : Balzac en prison pour ne pas avoir assumé son tour de garde national.

29 mai : Naissance de Lionel-Richard Guidoboni-Visconti, qui pourrait bien être le fils de Balzac.

3 juin : Balzac obtient partiellement satisfaction dans son procès avec Buloz.

9 juin : Fragment des *Martyrs ignorés* dans la *Chronique de Paris*.

18 juin : Le Lys dans la vallée.

19 juin : Balzac part pour Saché où il commence *Illusions perdues*.

3-4 juillet : Retour en catastrophe à Paris, où Balzac doit dissoudre sa société de gérance de *La Chronique de Paris* ; il se retrouve ainsi avec 46 000 francs de dettes supplémentaires...

25 juillet-22 août : Voyage en Italie (qu'il découvre) avec Caroline Marbouty déguisée en page. Au retour, Balzac

apprend la mort de Mme de Berny, survenue le 27 juillet.

Septembre : **Deuxième livraison des Etudes philosophiques**, contenant en édition originale L'Interdiction.

30 septembre : Poursuivi par les créanciers, Balzac quitte définitivement la rue Cassini pour son refuge de Chaillot.

9-16 octobre : *La Perle brisée* (IIe partie de *L'Enfant maudit*) dans *La Chronique de Paris*.

23 octobre-4 novembre : Balzac donne, pour la première fois en France, un roman dans un quotidien : *La Vieille Fille* dans *La Presse* que vient de lancer Emile de Girardin.

15 novembre : Un traité avec les éditions Delloye et Lecou, et une avance substantielle, permettent à Balzac de payer ses dettes les plus urgentes.

20 novembre-1er décembre : Séjour en Touraine.

8 décembre-22 janvier 1837 : *Le Secret des Ruggieri* dans *La Chronique de Paris*.

1837 (février) : **Tomes VII-VIII (les derniers) des Etudes de mœurs**, volumes 3 et 4 des *Scènes de la vie de province* contenant la **première partie**, inédite, d'**Illusions perdues**, et l'édition originale de **La Vieille Fille**.

8 février : Un ancien associé de *La Chronique de Paris*, William Duckett, fait saisir le tilbury de Balzac.

14 février-3 mai : Long voyage en Italie, où il est bien accueilli par la haute société (Milan, Venise, Gênes, Livourne, Florence, Bologne, Côme).

Mai : Faillite de l'éditeur Werdet.

Fin juin-début juillet : Balzac échappe de justesse, en se cachant, à la prison pour dettes. **Troisième livraison des Etudes philosophiques**, assumée par Delloye et Lecou.

1er-14 juillet : *La Femme supérieure (Les Employés)* dans *La Presse*.

23 juillet-20 août : *Gambara* dans la *Revue et Gazette musicale de Paris*.

15-28 août : Séjour à Saché.

16 septembre : Balzac achète à Sèvres un « chalet » et des terrains au lieu-dit « Les Jardies ».

Décembre : Troisième et dernier dizain des **Contes drolatiques**.

17 décembre : **César Birotteau**.

1838 (février) : Séjour dans le Berry, à Frapesle, chez les Carraud.

24 février-2 mars : Visite à Nohant, chez George Sand, qui suggère à Balzac le sujet de *Béatrix*.

Mars-début juin : Voyage en Sardaigne, où Balzac envisage d'exploiter des mines argentifères : l'idée était si bonne qu'une société de Marseille a déjà acquis la concession. Voyage en Italie, séjour à Turin. A son retour à Paris, Balzac apprend la mort de la duchesse d'Abrantès, survenue le 7 juin.

Fin juin-début juillet : Balzac s'installe aux Jardies, où il a acquis de nouvelles parcelles et dépense une fortune en aménagements et en plantations — la légende dira qu'il rêvait de faire fortune en acclimatant aux Jardies la culture de l'ananas.

Septembre : **La Femme supérieure (Les Employés) ; La Maison Nucingen ; La Torpille** (début des futures **Splendeurs et misères des courtisanes**).

12 novembre : Contrat de réimpression avec l'éditeur Charpentier qui lance sa célèbre collection « Bibliothèque in-18° ».

21 décembre : Léon Curmer achète à Balzac plusieurs textes pour son recueil *Les Français peints par eux-mêmes*.

28 décembre : Balzac adhère à la toute neuve Société des gens de lettres.

31 décembre : *Une fille d'Eve* dans *Le Siècle*, le quotidien de Dutacq. (Victor Hugo fait jouer *Ruy Blas*.)

1839 (1er-7 janvier) : Début du *Curé de village* dans *La Presse*.

Janvier : Balzac est de nouveau à « l'Hôtel des Haricots » pour ne pas avoir fait son tour de garde national.

Février : Balzac loue un pied-à-terre rue de Richelieu.

24 février : Le théâtre de la Renaissance refuse *L'Ecole des ménages*.

24 mars : Balzac élu au comité de la Société des gens de lettres. Le Cabinet des Antiques suivi de Gambara.

13-26 avril (et 10-19 mai) : 1er et IIe partie de *Béatrix* dans *Le Siècle*.

18-20 avril : Balzac fait transporter sa bibliothèque aux Jardies, où il réside la plupart du temps.

14 mai : Balzac achète un deuxième « chalet » aux Jardies.

15 juin : **Un grand homme de province à Paris (IIe partie d'Illusions perdues).**

Juillet : *Véronique* et *Véronique au tombeau* (IIe et IIIe parties du *Curé de village*) dans *La Presse*.

16 août : Balzac président de la Société des gens de lettres.

20-26 août : *Une princesse parisienne (Les Secrets de la Princesse de Cadignan)* dans *La Presse*. **Une fille d'Eve suivi de Massimila Doni.**

30 août-28 octobre : Affaire Peytel ; sur les instances de Gavarni, Balzac (*Lettres* dans *Le Siècle*) essaie en vain de sauver la tête d'un notaire de Bourg-en-Bresse, accusé du double meurtre de sa femme et de son domestique.

Octobre-décembre : *Petites Misères de la vie conjugale* dans *La Caricature*.

Novembre : **Béatrix ou les amours forcés.**

2 décembre : Candidat à l'Académie française, Balzac s'efface devant Hugo, qui ne sera d'ailleurs pas élu. (Stendhal publie *La Chartreuse de Parme*.)

1840 (9 janvier) : Hugo succède à Balzac à la présidence de la Société des gens de lettres.

14-27 janvier : *Pierrette* dans *Le Siècle*. Balzac trouve le titre de « La Comédie humaine ».

Janvier-février : Balzac achève, remanie et fait répéter sa pièce *Vautrin*. La pièce, rejetée deux fois (23 janvier, 27 février) par la censure, sera finalement autorisée le 6 mars.

Février : **Une princesse parisienne (Les Secrets de la Princesse de Cadignan)** dans le recueil (coll.) *Le Foyer de l'Opéra*, tome I.

14 mars : Création de *Vautrin* à la Porte-Saint-Martin. La pièce est interdite le lendemain même : Frédérick Lemaître, qui jouait Vautrin, s'était fait une tête de Louis-Philippe...

Mai : Frédérick Lemaître refuse de jouer *Mercadet*, que Balzac vient d'écrire pour lui a la hâte, et préfère faire sa rentrée dans *Kean* de Dumas.

Juillet : Avec l'aide de Dutacq, Balzac lance une petite revue, *La Revue parisienne*, qu'il rédige pratiquement seul.

25 juillet : *Z. Marcas* dans *La Revue parisienne*.

25 août : *Les Fantaisies de Claudine (Un prince de la bohème)* dans le deuxième numéro de *La Revue parisienne*.

Fin août-début septembre : **Quatrième livraison des Etudes philosophiques, contenant Les Proscrits.**

18-19-septembre : Un créancier, Foullon, obtient la saisie immobilière des Jardies.

25 septembre : *Etudes sur M. Beyle* dans *La Revue parisienne* : c'est le fameux article sur *La Chartreuse de Parme* ; c'est aussi le dernier numéro de la revue, Dutacq arrête les frais à temps.

1er octobre : Avec sa gouvernante-maîtresse Louise Breugniot, dite Mme de Brugnol, Balzac se cache sous le nom de M. de Brugnol dans un appartement à double issue rue Basse, à Passy (c'est la future Maison de Balzac de la rue Raynouard) ; il y accueille bientôt sa mère.

Novembre : Pierrette, suivi de Pierre Grassou.

15 décembre : Balzac assiste au retour des cendres de Napoléon. (Sainte-Beuve publie le début de *Port-Royal*, Hugo *Les Rayons et les Ombres*.)

1841 (15 janvier) : Balzac est nommé président honoraire de la Société des gens de lettres.
14 janvier-20 février : *Une ténébreuse affaire* dans *Le Commerce*.
24 février-4 mars : *Les Deux Frères* (Ire partie de *La Rabouilleuse*) dans *La Presse*.
Mars : *Notes* sur la propriété littéraire. Le Curé de village.
21-28 mars : *Une scène de boudoir (Autre étude de femme)* dans *L'Artiste*.
23 mars-4 avril : *Les Lecamus (Le Martyr calviniste)*, fragment de *Sur Catherine de Médicis* dans *Le Siècle*.
14 avril : Premier traité avec Hetzel, Dubochet et Sanches pour la publication de *La Comédie humaine*.
Avril-début mai : Voyage en Touraine et en Bretagne, probablement avec Hélène de Valette.
3 juin : Balzac assiste à la réception de Victor Hugo à l'Académie française.
15 juillet : Vente par adjudication des Jardies, que Balzac fait acheter par un prête-nom.
21 août : **Physiologie de l'employé.**
25-août-23 septembre : *Ursule Mirouët* dans *Le Messager*.
5 septembre : Balzac offre sa démission à la Société des gens de lettres, qui la refusera (5 et 22 octobre).
2 octobre : Second traité (annulant le premier) avec Furne, Dubochet et Hetzel pour la publication de *La Comédie humaine*. Balzac collabore toute l'année avec Hetzel pour le tome I de *La Vie publique et privée des animaux*.
26 novembre-6 décembre (et 27 décembre-3 janvier) : Ire et IIe partie des *Mémoires de deux jeunes mariées* dans *La Presse*.
24-28 décembre : *La Fausse Maîtresse* dans *Le Siècle*. Balzac propose *Les Ressources de Quinola* à l'Odéon.

1842 (5 janvier) : Balzac apprend la mort du comte Hanski, survenue le 10 novembre précédent. Son idée fixe sera désormais d'épouser Mme Hanska, avec laquelle il a cependant moins correspondu depuis 1839 et qui risque de perdre tous ses biens si elle l'épouse.
9-15 janvier : **Mémoires de deux jeunes mariées.**

Mars : Ursule Mirouët.

19 mars : Première des Ressources de Quinola à l'Odéon.

6 avril : Balzac déménage son pied-à-terre parisien de la rue de Richelieu pour éviter la saisie de ses meubles ; et la mère de Balzac quitte la rue Basse.

16 avril : Première livraison de l'édition Furne de La Comédie humaine.

23 avril : Les Ressources de Quinola quitte l'affiche ; échec financier.

29 mai-11 juin : Albert Savarus dans Le Siècle.

Juin-début juillet : Voyage en Touraine, en Bretagne et à Arcis-sur-Aube en vue du Député d'Arcis.

Juillet : George Sand ayant renoncé, après Nodier, à préfacer La Comédie humaine, Balzac rédige son grand Avant-Propos.

26 juillet-4 septembre : Le Danger des mystifications (Un début dans la vie) dans La Législature.

Septembre : Les Méchancetés d'un saint (incorporé plus tard à L'Envers de l'histoire contemporaine) dans Le Musée des familles. La Fausse Maîtresse et Autre Etude de femme dans la deuxième livraison de l'édition Furne.

27 octobre-19 novembre : Un ménage de garçon en province (IIᵉ partie de La Rabouilleuse) dans La Presse.

Novembre : Albert Savarus dans la troisième livraison Furne.

Décembre : Les Deux Frères (La Rabouilleuse).

(Eugène Sue publie Les Mystères de Paris ; mort de Stendhal.)

1843 (7 mars) : Balzac assiste à la création des Burgraves de Hugo.

17-29 mars : Honorine dans La Presse ; Une ténébreuse affaire.

20 mars-29 avril : Dinah Piédefer (La Muse du département) dans Le Messager.

21-30 mai : Esther ou les amours d'un vieux banquier (La Torpille corrigée) dans Le Parisien.

31 mai-1ᵉʳ juillet : fin de Iʳᵉ partie et début de IIᵉ partie de Splendeurs et Misères des courtisanes dans Le Parisien.

4 juin-début juillet : Balzac s'installe pour un mois à Lagny, près de l'imprimerie Giroux et Vialat qui compose Esther et David Séchard.

9-19 juin : Début de David Séchard ou les souffrances de l'inventeur dans L'Etat.

21 juin : L'Etat cesse de paraître.

5 juillet : Balzac rentre à Passy. La Muse du département.

18 juillet-14 août : *Le Parisien-L'Etat* (qui ont fusionné) achèvent de publier *David Séchard*.

21 juillet : Balzac s'embarque à Dunkerque sur le *Devonshire*, qui accoste à Saint-Pétersbourg le 29 juillet.

29 juillet-7 octobre : Séjour à Saint-Pétersbourg avec Mme Hanska ; Balzac est victime au cours de ce séjour d'un sévère coup de soleil ; au retour, le docteur Nacquart diagnostiquera une sorte de méningite chronique.

Septembre : *Madame de la Chanterie* (fragment de *L'Envers de l'histoire contemporaine*) dans le *Musée des familles*.

26 septembre : Création (en l'absence de Balzac donc) de *Paméla Giraud* à la Gaîté.

1er octobre-3 novembre : Balzac rentre à Paris via l'Allemagne et la Belgique.

8-10 novembre : Balzac va récupérer sa malle (revenue par bateau) au Havre, où il recueille des renseignements qu'il utilisera dans *Modeste Mignon*.

Décembre : Candidature à l'Académie française, et retrait. Balzac pose pour le sculpteur David d'Angers.

1844 (janvier) : Balzac, qui se plaint de douleurs nerveuses, écrit entre autres *Les Roueries d'un créancier (Un homme d'affaires)* et travaille aux *Petits Bourgeois* (qui restera inachevé) et à *Modeste Mignon*, dont l'idée lui vient de Mme Hanska — à laquelle il écrit alors chaque jour.

Mars : **David Séchard (IIIe partie d'Illusions perdues).**

4-18 avril : Début de *Modeste Mignon* dans le *Journal des Débats*.

19 avril-mai : Une jaunisse interrompt la rédaction de *Modeste Mignon*.

17 mai-1er juin (et 5-21 juillet) : Fin de *Modeste Mignon* dans le *Journal des Débats*.

Juin : **Un début dans la vie.**

26 juillet : Balzac établit un catalogue des ouvrages que contiendra *La Comédie humaine* : 125 ouvrages, dont 40 restent à faire.

30 août : Balzac a déjà fourni quatre « croquis de mœurs » à Hetzel pour le tome I du *Diable à Paris* (coll.), et Hetzel lui en commande une nouvelle série.

Septembre : **IIe partie de Splendeurs et misères des courtisanes**, sous ce titre et le sous-titre **Esther**. **Catherine de Médicis expliquée**. **Le Martyr calviniste.**

Octobre : Névralgie et inquiétudes.

12 octobre : *Un Gaudissart de la rue de Richelieu (Gaudissart II)* dans *La Presse*.

Octobre-novembre : Suite de *Madame de la Chanterie* dans *Le Musée des familles*. **Honorine suivi d'Un prince de la bohème.**

Novembre (-janvier 1845), **Modeste Mignon suivi de Un épisode sous la Terreur et Une passion dans le désert.**

3-21-décembre : Première partie des *Paysans* dans *La Presse*.

24 décembre-23 janvier 1845 : *La Lune de miel (Un adultère rétrospectif)*, IIe partie de *Béatrix* dans *Le Messager*. (Vigny publie *La Maison du Berger*, Dumas le début du *Comte de Monte-Cristo* et des *Trois Mousquetaires* ; mort de Charles Nodier ; naissance d'Anatole France.)

1845 (20 janvier) : Balzac reçoit son buste en marbre par David d'Angers.

Janvier-mars : Divers textes dans *Le Diable à Paris*, tome II ; Hetzel publie aussi tout au long de l'année des fragments des *Petites Misères de la vie conjugale*.

24 avril : Balzac est fait chevalier de la Légion d'honneur.

25 avril-5 juillet : Balzac rejoint Mme Hanska, sa fille Anna et son fiancé Georges Mniszech à Dresde ; ils voyagent en Allemagne.

Mai : **La Lune de miel (IIe partie de Béatrix).**

7 juillet : De retour à Paris, Balzac installe Mme Hanska et sa fille rue de la Tour, à Passy.

Fin juillet-début août : Voyage ensemble en France (Orléanais, Touraine, Berry).

11-27 août : Voyage ensemble en Hollande. On se sépare à Bruxelles.

19 août : Fragment des *Comédiens sans le savoir* dans *Le Siècle*.

30 août-fin septembre : Balzac est seul à Paris.

10 septembre : *Les Roueries d'un créancier (Un homme d'affaires)* dans *Le Siècle*.

24 septembre-4 octobre : Séjour à Baden.

Octobre : Liquidation définitive des Jardies.

Fin octobre-début novembre : Descente en bateau de la Saône et du Rhône, et voyage à Naples avec Mme Hanska, Anna et Georges.

8-17 novembre : Balzac rentre seul à Paris, non sans avoir acheté des antiquités à Marseille : depuis dix-huit mois, il se ruine en meubles, objets, tableaux, en vue de son mariage avec Mme Hanska.

13 décembre : Visite de la Conciergerie en vue d'un épisode de la fin de *Splendeurs et misères des courtisanes* qu'il a beaucoup de mal à écrire.

24 décembre : Voyage-éclair à Rouen pour acheter un meuble.

1846 (Janvier-mars) : Travail lent et difficile.
16 mars-avril : Balzac part retrouver Mme Hanska à Rome.
14-24 avril : *Les Comédiens sans le savoir* dans *Le Courrier français*.
22 avril-mai : Balzac et Mme Hanska en Suisse.
28 mai : Balzac rentre à Paris.
30 mai : Première allusion à un espoir de maternité de Mme Hanska.
3-9 juin : Balzac en Touraine pour acheter une propriété.
Juillet : IIIe partie de *Splendeurs et misères des courtisanes* dans *L'Epoque*.
16 juillet : Balzac commence à écrire *La Cousine Bette*.
30 août-15 septembre : Balzac accompagne Mme Hanska à Mayence, d'où elle gagne Wiesbaden pendant qu'il rentre à Paris.
Septembre : **Petites misères de la vie conjugale. La Femme de soixante ans** (Ire partie de l'Envers de l'histoire contemporaine) suivi de l'Enfant maudit.
19 septembre : **Dernière livraison de l'édition Furne de La Comédie humaine.**
28 septembre : Balzac achète (à crédit) la maison de la rue Fortunée (actuelle rue Balzac).
8 octobre-3 décembre : *La Cousine Bette* dans *Le Constitutionnel*.
9-17 octobre : A Wiesbaden pour le mariage d'Anna et du comte Georges Mniszech.
11 octobre : *Lettre à Hippolyte Castille* dans *La Semaine*, pour défendre son œuvre accusée d'immoralité.
1er décembre : Balzac apprend que Mme Hanska a fait une fausse couche, et en est désespéré.
(Michelet publie *Le Peuple*, George Sand *La Mare au diable*.)

1847 (Fin janvier) : Balzac congédie Mme de Brugnol.
4 février : Balzac va chercher Mme Hanska à Francfort.
15 février : Balzac et Mme Hanska s'installent dans un appartement meublé loué pour deux mois rue Neuve-de-Berry.
18 mars-10 mai : *Le Cousin Pons* dans *Le Constitutionnel*.
7 avril-2 mai : Première partie du *Député d'Arcis* dans *L'Union monarchique*.
13 avril-4 mai : *La Dernière Incarnation de Vautrin* (der-

nière partie de *Splendeurs et misères des courtisanes*) dans *La Presse*.

15 avril : Installation rue Fortunée, dont le coûteux aménagement n'est pas encore terminé.

Début mai : Balzac reconduit Mme Hanska en Allemagne.

13 mai : Balzac est de retour à Paris, où il s'occupe surtout de l'aménagement de la rue Fortunée.

Juin : **Un drame dans les prisons (Où mènent les mauvais chemins, IIIᵉ Partis de Splendeurs et misères des courtisanes).**

28 juin : Balzac malade fait son testament, léguant tout à Mme Hanska.

Juillet : **La Dernière Incarnation de Vautrin (IVᵉ partie de Splendeurs et misères des courtisanes).**

5 septembre : Balzac quitte Paris pour Wierzchownia ; il restera en Ukraine jusqu'en janvier 1848.

Fin de l'année : **Le Provincial à Paris (Les Comédiens sans le savoir et Gaudissart II).** Début de la publication en librairie des **Parents pauvres (Le Cousin Pons et La Cousine Bette).**

(Émilie Brontë publie *Les Hauts de Hurlevent*.)

1848 (15 février) : Retour de Balzac à Paris.

23 février : Début de la Révolution de Février. Balzac va assister au pillage des Tuileries.

17 mars : Balzac candidat aux élections législatives.

Mi-mars-mi-mai : Contrecarré dans ses projets romanesques par les événements politiques, Balzac revient à ses projets pour le théâtre, et écrit *La Marâtre*.

25 mai : Première de *La Marâtre* au Théâtre Historique. Succès auprès des critiques, mais les événements politiques vident les salles ; les représentations cessent dès le 30 mai.

3 juin-6 juillet : Séjour à Saché, d'où Balzac perçoit les échos affaiblis des Journées de Juin — et les premiers symptômes d'une grave maladie de cœur.

8 juillet : Balzac assiste aux obsèques de Chateaubriand, mort le 6 juillet.

20 juillet-11 août : Reprise de *La Marâtre*.

1ᵉʳ août-3 septembre : *L'Initié* (IIᵉ partie de *L'Envers de l'histoire contemporaine*) dans l'éphémère *Spectateur républicain*.

17 août : *Mercadet*, devenu *Le Faiseur*, est accepté par la Comédie-Française, mais ne sera finalement pas monté.

11 septembre : Balzac, candidat à l'Académie française, ne sera pas élu.

20 septembre : Balzac quitte Paris pour l'Ukraine, où il passera tout l'hiver avec Mme Hanska, puis toute l'année suivante, et jusqu'en avril 1850.

Fin de l'année : Fin de la publication des **Parents pauvres (Le Cousin Pons et La Cousine Bette)** comme XVIIe volume, en supplément, de l'édition Furne de *La Comédie humaine*.

(Dumas fils publie *La Dame aux Camélias* ; début de la publication des *Mémoires d'Outre-tombe*.)

1849 : En Ukraine.

4 janvier : *Madame Marneffe ou le père prodigue*, adaptation de *La Cousine Bette* par Clairville, est créée au Théâtre du Gymnase.

11 et 18 janvier : Deux scrutins de l'Académie française sont défavorables à Balzac.

Février : La librairie Furne et Cie remet en vente *La Comédie humaine*.

30 avril : Balzac écrit à sa sœur qu'il souffre d'une « hypertrophie du cœur ».

Juin : « Affreuse crise ».

2 juillet : Le Tsar repousse la supplique de Mme Hanska : elle perdra ses biens si elle épouse Balzac.

Septembre-octobre : « Fièvre céphalalgique intermittente ».

Fin octobre : Grave bronchite.

1850 (janvier) : Nouvelle bronchite, « rhume effroyable ».

14 mars : Balzac épouse Evelyne Hanska.

24 avril : Départ de Wierzchownia.

Mai : Séjour à Dresde et à Francfort.

20 ou 21 mai : Etrange arrivée rue Fortunée : toutes les lumières de la maison sont allumées, mais personne ne vient ouvrir, il faut aller quérir un serrurier ; au milieu du salon, Balzac trouve son valet de chambre hébété, devenu fou.

30 mai : Consultation du docteur Nacquart, assisté de trois confrères.

1er juin : Balzac écrit sa dernière lettre.

4 juin : Balzac et sa femme se font donation réciproque de leurs biens en cas de décès.

9 juillet : Péritonite et pose de ventouses.

24 juillet : Début des ponctions, qui resteront inefficaces.

(5 août : Naissance de Guy de Maupassant.)

Dimanche 18 août, à 11 heures et demie du soir, mort d'Honoré de Balzac. Les obsèques ont lieu le 21 août, en l'église Saint-Philippe du Roule — convoi de troisième classe, mais Hugo, Dumas, Sainte-Beuve et Baroche, ministre de l'Intérieur, tiennent les cordons du poêle. Au Père-Lachaise, Victor Hugo prononce un vibrant hommage au génie de Balzac.

TABLE

*Interview : « Mona Ozouf, pourquoi aimez-vous
La Femme de trente ans ? »* I

Introduction 5

LA FEMME DE TRENTE ANS

Notes 255

Annexes 261
  1. Note de l'édition de 1832 263
  2. Préface de l'édition Béchet 263
  3. Commentaire de Félix Davin dans l'*Introduction
  aux Études de mœurs* 266
  4. Les âges de la femme dans *La Comédie humaine* .. 269

Bibliographie 291

Chronologie 297

GF Flammarion

10/07/156857-VIII-2010 – Impr. MAURY Imprimeur, 45330 Malesherbes.
N° d'édition L.01EHPN000403.N001. – août 2010. – Printed in France.